a fondo 2

Curso de español lengua extranjera

NIVEL SUPERIOR

a fondo 2

Curso de español lengua extranjera

NIVEL SUPERIOR

María Luisa Coronado González
Javier García González
Alejandro Zarzalejos Alonso

Español Lengua Extranjera

SOCIEDAD GENERAL ESPAÑOLA DE LIBRERÍA, S.A.

SGEL

Primera edición, 2004
Segunda edición, 2007

Produce: SGEL-Educación
        Avda. Valdelaparra, 29
        28108 Alcobendas (Madrid)

© M.ª Luisa Coronado González
    Javier García González
    Alejandro Zarzalejos Alonso

© Sociedad General Española de Librería, S. A., 2004
© Nacho&Ricardo, p. 175
© Quino, p. 214

ISBN 10: 84-9778-083-3
ISBN 13: 978-84-9778-083-4
Depósito legal: M-19570-2007
Diseño y maquetación: LdTlab, comunicación gráfica
Ilustraciones: Iván Torremocha
Fotografías: Archivo SGEL, Cordon Press, Héctor de Paz y Verónica Brito
Impresión: ORYMU, S.A.

INTRODUCCIÓN

Este libro es un manual de nivel superior de español como lengua extranjera (nivel CI del *Marco común europeo de referencia*) que tiene como objetivo principal ayudar a los estudiantes a conseguir comunicarse de una manera más matizada, rica y versátil.

Sus nueve unidades están estructuradas en torno a núcleos temáticos, como las artes, la historia y la vida cotidiana. En cada una de las unidades hay secciones fijas en las que se desarrollan los contenidos y las actividades de la lengua o destrezas comunicativas: gramática (tratada, por lo general, inductivamente), léxico (palabras y sus combinaciones o colocaciones), funciones y sus exponentes, comprensión de lectura y auditiva (mediante textos reales tanto escritos como orales), interacción y expresión orales, expresión e interacción escritas. Transversal al desarrollo de los contenidos es la atención a los aspectos socioculturales, pragmáticos y sociolingüísticos.

Este libro es heredero del antiguo manual *A fondo. Curso superior de español para extranjeros,* de esta editorial. Nuestra mayor experiencia y las sugerencias, críticas y alabanzas que hemos recibido a lo largo de estos años por parte de profesores y alumnos que lo han utilizado han hecho posible una profunda renovación. El método *A fondo* consta ahora de dos manuales: *A fondo. Nivel avanzado* (niveles B2 y B2+) y *A fondo 2. Nivel superior* (nivel CI).

Los profesores y los estudiantes interesados en ampliar en clase o fuera de ella los contenidos gramaticales o en hacer más actividades de práctica pueden usar el curso de gramática de español como lengua extranjera *Materia Prima*, de los mismos autores y publicado en esta misma editorial.

ÍNDICE

ACTIVIDAD PREPARATORIA 1

Como puedes ver en el índice, cada unidad de este libro tiene como título la primera mitad de un refrán que tiene relación con el tema de la unidad. Busca en la columna de la derecha la segunda mitad del refrán y el tema de la unidad (a veces la rima puede ayudarte):

1. Hablando...

2. A quien madruga,...

3. Cada oveja...

4. Tanto tienes,...

5. Con pan y vino...

6. Agua pasada...

7. Sobre gustos...

8. Donde fueres...

9. En martes...

A) tanto vales (LA ECONOMÍA).

B) haz lo que vieres (LAS TRADICIONES).

C) se entiende la gente (LA LENGUA).

D) no mueve molino (LA HISTORIA).

E) ni te cases ni te embarques (LAS CREENCIAS).

F) Dios le ayuda (LA VIDA COTIDIANA).

G) con su pareja (LAS MUJERES Y LOS HOMBRES).

H) no hay nada escrito (LAS ARTES).

I) se anda el camino (LOS VIAJES).

Con ayuda del índice, contesta estas preguntas:

1 ¿Qué secciones de las unidades te ayudarán más a:

a) ampliar vocabulario?

b) mejorar la comprensión auditiva?

c) desarrollar la escritura?

d) mejorar tu gramática?

2 ¿Qué página o páginas del libro podrías consultar para encontrar la siguiente información? (En algunos casos, sólo tendrás esa información cuando ya hayas trabajado ese apartado).

a) ¿Qué diferencia hay entre decir "como vaya..." y decir "si voy..."?

b) ¿Qué diferencia hay entre un café, una cafetería, un chiringuito y un bar de copas?

c) ¿Qué significa "mirar los toros desde la barrera"?

d) ¿Con qué palabras puedo empezar y terminar una carta formal?

e) ¿Cuándo usamos "en fin" y cuándo "finalmente"?

f) Información sobre alguna fiesta popular en España.

g) ¿Hay muchas diferencias gramaticales entre el español hablado en distintas zonas de España y América?

h) ¿Cómo se llama el objeto que usan los pintores para mezclar pinturas?

i) ¿Qué es más adecuado: "una estupenda fiesta" o "una fiesta estupenda"?

j) ¿Qué verbo necesito cuando digo en un banco, "Quiero _____ una transferencia"?

¿TÚ QUÉ CREES?

Lee este anuncio y observa las imágenes. ¿Hay algo que no comprendas?

1 ¿Los españoles suelen hacer la sobremesa? ¿Qué relación tiene esto con los monos? ¿Por qué se habla de "volver al mono"?

2 ¿Crees que este mensaje lo entenderían bien todos los hispanohablantes o sólo los españoles?

3 ¿Qué conclusión sacas de esta actividad? ¿Te parece buena alguna de éstas?

a) Aunque comprendamos las palabras, a veces no podemos comprender qué nos quieren decir porque nos faltan elementos socioculturales necesarios para ello.

b) Lengua y cultura deben aprenderse al mismo tiempo. Aprender una lengua implica también aprender su cultura.

c) Es suficiente con aprender el sistema de la lengua, porque los elementos culturales varían de país a país y son imposibles de aprender. La lengua, por el contrario, no cambia tanto de una zona a otra.

DESPUÉS DE COMER, LA GENTE NO HACE LA SOBREMESA

MEJOR QUE *Volvamos* AL MONO

MATERIA PRIMA 1

1 En la siguiente sección ("Con textos 1") vas a leer un texto en el que aparecen todas estas palabras. ¿Podrías escribirlas en el cuadro según su función? Consulta el diccionario si lo necesitas.

mientras

asimismo

también

a la par que

a la vez que

a medida que

así como

además

PALABRAS PARA PRESENTAR DOS ACCIONES COMO SIMULTÁNEAS EN EL TIEMPO	PALABRAS QUE NOS SIRVEN SOLAMENTE PARA AÑADIR INFORMACIÓN

2 ▪ Lee las siguientes afirmaciones sobre el aprendizaje de las lenguas. ¿Estás de acuerdo con todas ellas?

Hay que aprender la cultura **a la par que / a la vez que / al (mismo) tiempo que / mientras** se aprende la lengua.

A medida que usamos mejor una lengua, nos damos más cuenta de que el éxito en la comunicación se basa muchas veces en factores socioculturales, y no sólo en usar bien la gramática.

Aprender a utilizar una lengua significa aprender cómo y cuándo hablar, **así como / y además** cuándo callar.

Un objetivo importante para el profesor de español debe ser promover el acercamiento entre la cultura hispánica y la del país de origen del estudiante, **así como / y además** transmitir una imagen auténtica de aquélla, favoreciendo la desaparición de tópicos y prejuicios.

Ningún hablante nativo del español habla todas las variedades de la lengua en su totalidad, pues su identidad lingüística varía según la edad, el sexo, la clase social, la región, la profesión y otros factores. **Asimismo**, ningún hispanohablante posee la cultura hispánica en su totalidad ni puede poseerla; igual que hablamos de variedades lingüísticas, debemos tener en cuenta que existen muchas culturas parciales o subculturas dentro de una misma comunidad lingüística.

3 ▪ Observa las frases anteriores y completa lo que sigue con las palabras:

misma - progresivamente - nueva - simultáneamente

a) Con "mientras, a la par / a la vez / al (mismo) tiempo que" relacionamos dos acciones que suceden .... , en el mismo periodo de tiempo; con "a medida que" también, pero esas dos acciones suceden .... a lo largo del tiempo, y dependiendo la una de la otra.

b) Con "además" y "así como" relacionamos dos partes de un discurso que se dirigen hacia una .... conclusión. "Asimismo" nos sirve para introducir una .... información independiente de la anterior, pero que guarda alguna relación con ella.

"Así como", "a la par que" y "asimismo" son formales. Las demás palabras y expresiones se usan tanto formal como informalmente.

CON TEXTOS 1

1 ■ El artículo periodístico que vas a leer más adelante trata sobre la lengua española. Vamos a ver cuánto sabes sobre ella. Forma un grupo con otros compañeros; tu grupo tiene diez minutos para contestar a las siguientes preguntas:

a) El uso del español, ¿aumentará o disminuirá?

b) ¿Cuánto tiempo hace que nació?

c) ¿En qué época se difundió más geográficamente?

d) ¿Cuándo se utilizó más como vehículo de comunicación internacional?

e) La independencia de los países americanos en el siglo XIX, ¿hizo aumentar o disminuir el número de hablantes?

f) ¿En cuántos continentes se ha hablado y se habla el español?

g) En los últimos años, ¿ha aumentado o disminuido el número de hablantes del español en América? ¿Y el de hablantes de las lenguas indígenas?

h) ¿De qué lengua procede el español?

El profesor te dirá cuántas preguntas ha acertado tu grupo, pero no cuáles. Comprueba cuáles son correctas y cuáles no lo son haciendo una lectura rápida del texto que tienes en las páginas siguientes. Subraya las palabras o frases en las que está la información.

2 ■ Cada una de las frases que tienes a continuación resume un párrafo del texto. Si tú hubieras tenido que escribir un texto sobre la lengua española, ¿en qué orden habrías expuesto esas ideas?

☐ El español no sólo no está en decadencia, sino que es un idioma con gran vitalidad.

☐ Relación entre independencia de los países hispanoamericanos y crecimiento en el número de hablantes de español.

☐ Historia del español hasta el siglo XV.

☐ Retroceso del uso internacional del español en los siglos XVIII y XIX, en contraste con el crecimiento del número de hablantes.

☐ Desde su nacimiento, el español no ha parado de crecer.

☐ Importancia del español como lengua histórica. Resumen de las diferentes etapas de su historia.

☐ Previsiones de crecimiento para el futuro.

☐ Expansión del español en los siglos XVI y XVII.

☐ Cambios que en los siglos XX y XXI han hecho que el español recupere su importancia internacional.

¿En qué orden aparecen estos párrafos en el texto? ¿Qué secuencia te parece más lógica: la que tú has pensado o la del autor?

CRECIMIENTO Y NUEVA DIMENSIÓN

La amenaza que algunos ven planear sobre el español no se justifica por la vitalidad que la lengua demuestra. Malformaciones y defectos abundan en su empleo, pero por lamentables que 5 sean no empañan la capacidad expansiva del idioma común de españoles y americanos. Una mirada hacia atrás suele llevar al nostálgico a sentir que cualquier tiempo pasado fue mejor; el ojo del historiador niega, en cambio, que haya 10 sido así en este caso.

El lenguaje popular del alto Ebro, puesto por escrito por primera vez hace un milenio, no ha dejado desde entonces de ser empleado por un número creciente de hablantes, prueba de una 15 ductilidad para la comunicación que pocas lenguas tienen. En el inevitable proceso de simplificación del mapa lingüístico del mundo, el español no figura entre sus víctimas. Este idioma, relativamente joven, no ha sido arrinconado o des-20 cartado por contacto con otros. En vez de quedar relegado ha ido ocupando el lugar de otras lenguas.

En su primer medio milenio de existencia, el castellano se difundió por buena parte del solar 25 ibérico, a la vez que se distanciaba de su matriz latina. A pesar de ganar en uso, personalidad y prestigio a medida que pasaba el tiempo, nunca logró dejar de compartir funciones con el latín. En la Edad Media, y hasta más tarde, éste siguió 30 gozando del reconocimiento como lengua formal y culta, en especial para la comunicación escrita del derecho, la religión y el pensamiento.

En el segundo medio milenio, la lengua de Castilla aceleró su difusión y ahondó su implan-35 tación en etapas sucesivas. Primero, en el siglo XVI, se propaló Atlántico de por medio y en los archipiélagos de Filipinas y Micronesia. Los expulsados de España por razones religiosas lo llevaron asimismo consigo al norte de África y 40 Mediterráneo oriental, y allí lo perpetuaron dentro de núcleos cerrados. El que mucho abarca poco aprieta. Su difusión rápida no pudo traducirse, en un primer momento, en una penetración social profunda. Dentro del espacio que 45 abrazó, el español pasó a ser una lengua ante todo urbana y minoritaria. Tanto en América

como en otros continentes fue el medio de expresión de las capas sociales superiores de origen hispano, de su administración y cultura, 50 mientras que las masas rurales continuaron haciendo uso de la variedad de lenguas indígenas propias. A la par que se difundía geográficamente y pasaba a ser conocido cada vez más como español, el habla vernácula de Castilla 55 cobró dignidad, al punto de convertirse en lengua internacional para la cultura, los negocios y la relación. Es la época en la que los embajadores de España hablaban en su idioma en las cortes extranjeras.

60 El auge del español en campos que había restado al latín se cuenta por decenios y no por siglos. Durante los siglos XVIII y XIX su brillo se atenuó por efecto de la pérdida del poderío económico y político de España y de la consiguien-65 te menor influencia en el orden cultural. Su debilitamiento relativo no supuso, sin embargo, una contracción. El español preservó el ámbito ocupado antes; su implantación, en cambio, se intensificó. Abarcó lo mismo, pero apretó más, siguien-70 do los términos del dicho citado. El crecimiento que la población experimentó entonces, sobre todo en el Nuevo Mundo, se volcó espontánea y mayormente en favor de este idioma, a la vez que éste ganaba terreno en las capas rurales que lo 75 habían ignorado antes. La construcción de las nuevas nacionalidades después de la emancipación forzó a las masas indígenas a integrarse a la cultura urbana. Uno de los vehículos, la educación básica, contribuyó a generalizar el español.

80 Un hecho que pasa por lo general desapercibido es que los hispanohablantes fueron muchos más un siglo después de la independencia que en el momento de la ruptura con la antigua metrópoli, y que lo fueron no sólo en cifras abso-85 lutas, lo que se explica por la inercia del simple incremento demográfico, sino también en proporción a la población total de las nuevas naciones. En el siglo XIX, el idioma español caló más en América bajo la égida de los criollos emancipa-90 dos que en tres siglos de dominación colonial.

Para el lingüista todas las lenguas tienen gran valor, pero es evidente que unas desempeñan históricamente un papel mayor que otras. Por otra parte, su difusión, el volumen de población 95 que las habla, las funciones que cumplen y las

aplicaciones que tienen, así como el respaldo institucional que reciben, van cambiando con el tiempo y modifican la posición relativa de cada una. El español ha pasado, por lo que se ha visto,
100 por una fase rápida de difusión espacial hasta topar con límites, mientras iba arrancando del latín mayores funciones. En una segunda fase, el español ha crecido en cambio hacia adentro. Su papel de lengua de relación internacional se
105 redujo, aunque el número y la proporción de hablantes no disminuía; al contrario, aumentaba, y de modo considerable. El español siguió creciendo, aunque en condiciones distintas.

En lo previsible para el futuro más cercano, con-
110 fluyen impulsos diversos. Por un lado, la reciente explosión demográfica ha hecho crecer más precipitadamente aún que antaño el número de parlantes en las respectivas variantes que el español ha adquirido en Hispanoamérica. El uso
115 de las lenguas indígenas ha aumentado al mismo tiempo. Sin embargo, de los dos conjuntos, es el hispano el que más lo ha hecho en proporción. Este grupo está previsto que alcanzará los 550 millones hacia el año 2025.

120 Este crecimiento impresionante ha venido acompañado por cambios en otras esferas. La independencia de los países americanos ha fragmentado un bloque político e idiomático, pero el par de decenas de naciones que han surgido de
125 este proceso se comunican entre sí en la lengua propia e incluso presionan para poder emplearla en los foros internacionales. El español ha recuperado por ese camino su dimensión internacional, política y también de negocios, pero
130 además el español ha recuperado su brillo literario, gracias en particular a la creación hispanoamericana.

(Nicolás Sánchez-Albornoz, extracto)

3 ■ De las once expresiones que están subrayadas en el texto, cuatro se refieren al español y dos a América. ¿Cuáles?

4 ■ En el texto seguramente hay palabras formales y cultas que desconoces, pero puedes deducir su significado porque conoces otras palabras de la misma familia, y por el contexto. Fíjate en la forma de estas palabras, y piensa de qué palabra vienen; luego lee la frase en la que aparecen y podrás imaginar su significado:

Ejemplo:

Arrinconado (l.19), viene de "rincón". Según se puede ver por lo que dice antes, muchas lenguas han sido víctimas de la simplificación del mapa lingüístico mundial, y se han dejado de hablar o se usan muy poco (es decir, viven en un "rincón"). Así que "arrinconar" es "poner en un rincón".

a) malformación (l. 3)

b) expansivo (l. 5)

c) ahondar (l. 34)

d) poderío (l. 63)

e) intensificar (l. 68-69)

f) desapercibido (l. 80-81)

g) debilitamiento (l. 65-66)

h) antaño (l. 112)

5 ▪ Si unes un elemento de cada columna, podrás formar siete frases que se corresponden, en su contenido, con afirmaciones hechas en el texto que has leído. Deberás usar varias veces algunos elementos de la columna A.

A	B	C
La toma del poder por parte de los criollos en América	atenuó	entre las lenguas destinadas a desaparecer.
El mal uso del español por parte de algunas personas	no empaña	el prestigio internacional que la lengua española había tenido durante dos siglos.
El español	no se implantó	su capacidad de expansión.
La caída del imperio español	favoreció	de forma extensiva en el norte de África.
	no figura	su uso como lengua de cultura al latín.
	arrancó con dificultad	aceleradamente en el siglo XVI.
	se difundió	la expansión del español.

6 ▪ Elige las opciones que te parezcan correctas. Puede haber más de una:

a) Las lenguas (*hacen / desempeñan / forman*) un papel fundamental en la vida de los pueblos.

b) Cuando se está estudiando una lengua, hay que intentar (*hacer / realizar / efectuar*) uso de ella siempre que haya una oportunidad.

c) En los últimos años, el español está (*tomando / recuperando / ganando*) terreno en el campo de la política y de las artes.

d) A mucha gente le (*coge / pasa / resulta*) desapercibido el hecho de que en España y en Latinoamérica se hablan otras lenguas además del español.

e) Uno de los factores determinantes para el crecimiento del español ha sido (*el aumento demográfico / el incremento demográfico / la explosión demográfica*) en Hispanoamérica.

f) Para que una lengua sea estudiada en otros países, es imprescindible el (*apoyo / soporte / respaldo*) institucional.

7 ▪ Hablando del idioma español, ¿puede decirse que "Quien mucho abarca, poco aprieta" (en el texto, líneas 41-42)?

MATERIA PRIMA 2

1 ▪ En el texto de "Con textos I" se nos contaba la evolución de la lengua española. Normalmente, los cambios en las lenguas, ¿son repentinos o progresivos?, ¿se producen de pronto o a lo largo de un determinado tiempo?

2 ▪ Fíjate en estos fragmentos del texto y contesta las preguntas que tienes debajo:

> **Este** idioma, relativamente joven, no ha sido arrinconado o descartado por contacto con otros. En vez de quedar relegado **ha ido ocupando** el lugar de otras lenguas.

> **Para** el lingüista todas las lenguas tienen gran valor, pero es evidente que unas desempeñan históricamente un papel mayor que otras. Por otra parte, su difusión, el volumen de población que las habla, las funciones que cumplen y las aplicaciones que tienen **van cambiando** con el tiempo y modifican la posición relativa de cada una.

> **El** español ha pasado por una fase rápida de difusión espacial hasta topar con límites, mientras **iba arrancando** del latín mayores funciones.

> a) En lugar de lo que está marcado, ¿podría el autor haber usado "ha ocupado, cambian, arrancaba"?

> b) La perífrasis "*ir* + gerundio", ¿qué sentido añade?, ¿en qué aspecto insiste?

3 ▪ Los siguientes textos son fragmentos del libro *La dignidad e igualdad de las lenguas* (de Juan Carlos Moreno Cabrera). En el original, el autor usó varias veces la forma "*ir* + gerundio" en lugar del simple verbo conjugado que nosotros hemos puesto. ¿Dónde crees que la usó? (Para poder hacer esto, primero tendrás que entender bien cada texto, así que léelos atentamente).

> **La** explicación del dominio mundial de las lenguas indoeuropeas tiene una historia muy larga que quizás empiece allá por el año 5000 a.C., donde los indoeuropeos tuvieron su patria originaria, posiblemente en alguna zona de las inmediaciones del mar Caspio. Este pueblo se expandió hacia oriente y occidente dando lugar a las familias lingüísticas como la indo-irania, celta, germánica, griega, itálica o eslava. Diversos pueblos indoeuropeos ocuparon regiones del orbe cada vez mayores e impusieron por factores de predominio demográfico, militar, cultural, político, colonial, económico, religioso o social, su lengua sobre las lenguas de los pueblos que habitaban esos territorios.

> **Hoy** en día sabemos que la diversidad de lenguas no proviene de castigo divino alguno. Sabemos que las lenguas cambian y dan origen a otras lenguas.

Sólo se pudo ser consciente de la inmensa variedad lingüística del orbe cuando se entró en contacto con comunidades lingüísticas de los rincones más alejados del planeta. Desde principios del siglo XVI, cuando Magallanes da la vuelta al mundo, hasta finales del XVIII, cuando James Cook explora el norte del Pacífico, se toma contacto con pueblos de cultura y lengua hasta entonces ignotas*.

*Ignoradas, desconocidas.

Hay dos maneras en las que una lengua puede desaparecer. Una de ellas se puede conceptuar como lingüísticamente natural y se produce cuando las diversas variedades de una lengua se diversifican paulatinamente y acaban convirtiéndose en lenguas diferenciadas. La lengua madre se disuelve en sus descendientes. Esto es lo que ha ocurrido con el latín y las lenguas románicas. Las lenguas, como todo en esta vida, tienen un comienzo y un fin y el español, si no desaparece por alguna catástrofe, se diversificará y acabará convirtiéndose en lenguas diferentes, como ocurrió con el latín. Nada hay eterno en este mundo y las lenguas son de este mundo.

4 Seguro que tú no aprendiste de repente el español que sabes. Para contarlo como un proceso paulatino, puedes usar "*ir* + gerundio", como en el ejemplo.

Ejemplo:

Los dos primeros meses siempre estaba callado en clase, pero después fui hablando un poquito más cada día y hoy creo que tengo bastante fluidez cuando hablo.

Cuéntale a un compañero cómo fue el proceso que te llevó a:

– escribir textos largos y complejos

– entender el periódico

– entender la televisión o la radio en español

– entender obras literarias.

– aprender todas las palabras que ahora sabes

5 Por ese sentido de acción progresiva, no repentina, que tiene la forma "*ir* + gerundio", muchas veces la usamos cuando queremos influir en otra persona (ordenando, aconsejando...), pero no queremos que interprete que debe actuar inmediatamente, no queremos meterle prisa. Fíjate en estos anuncios; ¿cómo entiende el que los lee ese uso de "*ir* + gerundio"?

a) Es un buen momento para que usted cambie de coche.

b) Debería usted cambiar pronto de coche.

c) Es un problema encontrar a alguien con quien dejar a los niños, así tendrás que pensar mucho.

d) Dentro de poco tendrás que dejar a los niños, así que es mejor que empieces a pensar con quién se van a quedar.

MATERIA PRIMA 3

1 ▪ En el texto de "Con textos 1", Nicolás Sánchez-Albornoz nos decía sobre la lengua española:

Malformaciones y defectos abundan en su empleo, pero por lamentables que sean no empañan la capacidad expansiva del idioma común de españoles y americanos.

a) ¿A qué defectos y malformaciones crees que se refería?

b) ¿Conoces a algún hablante nativo de español que "hable mal"? ¿Qué entiendes por "hablar mal"? Coméntalo con otros compañeros. ¿Todos entendéis lo mismo? ¿Y tu profesor, opina igual?

c) ¿Crees que a Sánchez-Albornoz le parecen lamentables estos defectos o no?

d) ¿Él opina que suponen un problema para la expansión del español?

e) ¿La siguiente frase da la misma información que la del texto?

"En su empleo abundan las malformaciones y defectos, pero, aunque sean muy lamentables, no empañan la capacidad expansiva del idioma común de españoles y americanos"

2 ▪ En las siguientes palabras de Juan Carlos Moreno Cabrera (*La dignidad e igualdad de las lenguas*), están marcadas frases que tienen una forma muy parecida a la que hemos comentado. ¿Cómo dirías algo similar con "aunque"? Mira el primer ejemplo.

a) **Por mucho que uno domine una lengua segunda**, habrá ciertas esferas de la vida cotidiana en las que se sentiría mucho más cómodo usando su lengua nativa.

Ejemplo:
Aunque uno domine una lengua segunda, ...

b) Toda variedad [lingüística], **por poco extendida que esté**, puede ser la base de lo que un grupo puede considerar una lengua normalizada o estandarizada.

Toda variedad, aunque _____

c) (...) **por muchos diccionarios que haya y por muchas gramáticas que existan de una lengua**, no se produce ningún tipo de fijación lingüística, de estabilidad: la lengua hablada sigue su ritmo y su curso exactamente igual que si esta lengua no fuera escrita.

Aunque _____

d) **Por muy importante que consideremos la letra /ñ/ como signo de identidad nacional**, no hay que olvidar que se trata de una pura convención que podría cambiarse, sin que se viera afectado ningún aspecto esencial de nuestra cultura.

Aunque _____

e) No hay en el mundo actual lenguas o familias lingüísticas que sean restos de estadios de evolución lingüística ya superados. Lo mismo cabe decir del ser humano: no hay ninguna persona que sea un resto de una especie de *Homo* anterior al *Homo Sapiens Sapiens*, **por más que todos los seres humanos tengamos elementos que señalan o indican esa evolución de los homínidos al hombre actual**.

No hay ninguna persona que sea un resto de una especie de *Homo* anterior al *Homo Sapiens Sapiens*, aunque _____

f) Cuando se aprende un idioma segundo y se va por primera vez a uno de los lugares donde se habla, se produce un choque traumático: lo que escuchamos no es lo mismo que lo que hemos aprendido, nos cuesta entenderlo **por muy buenas notas que hayamos obtenido al estudiar la lengua en cuestión en la academia o la escuela.**

Nos cuesta entenderlo aunque _____

3 ▪ Completa el siguiente cuadro con ejemplos que puedes tomar de los ejercicios anteriores:

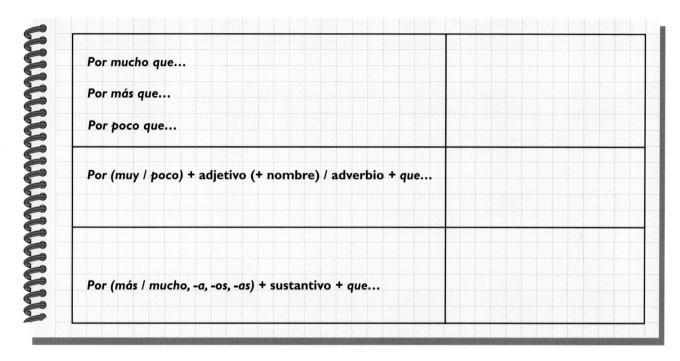

Por mucho que... *Por más que...* *Por poco que...*	
Por (muy / poco) + adjetivo (+ nombre) / adverbio + que...	
Por (más / mucho, -a, -os, -as) + sustantivo + que...	

4 ▪ Si sólo observaras los ejemplos de arriba, podrías deducir que esta construcción siempre tiene el verbo en subjuntivo, pero a veces no es así. Fíjate en lo que le dicen unos estudiantes de inglés a su profesor el primer día de clase, y contesta las preguntas que tienes debajo:

Para mí lo más difícil del inglés es entender cuando la gente habla. Por mucho que lo intento, no entiendo nada.

Pues para mí lo peor es escribir sin faltas de ortografía. Por más ejercicios que hago, sigo equivocándome.

¿Qué intentan hacer estos estudiantes?

a) Dar la información de que lo intentan mucho y hacen muchos ejercicios, que expresan como una información nueva para su profesor.

b) Dar la información de que lo intentan mucho y hacen muchos ejercicios, que expresan como una información ya conocida por su profesor.

c) Dar la información de que lo intentan mucho y hacen muchos ejercicios, presentándolo como algo no confirmado, dudoso o solamente posible en el futuro.

> Con subjuntivo, en esta construcción nos referimos a informaciones que creemos ya conocidas y acciones ya nombradas, o a informaciones sobre el futuro, que siempre son de dudoso cumplimiento. Por ejemplo, si la profesora le aconsejara al primer estudiante "Pues busca a alguien para hacer intercambio", el estudiante podría responder "Por mucho intercambio que haga, me va a dar igual".

> La alternancia entre indicativo y subjuntivo solamente se produce en las construcciones "por más / mucho que" y "por más + sustantivo + que".

5 ■ A. Completa estos diálogos utilizando la construcción que hemos estudiado y las palabras que te damos entre paréntesis.

a) - Es que es un idioma dificilísimo. Es imposible de aprender.
   + No estoy de acuerdo. Cualquier lengua, _____ (**parecer muy difícil**), se puede aprender.

b) - Yo ya soy demasiado mayor para aprender otra lengua.
   + De ninguna manera. Cualquier persona, _____ (**tener mucha edad**), puede aprender una lengua.

c) - Aprender una lengua requiere un esfuerzo personal, _____ (**decir mucho algunos anuncios**) que se puede aprender un idioma fácilmente en tres meses.
   + ¿Eso significa que vamos a tener muchos deberes para casa?

d) - ¿Cuál crees tú que es la palabra más difícil de pronunciar en español?
   + Para mí, "cerrojo". _____ (**repetirla mucho**), no consigo pronunciarla perfectamente.

e) - Hay gente a la que se le dan muy mal las lenguas y no puede aprenderlas.
   + Yo no pienso lo mismo. Yo creo que cualquier persona, _____ (**estar poco dotada**), puede aprender una lengua, por lo menos lo suficiente para poder comunicarse.

B. Imagina que las conversaciones anteriores eran entre un estudiante y un profesor de idiomas. ¿Quién diría cada una de las frases?

6 ■ ¿Hay algo en el aprendizaje del español que te haya resultado o te resulte muy difícil o muy aburrido, algo que hayas oído decir muchas veces pero no te parece verdad, algo que hayas hecho muchas veces pero no te ha salido bien o no te ha dado resultado? Cuéntaselo a tus compañeros a ver si te pueden ayudar.

Ejemplo:

- *Por mucho que digan que la pronunciación del español es facilísima, a mí hay algunos sonidos que todavía no me salen bien.*
+ *A mí también me pasa, por ejemplo con la erre de "perro". Yo creo que nunca la pronunciaré bien por más que lo intente.*
* *Pues yo creo que todos los sonidos se pueden aprender por muy difíciles que sean. ¿Has probado a practicar diciendo /tr/ muchas veces muy seguido? A mí me ayudó.*

PALABRA POR PALABRA 1

1 ▪ Lee estos anuncios de trabajo y busca expresiones en las que aparezca la palabra "lengua" o el nombre de un idioma ("inglés", "francés", "alemán"...).

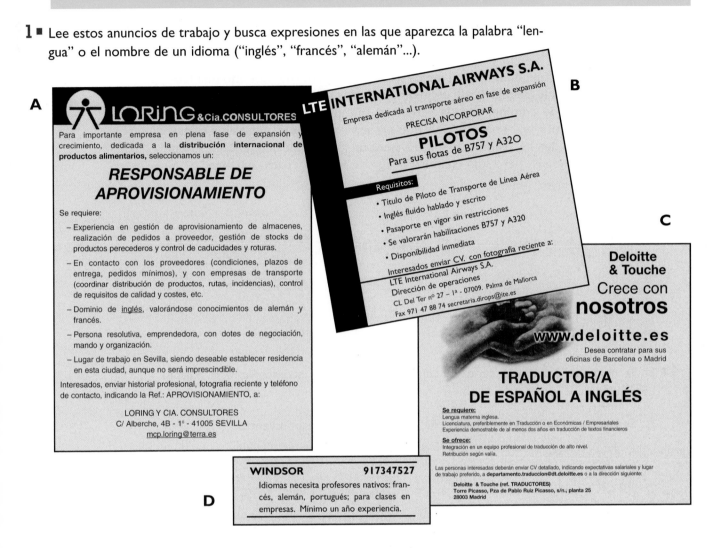

A

LORING &Cia. CONSULTORES

Para importante empresa en plena fase de expansión y crecimiento, dedicada a la **distribución internacional de productos alimentarios,** seleccionamos un:

RESPONSABLE DE APROVISIONAMIENTO

Se requiere:

– Experiencia en gestión de aprovisionamiento de almacenes, realización de pedidos a proveedor, gestión de stocks de productos perecederos y control de caducidades y roturas.

– En contacto con los proveedores (condiciones, plazos de entrega, pedidos mínimos), y con empresas de transporte (coordinar distribución de productos, rutas, incidencias), control de requisitos de calidad y costes, etc.

– Dominio de inglés, valorándose conocimientos de alemán y francés.

– Persona resolutiva, emprendedora, con dotes de negociación, mando y organización.

– Lugar de trabajo en Sevilla, siendo deseable establecer residencia en esta ciudad, aunque no será imprescindible.

Interesados, enviar historial profesional, fotografía reciente y teléfono de contacto, indicando la Ref.: APROVISIONAMIENTO, a:

LORING Y CIA. CONSULTORES
C/ Alberche, 4B - 1° - 41005 SEVILLA
mcp.loring@terra.es

B

LTE INTERNATIONAL AIRWAYS S.A.

Empresa dedicada al transporte aéreo en fase de expansión

PRECISA INCORPORAR

PILOTOS

Para sus flotas de B757 y A320

Requisitos:

• Título de Piloto de Transporte de Línea Aérea
• Inglés fluido hablado y escrito
• Pasaporte en vigor sin restricciones
• Se valorarán habilitaciones B757 y A320
• Disponibilidad inmediata

Interesados enviar CV. con fotografía reciente a:
LTE International Airways S.A.
Dirección de operaciones
CL Del Ter n° 27 – 1ª - 07009. Palma de Mallorca
Fax 971 47 88 74 secretaria.dirops@ite.es

C

Deloitte & Touche

Crece con **nosotros**

www.deloitte.es

Desea contratar para sus oficinas de Barcelona o Madrid

TRADUCTOR/A DE ESPAÑOL A INGLÉS

Se requiere:
Lengua materna inglesa.
Licenciatura, preferiblemente en Traducción o en Económicas / Empresariales
Experiencia demostrable de al menos dos años en traducción de textos financieros

Se ofrece:
Integración en un equipo profesional de traducción de alto nivel.
Retribución según valía.

Las personas interesadas deberán enviar CV detallado, indicando expectativas salariales y lugar de trabajo preferido, a **departamento.traduccion@dt.deloitte.es** o a la dirección siguiente:

Deloitte & Touche (ref. TRADUCTORES)
Torre Picasso, Pza de Pablo Ruiz Picasso, s/n., planta 25
28003 Madrid

D

WINDSOR   917347527

Idiomas necesita profesores nativos: francés, alemán, portugués; para clases en empresas. Mínimo un año experiencia.

a) ¿En qué anuncios piden una persona o personas que hayan aprendido como segunda lengua un idioma?

b) ¿En qué anuncio piden saber casi perfectamente un idioma y sólo saber un poco de otro u otros?

c) ¿En qué anuncio se pide tener facilidad y rapidez para hablar y escribir un idioma?

2 ▪ Completa el siguiente texto con estas expresiones:

tener como lengua materna   dominar
tener conocimientos de   hablar-escribir con fluidez   nativo

Si en la familia donde naciste no hablan español, nunca lo podrás _____.
Si estudias mucho y hablas con españoles o hispanoamericanos lo podrás _____.
Si hablas y escribes mucho, lo podrás _____, casi igual que un _____.
Además, _____ español te puede ayudar a entender un poco otras lenguas cercanas a él.

3 ■ Como puedes ver, puedes **dominar** una lengua o **tener conocimientos de** una lengua, pero en la lengua informal se dice también *hablar con soltura, chapurrear* y *defenderse en* una lengua. Lee el siguiente texto en el que una persona cuenta a un amigo una entrevista de trabajo a la que se presentó, y escribe en el cuadro de abajo, según el mayor o menor nivel de conocimiento que se tenga de la lengua, cada una de estas cinco expresiones; alguna puede aparecer en dos niveles:

"**Les** conté que dominaba el inglés y el alemán, pero sólo domino una lengua, el inglés, que estudié desde pequeño, y además viví varios años en Escocia. El alemán no lo domino, pero la verdad es que me defiendo bastante bien, puedo mantener una conversación que no sea complicada, y escribir cartas sencillas. Los dos los hablo con soltura, pero mejor el inglés. También les dije que sabía francés, pero sólo chapurreo algo de francés, cuatro palabras".

NIVEL ELEMENTAL	NIVEL INTERMEDIO	NIVELES AVANZADO Y SUPERIOR

4 ■ En la columna B hay una serie de adjetivos que pueden acompañar a la palabra LENGUA.

A. Señala con una flecha la definición de la columna C correspondiente:

A	B	C
LENGUA	coloquial	usada en situaciones informales (con los amigos, la familia...)
	culta	usada en la literatura, conferencias, periódicos, etc.
	literaria	que ya no se habla
	vernácula	sin variantes geográficas o sociales, común a todos
	muerta	propia de la literatura
	estándar	que se usa en los intercambios orales informales, normalmente
	mayoritaria	propia de un país o región
	informal	que es la más usada en un país o zona
	internacional	difundida por todo el mundo

B. Cada una de estas palabras es contraria a una de las que aparece en la columna B. Señala cuáles son.

popular   minoritaria   formal   viva

C. Ahora el profesor os va a hacer unas preguntas.

¡LO QUE HAY QUE OÍR!

1 ▪ Vas a escuchar la presentación de una sección semanal de un programa de radio.

    a) ¿Cuál es el tema de la sección?

    b) ¿Tiene un enfoque positivo del tema?

2 ▪ Escucha un fragmento que viene a continuación. Intenta adivinar, por lo que dicen, de qué colectivo se va a hablar hoy en el programa.

3 ▪ Escucha la continuación de la entrevista una primera vez y toma nota de todas las lenguas que se mencionan.

4 ▪ Vuelve a escuchar el fragmento anterior y completa esta información.

    a) En Filipinas se hablan, además de otras lenguas, _____ y _____.

    b) El _____ casi no se habla ya en Filipinas.

    c) Los hijos de Coni hablan _____ y _____.

    d) En Filipinas se estudia _____, pero _____.

    e) En _____ quedan muchas palabras del español, como _____.

    f) Muchos filipinos que viven en la misma ciudad que Coni necesitan aprender, además, del español, _____.

5 ▪ En el último fragmento de la entrevista se nos habla de dos diferencias paralingüísticas (es decir, que no son diferencias en el idioma, sino en elementos que acompañan al idioma).

    a) ¿Cuáles son esas diferencias?

    b) ¿Le causaron algún problema de comprensión a Coni?

    c) ¿Has notado alguna diferencia similar entre tu cultura y la de algún país hispanohablante?

    d) ¿Crees que es importante conocer estas características "paralingüísticas"?

6 ▪ Vamos a escuchar de nuevo los fragmentos de las actividades 4 y 5, observando con más atención las palabras de Coni.

    a) Toma nota de alguna frase o palabra de Coni que creas incorrecta respecto de la norma del español.

    b) ¿Se produce algún problema de comunicación entre Coni y los locutores?

    c) ¿Hay algún fragmento en que no se entienda totalmente lo que Coni quiere decir?

    d) ¿Hay algo peculiar en su pronunciación?

7 ▪ ¿Con quién crees que hablarás más español en el futuro, durante el resto de tu vida: con hablantes nativos o con hablantes no nativos? ¿Crees que es bueno acostumbrarse también a las formas de hablar español de personas con otras lenguas maternas?

8 ▪ ¿Hay también, como en tagalo, alguna palabra española en tu lengua o en otras lenguas que conoces?

CON TEXTOS 2

1 ■ ¿Conoces alguna diferencia entre el español que se habla en los diferentes países americanos y el que se habla en España? ¿Y diferencias entre los distintos países americanos? ¿Y entre diferentes zonas de España? Cuéntaselas al resto de la clase.

2 ■ En los textos de la página siguiente, directa o indirectamente, podemos ver diferencias entre las zonas donde se habla español. Esas diferencias son de muchos tipos; lee los textos y utiliza la información para rellenar el cuadro:

	EJEMPLOS
– Palabras que se usan en dos zonas, pero con significado diferente	
– Frases que tienen diferente intención comunicativa, que se usan con una función social distinta	
– Palabras diferentes	

Cuando llegué, en 1924, en el mercado me ponía a discutir con un tano[1] que vendía verduras –cuenta Paula Merino, una malagueña que lleva sesenta años en Argentina–. Le pedía pimientos y el tano me decía a mí, el esaborío[2], que yo no sabía castellano. ¡Que yo no sabía castellano! Decía:"Má[3], qué pimientos ni pimientos, se llaman morrones". Y me quería enseñar a mí. "Morrones son los coloraos[4]. Los verdes son pimientos, que te enteres. Burro, más que burro". Así cada día.

(Fragmento del artículo "Las otras tías de América", de Llum Quiñonero)

[1] En Argentina, coloquialmente, persona de origen italiano.
[2] Pronunciación popular de "desaborido" ('persona de carácter indiferente o sosa') típica de Andalucía.
[3] Palabra italiana que significa 'pero'.
[4] Pronunciación coloquial de 'colorados'.

Existe la conocida anécdota protagonizada por el novelista venezolano Adriano González León, cuando se vio impulsado a abandonar un taxi en Guadalajara, México, al escuchar por enésima vez que el taxista respondía a sus elogios sobre la ciudad con esta expresión terminante:

- ¡Cállese la boca!

Los colegas que le esperaban calmaron al excitadísimo Adriano: *¡cállese la boca!* es lo que dicen en esa ciudad mexicana para explicar que uno está de acuerdo con lo que dice el otro, que tiene la razón y debe seguir hablando.

(Fragmento del artículo "Coger", de Juan Cruz)

"La unidad del idioma no se altera en absoluto por el hecho de que un español bucee en la *piscina* mientras un mexicano nada en la *alberca* y un argentino se baña en la *pileta*, estando todos ellos en el mismo lugar. Las tres palabras –precisas, hermosas– parten de lo más profundo de nuestro ser intelectual colectivo".

"Durante la redacción de este libro he oído mientras paseaba por la calle la discusión entre dos albañiles que trabajan frente a mi casa. El uno, de acento castellano, le pedía al otro, de acento andaluz, la piqueta. Y el andaluz le respondió que a eso en su tierra se le llama alcotana. Cada uno defendía su palabra, pero el segundo había entendido perfectamente la primera".

(Fragmentos del libro *Defensa apasionada del idioma español*, de Álex Grijelmo)

PALABRA POR PALABRA 2

Ya sabes que algunas cosas tienen nombres diferentes en América y en España. A continuación te damos algunas de las más utilizadas en distintos países americanos. Busca qué palabra americana corresponde a cada una de las marcadas en los textos, escritos en español de España.

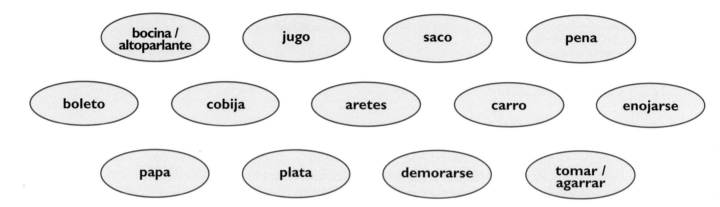

bocina / altoparlante   jugo   saco   pena

boleto   cobija   aretes   carro   enojarse

papa   plata   demorarse   tomar / agarrar

El otro día fui con mi novia a una cafetería. Le acababa de comprar por nuestro aniversario un par de **pendientes** preciosos e íbamos muy contentos. Pedimos dos **zumos** de tomate, pero tardaron mucho en servírnoslos. Yo **me enfadé**, pero a la hora de pagar busqué la cartera en mi **chaqueta** y me di cuenta de que no llevaba **dinero**. ¡Qué **vergüenza**!

Este fin de semana tenía el **coche** averiado, pero queríamos ir al campo. Fuimos a la estación de tren, pero llegamos con retraso y ya estaban anunciando nuestro tren por el **altavoz**, así que tuvimos que correr para poder comprar el **billete** y **coger** el tren a tiempo. Al final, el viaje fue fantástico y mucho más tranquilo.

Todavía no me he acostumbrado a que haya grandes tiendas en las que puedes comprar **patatas** y una **manta** para la cama en el mismo lugar.

A PESAR DE ESTE EJERCICIO, RECUERDA QUE:
– No hay un solo "español de América".
– No hay un solo "español de España".
– Algunas de las palabras que se usan más en América se usan también en algunas partes de España (por ejemplo, "aretes" se dice también en algunas zonas de Andalucía) y viceversa.
– A veces la misma palabra tiene sentidos diferentes en España y América (por ejemplo, "pena").

PALABRA POR PALABRA 3

1 ▪ Según el escritor cubano Guillermo Cabrera Infante (autor del texto que tienes debajo), si Cristóbal Colón no hubiera llegado a América...

a) ¿Qué cosas no existirían (al menos en el resto del mundo)?

–

–

–

b) ¿Qué palabras no se usarían en el español de España? (Si puedes consultar algún diccionario donde tengas información sobre el origen de las palabras, verás que algunas cosas que se nombran en el texto tienen nombres que provienen de las lenguas precolombinas).

–

–

–

"Si Martín Alonso Pinzón[1] hubiera cumplido lo que pensó una vez o dos y la chusma de a bordo, que quería más regresar a casa a tiempo para el gazpacho que llegar a América, se hubiera amotinado y asesinado al empecinado marino loco[2] o le hubieran obligado a dar media vuelta náutica, en España no podría ir nadie de fiestas a un guateque ni fumar puros (pero sí porros) ni cigarrillos hechos de tabaco, y no llamarían a los políticos caciques. Una tercera parte del *Diccionario de la Real Academia*, que seguiría siendo real, quedaría en blanco por ausencia de americanismos. En el no guateque nadie bailaría rumbas, ni sones (que jamás se llamarían salsa), ni mambos. Ni habría jazz, ni "blues", ni rock, ni "rap", porque no habría negros en una América que nunca existió. Nadie, por supuesto, comería patatas, ni fritas a la francesa ni como paja. Habría bananas, pero de África, y no habría ni aguacate ni tomate con que hacer una ensalada mixta. Habría café, pero no habría chocolate. No habría cine, porque los Lumière sólo hicieron adoptar y adaptar una invención de Edison. No habría Marilyn Monroe viva o muerta".

(Del artículo periodístico "Escenas de un mundo sin Colón", extracto)

[1] Colaborador de Cristóbal Colón.
[2] Se refiere a Colón.

2 ▪ Con otros compañeros, continúa el texto añadiendo al menos seis cosas más: tres cosas que no conoceríamos en el resto del mundo y tres palabras que no existirían en español.

MATERIA PRIMA 4

1 ▪ A veces, ya sea por la diferente pronunciación, ya sea porque usamos distintas palabras, los hablantes nativos de español no nos entendemos bien. Lee estas conversaciones entre dos hablantes de diferentes zonas y fíjate sobre todo en cómo se piden aclaraciones sobre lo que no han entendido:

- Ayer estuve en la ▢❋▲❋✎ ■❀ y me encontré con Joaquín.	~~+ ¿Qué?~~ ~~- Que ayer estuve en la piscina y me encontré con Joaquín.~~
	+ ¿Que estuviste dónde? - En la piscina, la alberca creo que decís vosotros.
- Hoy a la mañana perdí un ❀▢❋▼❀.	~~+ ¿Cómo?~~ ~~- Que hoy a la mañana perdí un arete.~~
	+ ¿Que has perdido qué? - Un arete, un pendiente lo llaman ustedes.
- Estuve con ✿■◆❋❋■❀ y me regaló un libro.	~~+ ¿Eh?~~ ~~- Que estuve con Azucena y me regaló un libro.~~
	+ ¿Que estuviste con quién? - Con Azucena, la de la farmacia.

> *Como ves, cuando solamente hemos perdido una parte del mensaje, para que no nos repitan todo, podemos usar la pregunta:*
>
> *¿QUE + parte del contexto que ayuda a localizar la información perdida +*
>
> qué?
 cómo?
 con quién?
 por qué?
 dónde?
 etc.

2 ▪ Como hablante no nativo de español, esta situación de perder una palabra o una parte del mensaje te puede ocurrir más a menudo. ¿Cómo contestarías si oyes esto?

a) ... y luego nos fuimos al ❋❋❀▼▢▢ ❋❋❀● , pero no encontramos entradas, así que...

    + ¿_____?

b) El ordenador no está, se lo han llevado para ❋❋❀▢❀❋○❋■▼❀▢●▢ y el lunes nos lo traen.

    + ¿_____?

c) ... y esa noche, cuando entré en casa, me encontré a mi mujer completamente ❋❋▲✎ ▼ ▢❋❋❀. Habían venido a instalarnos una caldera de gas y...

    + ¿_____?

d) ... voy a quitar esta planta de aquí porque ❋▲▼▢▢❀❀ para salir a la terraza.

    + ¿_____?

3 ■ Practica ahora con un compañero. Cada uno le va a contar al otro una pequeña historia (algo curioso, extraño, divertido que te pasó alguna vez), pero de vez en cuando va a cambiar las palabras del español por palabras inventadas o palabras en un idioma que el compañero no conozca. Cuando digas esas palabras no te pares, sigue contando la historia hasta que tu compañero te interrumpa.

Ejemplo:

- El otro día iba yo por la calle cuando de repente se me acercó un □✳□✳✳□●●□ y me dijo...
+ ¿Que se te acercó quién?
- Un señor mayor, y me dijo...

DIMES Y DIRETES

1 ■ Busca en los dibujos de esta página y de la siguiente palabras y expresiones que te sirvan para:

a) Decir que estás comprendiendo lo que se ha dicho hasta el momento.

b) Decir que has dejado de comprender a partir de un determinado momento.

c) Pedir aclaración del sentido exacto de una o más palabras que ya conoces.

d) Decir que no comprendes nada.

e) Pedirle a alguien que hable con palabras más sencillas, que todo el mundo pueda entender.

f) Decir que no comprendes, o comprendes mal, porque es nuevo, extraño, o no sabes mucho del tema.

g) Pedir que te repitan una frase que te acaban de decir y no has entendido o no has oído.

h) Confirmar que la persona que te escucha ha comprendido hasta el momento, antes de continuar hablando.

i) Confirmar que la persona que te escucha ha comprendido.

Perdone, ¿sabe si hay un estanco por aquí cerca?

¿Cómo dice?

Ni idea. Yo me perdí hace un buen rato. Esta película no hay quien la entienda.

¿Quién es ese? Me he quedado dormido y he perdido el hilo.

- ... y luego das a la tecla ALT. ¿Me sigues?

Sí, sí, te sigo, te sigo.

¿Y a qué te refieres con "reiniciar"?

Bueno, pues luego reinicias y entonces ya tendrás el programa listo para usar. ¿Está claro?

Las expresiones "hablar en cristiano", "no entender ni jota / papa" y "sonar a chino" son informales

La columelia amoraza en los pétalos de la crisolita cuando...

¡A mí hábleme en cristiano, por favor! Seguro que todas esas cosas tienen otros nombres más conocidos.

No entiendo ni jota.

No entiendo ni papa.

No entiendo ni palabra.

No me estoy enterando de nada.

A mí todo esto me suena a chino. Será porque nunca he estudiado biología.

2 ¿Cómo reaccionarías en estas situaciones?

a) Es tu primer día de clase de un idioma del que no sabes nada. Llegas tarde, y, cuando entras por la puerta, la profesora te dice:

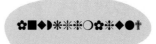

b) Una amiga, que estudia medicina, te está explicando algo muy interesante que ha leído hoy:

> ... y entonces los hematocritos que se sedimentan en...

c) Le estás explicando a un amigo una receta. Como ya llevas un buen rato, quieres saber si está entendiendo todo el proceso antes de continuar. ¿Cómo terminarías esta frase?

> Y cuando estén ya doraditas las patatas, las sacas de la sartén y las pones un poco en el horno, _____

Pero tu amigo, que al mismo tiempo estaba pensando en otras cosas, hace rato que dejó de escucharte. ¿Qué te dice?

> Lo siento, pero_____

d) Vas a quedar con un amigo para ir de excursión. A él le encanta madrugar; tú lo odias. Él te dice:

> Entonces, te recojo pronto en tu casa, ¿vale?

Tú le pides aclaraciones sobre la hora de la que habla exactamente cuando usa la palabra "pronto":

> _____
> _____.
> No querrás salir antes de las 7 de la mañana, ¿no?

MATERIA PRIMA 5

También hay usos gramaticales más característicos de unas zonas hispanohablantes que de otras. A continuación tienes parejas de frases que significan lo mismo, pero una de las dos frases ha sido escrita por un hablante latinoamericano, y la otra es más representativa del español de España. ¿Puedes distinguir unas de otras? Ten en cuenta que las diferencias son gramaticales, no de vocabulario: uso de los pronombres, tiempos de los verbos, uso de preposiciones, etc.

1	a) Conocieron a Barcelona. b) Conocieron Barcelona.	2	a) Tú eres capaz de pegar fuego a un río. b) Vos sos capaz de pegar fuego a un río.
3	a) Recién no más ascendió. b) Acaba de ascender.	4	a) Un radio a todo volumen. b) Una radio a todo volumen.
5	a) Despierta de una vez y trae las herramientas. b) Despertá de una vez y traé las herramientas.	6	a) Ahorita mismo iba a ir. b) Ahora mismo iba a ir.
7	a) Usted no quiere a Frumento. b) Usted no lo quiere a Frumento.	8	a) Aquel último día él y tú estuvisteis juntos. b) Aquel último día tú y él estuvieron juntos.
9	a) Tengo dos días de estar buscándolo. b) Llevo dos días buscándolo.	10	a) ¿Adónde vamos? b) ¿Adónde estamos yendo?
11	a) Para eso estoy, muchachos. Tendrán su camino vecinal, se los prometo. b) Para eso estoy, chicos. Tendréis vuestro camino vecinal, os lo prometo.	12	a) Me lo arrancharon, lo metieron al camión, se lo robaron. b) Me lo quitaron, lo metieron en el camión, lo robaron.
13	a) El año pasado celebré (mi cumpleaños) en España (...), lo pasé lindo. b) El año pasado celebré (mi cumpleaños) en España (...), lo pasé muy bien.	14	a) Le han dado una misión importantísima en el servicio de Inteligencia, un trabajo muy peligroso y por eso nadie debe saber que es capitán. Uy, qué bruta, ya te conté el secreto. b) Le han dado una misión importantísima en el servicio de Inteligencia, un trabajo muy peligroso y por eso nadie debe saber que es capitán. Uy, qué bruta, ya te he contado el secreto.

A PESAR DE ESTE EJERCICIO RECUERDA QUE:

- No hay un solo "español de América".
- No hay un solo "español de España".
- Algunos usos gramaticales están muy extendidos en América, pero también en algunas zonas de España (por ejemplo, el mayor uso del pretérito indefinido —estuve— en lugar del perfecto —he estado— es propio de América, pero también del norte de España).

Habla a tu aire

1 ▪ Vas a hablar con tus compañeros y tu profesor de temas importantes para tu aprendizaje del español. Primero rellena este cuestionario.

	EL ESPAÑOL Y YO	
1	*¿Qué me resulta más difícil del español?* (pronunciar, aprender vocabulario, usar las formas verbales correctas, etc.).	
2	*¿Qué hago mejor en español?* (Comprender cuando me hablan, comprender los medios de comunicación orales o escritos, conversar, escribir, hablar en público, entender cuando leo, etc.).	
3	*¿Qué me cuesta más esfuerzo?* (Comprender cuando me hablan, comprender los medios de comunicación orales o escritos, conversar, escribir, hablar en público, entender cuando leo, etc.).	
4	*¿Qué actividades de clase me parecen más útiles?* (Nombra tres actividades).	
5	*¿Qué actividades de clase me parecen menos útiles?* (Nombra tres actividades).	
6	*¿Cuáles son mis metas principales para este curso?* (Nombra al menos tres metas).	
7	*¿Qué pienso hacer para llegar a esas metas?* (Nombra al menos tres cosas).	

2 ▪ Cada persona, pareja o grupo (depende del tamaño de la clase) se va a encargar de hacer un pequeño informe sobre uno de los temas del cuestionario anterior entrevistando a todos los compañeros y tomando notas de lo que le dicen. Así, alguien recogerá todas las opiniones sobre el punto 1, otra persona o pareja se encargará del punto 2, etc.

> *Si en algún momento de vuestra conversación la comunicación no es buena, se pierde alguna palabra, etc., recuerda que tienes recursos para resolver estas situaciones en "Materia prima 4" (p. 32) y en "Dimes y diretes" (p. 33). Quizá sea bueno que eches un vistazo a estas secciones antes de empezar.*

3 ▪ Con las notas que has tomado, prepara una breve exposición sobre el tema.

4 ▪ Escucha las exposiciones de tus compañeros y recoge ideas de lo que puedes hacer para mejorar tu español.

ESCRIBE A TU AIRE

En esta unidad, esperamos que hayas descubierto muchas cosas sobre la lengua española. Pero a lo mejor tu profesor no tiene tanta información sobre tu lengua materna ni sobre la situación lingüística de tu país, y quizá algunos de tus compañeros tampoco. Te proponemos escribir un informe para ellos (si toda la clase y el profesor es del mismo país, piensa que escribes este informe para los alumnos españoles de una clase que está estudiando tu idioma).

1 ▪ De los siguientes temas, ¿cuáles consideras que debes incluir en tu informe? Tacha aquello que no sea interesante o de lo que no tengas ninguna información.

Otras lenguas de tu país (aparte de tu lengua materna)	
Variedades geográficas de tu lengua materna dentro de tu país	
Breve historia de tu lengua materna	
Otras lenguas que se hablan en tu país pero no son oficiales	
Estudio de lenguas extranjeras en tu país	
Variedades geográficas de tu lengua materna fuera de tu país	
Nivel de dominio de lenguas extranjeras en tu país por parte de la mayoría de la población o por determinados grupos de población	
Estudio de lenguas muertas en tu país	

2 ▪ Piensa si hay algún otro punto que no está en la lista anterior, pero que consideras interesante, y añádelo en las casillas del final.

3 ▪ Decide en qué orden vas a tratar cada uno de estos asuntos. Ordénalos poniendo números en la primera columna.

4 ▪ Escribe en la tercera columna, sólo con palabras clave, la información que vas a incluir en tu informe (como en el siguiente ejemplo):

3	Otras lenguas oficiales de tu país (aparte de tu lengua materna)	– *catalán, gallego, vasco* – *dónde se hablan*
2	Variedades geográficas de tu lengua materna dentro de tu país	– *pronunciación (Andalucía, Extremadura, Canarias)* – *entonación (Galicia, León, Asturias, País Vasco)* – *vocabulario (alubias/judías, tumbarse/tenderse...)* – *gramática (he ido / fui)*
1	Breve historia de tu lengua materna	– *1.000 años* – *llegada a América – siglo XV...* – *Asia, África* – *independencia colonias americanas* – *avance actual en Estados Unidos* – *número actual de hablantes*

5 ▪ Intercambia tu esquema con otra persona. Juzga el esquema de tu compañero pensando en estas preguntas:

¿Hay algo que tú sabes sobre este tema y no está en el esquema?

¿Hay algo que querrías saber y no aparece?

Díselo a tu compañero.

6 ▪ Ahora puedes hacer tu borrador del informe. Cuando lo tengas, vuelve a intercambiarlo con un compañero. Júzgalo desde el punto de vista del contenido y de la forma.

7 ▪ Teniendo en cuenta las sugerencias que has recibido, redacta tu informe.

¿TÚ QUÉ CREES?

Aquí tienes información sobre cuestiones de la vida cotidiana de algunos países hispanohablantes. Busca algo que sea igual que en tu país y algo que sea diferente.

HORARIOS: Desayuno, de 8.00 a 10.00 a.m., comida, de 2.00 a 4.00 p.m., y cena, de 9.00 a 11.00 p.m. Las discotecas están en su punto entre las 12 de la noche y las 2.00 a.m. Los bancos están abiertos desde las 9.00 a.m. hasta la 1.30 p.m., de lunes a viernes. Las casas de cambio están abiertas hasta más tarde. Muchas tiendas abren hasta las 7.00 u 8.00 p.m.

PROPINAS: Se suele dejar a los camareros el 10-20% de la cuenta si el servicio no está incluido. A los botones se les dan 150-200 pesos por maleta. A los taxistas no se les deja propina a no ser que se les alquile por horas. (Turismo de México)

Quizá debido al clima benigno y al gran número de horas de sol, los españoles tienden a levantarse más tarde por la mañana y a acostarse o estar fuera más tarde por la noche que el resto de sus vecinos europeos. Tiendas y negocios suelen abrir de 9'00 a 9'30 a.m. hasta la 1'30 o 14'00 p.m. y de las 4'30 o 5'00 p.m. hasta las 8'00 u 8'30 p.m., aunque viene siendo común abrir también durante las horas reservadas a la tradicional siesta.

La propina es una gran tradición en España. Aunque prácticamente todos los establecimientos incluyen en la factura una cantidad por el servicio, es común dejar algo como propina o *bote*. Esta costumbre, común en bares y restaurantes, se ha extendido a mozos de hoteles, acomodadores de teatro y cine y taxistas, aunque en ninguno de estos casos es obligatorio, ni nadie le recriminará por no hacerlo. (www.altur.com)

Muchos visitantes suelen pensar a veces que los tomamos por sordos o que estamos enojados, ya que la costumbre campesina de hablar alto y haciendo ademanes, por la necesidad de vencer distancias con la voz, pasa del campo a la ciudad y de una a otra generación. De ahí que nuestra forma de protestar utilice métodos que disten mucho de parecerse a una protesta en Suiza o Estados Unidos. Mientras ellos acostumbran caminar despacio o detenerse frente al lugar, generalmente en silencio, con una pancarta donde manifiestan su sentir, nosotros vociferamos, nos expresamos con ademanes bruscos y corremos de un lugar a otro para llamar la atención sobre lo que protestamos.

Es costumbre cenar más tarde de lo que generalmente se estila en otros países. De modo que usted puede hacer reservaciones para después del cine, teatro, la pelota o cualquier otro evento. (*La Cotica*, Guía Nacional de Turismo de la República Dominicana)

POR LO GENERAL, LOS LOCALES COMERCIALES INICIAN SUS ACTIVIDADES A LAS 7:30 U 8:00 HS., HASTA LAS 12:00 ó 12:30 HS.; Y POR LA TARDE, DESDE LAS 15:00 A LAS 19:30 ó 20:00 HS. ACOSTUMBRAN CERRAR LOS SÁBADOS POR LA TARDE Y DOMINGOS. LOS SUPERMERCADOS Y ALGUNOS GRANDES ALMACENES ABREN EN HORARIO ININTERRUMPIDO DESDE LAS 8:00 HS., HASTA LAS 20:00 HS. (CATÁLOGO OFICIAL DEL PABELLÓN DE PARAGUAY, EXPOSICIÓN UNIVERSAL DE SEVILLA)

Habla con tus compañeros: ¿existen costumbres más lógicas que otras?

¡LO QUE HAY QUE OÍR! 1

1 ▪ Lee este anuncio y contesta las preguntas:

LO MÁS EXQUISITO
DE ESTOS LIBROS
ESTÁ EN **SUS TAPAS.**

El arte de tapear engloba varias acciones del mismo grato talante: beber, comer, charlar, ver y dejarse ver... Y de todo ésto puedes disfrutar siguiendo las recomendaciones de la colección **De tapas por...** de El País Aguilar.

**EL PAÍS
AGUILAR**

a) ¿Qué dos significados tiene la palabra "tapa"?

b) En el lema del anuncio hay un juego de palabras con este doble sentido. ¿Puedes explicarlo?

c) ¿Qué palabra se usa en el anuncio para hablar de "ir de tapas" (es decir, ir a tomar tapas)?

d) ¿Por qué se dice que es un arte? ¿En qué consiste ese arte? Si todavía no ves por qué es un arte, quizá tengas una respuesta en la grabación que vas a escuchar más adelante.

e) En el cuarto libro del anuncio no se habla de tapas, sino de pinchos ("pintxos" si usamos la ortografía vasca). Observa esta carta de un bar; todo lo que se ofrece aquí entra dentro de la categoría de "tapa", pero unas son "raciones", otras "pinchos" y otras "tostas" (es decir, algo que se come sobre pan tostado). ¿Cuáles son normalmente para compartir con varias personas? ¿Cuáles son individuales?

RACIONES	Euros	PINCHOS	Euros
Mollejas	3	Chorizo	0'60
Oreja	3	Bonito con pimiento	0'80
Callos	3'5	Tortilla española	1
Chorizo	4	Jamón con tomate	1'5
Chorizo a la sidra	4'5	Morcilla	0'80
Costillas	4		
Calamares	5	**TOSTAS**	
Boquerones en vinagre	5		Euros
Bacalao rebozado	5	Jamón con tomate	5'5
Bonito	6	Anchoas con tomate	5'5
Tortilla española	4		
Patatas bravas	3		

f) En la carta tienes algunas tapas muy frecuentes en los bares. ¿Sabes con qué bebidas se suelen acompañar?

2 ■ En la grabación que vas a escuchar dos locutores nos hablan sobre el tapeo en España y tratan los siguientes temas:

☐ Informaciones de algunos españoles sobre sus costumbres y gustos en lo referente a las tapas.

☐ Explicación del nombre de "tapa".

☐ Informaciones de algunos hosteleros (dueños de bares y tabernas) sobre las tapas más demandadas.

☐ Características del rito del tapeo.

☐ Posible origen de la costumbre de tapear.

☐ Qué se bebe en los locales típicos de tapas y cómo suelen estar decorados.

Escucha y ordena los temas tal y como aparecen en la grabación poniendo un número a la izquierda.

3 ■ Vamos a intentar entender la información más importante. Los datos para responder a algunas preguntas pueden aparecer en varias partes de la grabación. Pero antes lee las preguntas; quizás puedas responder algunas antes de escuchar.

a) ¿Las tabernas típicas de tapas están desapareciendo o se están abriendo más locales?

b) ¿A qué horas es más habitual tomar tapas?

¿Qué relación parece que tiene el origen de las tapas con el rey Alfonso X el Sabio?

c) ¿Por qué se acompañaba el vino con una tapa?

¿Por qué esta tapa se ponía encima del vino?

d) ¿Todos los españoles toman habitualmente tapas?

e) ¿En todos los locales tienen el mismo tipo de tapas?

f) ¿Se suele ir de tapas solo o con más gente?

¿Se puede comer mucho y deprisa?

¿Se suelen tomar en las mesas, con la gente sentada, o de pie?

¿Qué es más importante en el rito de tapear: comer y beber, o charlar, ver y dejarse ver?

4 ■ ¿Entiendes ahora por qué en el anuncio se hablaba de "el arte de tapear"?

PALABRA POR PALABRA

1 ■ Existen en España muchos tipos de locales donde poder comer, beber y hablar con la gente. Lee la siguiente información en la que se dice el horario habitual de cada uno de ellos y lo que les diferencia de los demás. Junto a los textos aparecen fotografías de algunos de estos lugares. Relaciona cada texto con la foto de cada lugar.

A. BAR
De 8:00 a 24:00. Bebidas calientes y frías, bocadillos, tapas; muchas veces hay un televisor.

B. TABERNA-TASCA
De 12:00 a 24:00. Generalmente para adultos; diferentes clases de vinos, tapas y raciones de comida; ambiente tradicional y popular.

C. CAFÉ
De 12:00 a 24:00. Sólo adultos; bebidas frías y calientes; decoración con cuadros, madera, mármol y lámparas; a veces con música.

D. CAFETERÍA
De 8:00 a 24:00. Bebidas calientes y frías, dulces y comida rápida; parecido a un bar, pero con un aspecto más moderno.

E. TERRAZA
De 10:00 a 2:00. Con mesas y sillas al aire libre.

F. CHIRINGUITO
De 10:00 a 2:00. Bar con mesas y sillas al aire libre en la playa.

G. BAR DE COPAS
De 22:00 a 3:00. Sobre todo para jóvenes; bebidas alcohólicas y refrescos; casi sin mesas ni sillas; con música alta; a veces se puede bailar.

2 ■ Elige el lugar adecuado para ir en cada circunstancia, ¿dónde irías en cada caso?:

a) Si quieres comer y beber algo al aire libre:

b) Si quieres beber algo a la una de la madrugada:

c) Si quieres desayunar pronto por la mañana:

d) Si quieres probar vinos variados:

e) Si eres joven y quieres salir con tus amigos por la noche, hasta tarde, para hablar, beber y escuchar música y no te importa estar de pie y con más gente:

f) Si estás con niños y quieren comer algo por la tarde:

g) Si quieres comer algo dulce por la tarde, como un bollo o un pastel:

CON TEXTOS 1

1 ■ En el texto que vas a leer después se habla de los bares españoles. Aparecen algunas expresiones y palabras de la lengua informal, pero sobre todo hay palabras formales y cultas. Las palabras de la columna A son todas formales. Une con una flecha cada palabra con el significado que creas que le corresponde de la columna B. Usa el diccionario.

A	B
atronador	grito
alarido	que da fuertes voces o gritos
abigarrado	sencillo, sin lujos
estentóreo	fuerte y exagerado
inveterado	amontonado, variado
austero	que está siempre presente
vociferante	que deja atontado o sordo por el ruido
omnipresente	antiguo, tradicional
híbrido	mezcla

Unidad 2 A quien madruga,...

■ En un párrafo del artículo que vas a leer, el autor dice:"El bar español es efervescente, agitado, variopinto, pringoso, tumultuoso, deliciosamente sucio. Pero sobre todo, es ruidoso, estrepitoso, alborotado". ¿Podrías agrupar todos estos adjetivos en estos cuatro bloques según lo que expresan?

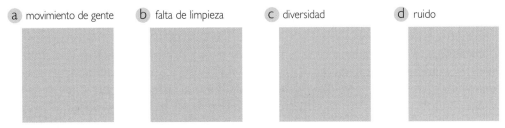

a movimiento de gente   b falta de limpieza   c diversidad   d ruido

¿Podrías aplicar estos adjetivos a los bares de tu país? Si la respuesta es "no", busca cinco adjetivos apropiados para ellos.

3 ■ Lee ahora el texto y busca palabras o frases que apoyen las anteriores afirmaciones del autor, agrupándolas según los cuatro bloques anteriores; basta con que escribas A, B, C, o D en el margen, como en los ejemplos que te damos.

EL BAR, LA CASA DE TODOS

"Es Madrid ciudad bravía
que, entre antiguas y modernas,
tiene trescientas tabernas
y una sola librería".

5   Algunas cosas han cambiado en la ciudad bravía desde comienzos del siglo XVII, cuando se hizo popular el anterior epigrama. Madrid ya no tiene sólo una librería, sino cientos: 587 recogen las páginas amarillas[1] de la guía
10 telefónica. Aquellas 300 tabernas –391, según datos exactos de los cronistas– se han multiplicado por 60; hoy funcionan en Madrid 23.000 establecimientos de hostelería, donde los españoles acuden a satisfacer una de las
15 más notables obsesiones nacionales: comer y beber fuera; **picar**, *tapear*, desayunar.
     Pésele a quien le pese al norte de los Pirineos, a España se la reconoce hoy como uno de los lugares del mundo donde con más
20 variedad y exquisitez se come. En el corazón de esta agitada colmena de sopas, cocidos, frituras, gazpachos, mariscadas, bocadillos, tapas, tortillas y arroces, impera uno de los más curiosos factores de la España insólita: el bar.
25 El bar español no es como el inglés: un sitio reposado para paladear un whisky mientras se comenta el último partido del Arsenal; tampoco es como el café parisino, donde los clientes procuran exhibir su gesto más interesante y su
30 cara más inteligente. No es el bar irlandés, en cuya atmósfera húmeda y ácida podrían recogerse litros evaporados de cerveza si lo permitieran los abotargados clientes. El bar español es distinto a la cantina mexicana,
35 aprisco de machos cabríos dispuestos a jugarse la vida a balazos por el amor de una *chula*. Ni es el piano bar norteamericano, remanso de *martinis* silenciosos y plantas tropicales de plástico.
40 El bar español es efervescente, agitado, variopinto, pringoso, tumultuoso, deliciosamente sucio. Pero, sobre todo, es <u>ruidoso, estrepitoso, alborotado</u>:   D
     –¡Una de *bravas*[2], oiga!
45 –¡Calamares, Pepe!
     –¡Oído, cocina!
     Después de Japón, España es el país más ruidoso del mundo, y los bares son una de las principales chirimías de ese atronador concierto.
50 –¡Pasen al fondo, jóvenes!
     –¡Chaval, que llevo diez minutos!
     –¡Manolo, dos con leche y uno solo!
     –¡Marchando una de chopitos!
     –¿Me cobras?
55 En los bares españoles la gente bebe y come de pie, pero hace ruido y fuma en todas las posiciones. Un televisor, entronizado en una repisa vecina a la de San Pancracio[3], muele noticias, culebrones[4] y partidos de fútbol de sol a
60 luna. La gente lo mira sólo a ratos, pero se sentiría

B

huérfana si no estuviera allí monologando como un perpetuo loro electrónico. La gente arroja papeles al suelo, escupe huesos y cosas peores, pide cerveza a gritos, festeja con risas estentóreas,
65 se saluda con alaridos de esquina a esquina, juega a las **tragaperras**, blasfema, critica al Gobierno. En el bar, la gente a veces liga, tutea a quien no conoce, lee los diarios y comenta indignada y vociferante los asuntos del mundo y de la
70 existencia con el vecino.

El bar español es sitio de hombres, mujeres y hasta de niños, que muchas veces duermen indiferentes en el cochecito mientras sus padres conversan en la **barra** hasta la madrugada. Lo
75 sería también de perros, si estos no hubieran sido expulsados injustamente de la vida social por arbitrarios decretos de los ayuntamientos. De vez en cuando, un **chucho** rebelde y/o hambriento viola la ley y entra atraído por el
80 olor de las albóndigas.

El bar español es sitio familiar, de amigos, de compañeros de trabajo, de estudiantes, de solitarios, de vecinos, de enamorados, de tíos[5] que pasaban por ahí y les acometió la tentación
85 de tomarse una cañita o un chato[6]. El bar es el agitado templo donde se cumple a lo largo del día una agitada ceremonia social. Alrededor de la **barra**, que es el altar, unos catecúmenos abigarrados, charladores y bulliciosos consumen
90 la doctrina de *cafelitos*[7], cañas, copas de anís, Farias[8], bocadillos, aceitunas, boquerones en vinagre, orejas de cerdo y *bocatas*[9] de calamares que imparten los camareros más eficientes del mundo, acolitados por moscas omnipresentes y
95 activas. En el piso, serrín, servilletas sucias,

colillas y huesos de aceitunas: a mayor abundancia, mayor prestigio.

Hay momentos del día –en el desayuno, en el aperitivo, a la noche– en que los bares
100 españoles, tan curiosamente similares a los de algunos países de África, parecen hervir de gente. No sólo llama la atención lo populosos, sino lo numerosos. Según leyendas que corren –leyendas de bar, precisamente– hay más bares
105 en Madrid que en toda la Comunidad Europea.

Lo que resulta evidente es que no hay prácticamente aldea española, por pobre que sea, que no tenga al menos un bar. Un bar que puede ser tan austero como para ofrecer tan
110 solo vino y aceitunas; o tan **surtido** como los modernos bares de carretera, que lo mismo ofrecen la inveterada tortilla de patatas que el último casete de ópera de José Carreras, las codornices escabechadas o los llaveros donde
115 se lee I ♥ Spain.

(Daniel Samper Pizano, extracto)

1 Guía de teléfonos de España, con ese color, especializada en negocios y empresas.

2 Se dice en los bares "bravas" por "patatas bravas", que son patatas con una salsa un poco picante llamada "salsa brava".

3 Se ponen estatuillas de San Pancracio en las tiendas y otros negocios para atraer buena suerte y dinero. Es una costumbre que se está perdiendo.

4 Nombre popular aplicado a las series televisivas muy largas, especialmente a las procedentes de Latinoamérica.

5 Coloquialmente, significa 'hombre'.

6 En España, en los bares se llama "chato" al vaso de vino.

7 "Cafelito" es una forma coloquial muy usada en Madrid en lugar de "café".

8 Marca de cigarros muy popular en España.

9 "Bocadillo" en la lengua informal.

4 ■ ¿Podrías explicar ahora por qué el autor decía que los bares españoles son "deliciosamente sucios"?

5 ■ Completa el siguiente cuadro con la información del texto sobre los bares españoles:

QUÉ SE SUELE COMER	QUÉ SE SUELE BEBER	QUÉ OBJETOS SUELE HABER	QUÉ HACE LA GENTE

6 ■ Completa las siguientes frases con palabras que estén en negrita en el texto. Puede haber palabras que se repitan. También tendrás que cambiar a veces el género, el tiempo verbal o la persona.

a) Normalmente desayuno en la cafetería de abajo, pero no tengo tiempo para sentarme, así que me tomo un café y una tostada en la _____ y me voy corriendo.

b) El otro día eché solo un euro en la máquina _____ del bar al que vamos todos los días y gané el premio especial. Empezaron a salir tantas monedas de la máquina que se me caían por todas partes.

c) La _____ no estaba muy _____: aceitunas, patatas fritas y calamares era todo lo que había.

d) Si no _____ tanto entre comidas, seguro que adelgazarías sin tener que hacer régimen.

e) No me gusta el olor de las _____ apagadas. Cuando alguien ha terminado de fumar, vacío enseguida el cenicero.

f) No sé por qué te gusta ese _____. Es un perro callejero, que no tiene ni raza, y, además, es feo.

7 ■ ¿Qué es lo que más te ha sorprendido de los bares españoles? Coméntalo con el resto de la clase.

8 ■ En el texto que acabas de leer se reproducen frases que se dicen habitualmente en un bar ("¡Una de bravas, oiga!", "¡Manolo, dos con leche y uno solo!", "¿Me cobras?"...).

a) A la izquierda tienes una serie de frases de este tipo y a la derecha para qué o en qué momento se usan en un bar. Une con una flecha la frase y su uso.

¿Me		cobra? cobras?

¿Cuánto ¿Qué	le te	debo? debemos?

¿Qué	va van vas vais	a tomar?
¿Qué va a ser?		

Uno		con leche solo
Un cortado		

¿Me ¿Nos		pone...? pones...?
Póngame... Pónganos... Ponme... Ponnos...		

Pago yo		

Una de...		

Cóbreme Cóbrame		a mí

– Para preguntar qué quiere el cliente

– Para pedir cualquier comida o bebida

– Para pedir una ración

– Para pedir y especificar el tipo de café que quieres

– Para preguntar el precio final

– Para decirle al camarero que quieres pagar

– Cuando se está en un grupo, para decir a los demás que tú pagas la cuenta

– Cuando se está en un grupo, para decirle al camarero que tú pagas la cuenta (otra persona también quiere pagar)

b) Ahora vas a practicar con dos compañeros estas frases. Imagina un diálogo en un bar. Dos serán amigos que van juntos y otro es el camarero. Usa la carta de tapas que está en la página 41; los amigos tendrán que ponerse de acuerdo en qué van a pedir, pedirlo y acordar quién paga.

MATERIA PRIMA 1

1 ■ ¿Qué le molesta o le fastidia a la gente en su vida cotidiana? Aquí tienes algunos ejemplos de la sección de un periódico (*El País de las Tentaciones*). ¿Te identificas con alguno de los mensajes?

> ## ESTAMOS HARTOS ➤ De que mi vecina, la abuela del cuarto, sacuda siempre la ropa cuando yo me asomo a la terraza y me caiga todo encima. –Sagrario / Madrid ➤ De la gente que se para a la izquierda en las escaleras mecánicas y no deja pasar. De los adictos al móvil. –Marcel / Barcelona ➤ De vivir para trabajar, no de trabajar para vivir. –Iko / móvil ➤ De que los profesores siempre te lleven la contraria. –A. / móvil ➤ De no atreverme a hacer lo que quiero. De la gente hipócrita y de que mi novio me haya dejado sin darme explicaciones. –A. / Madrid ➤ De volver de la Europa Central y ver que en mi país sólo se habla de fútbol. De los locos de la carretera que no respetan a nadie. –Javi / Castellón.
>
> **Envíanos tus mensajes de texto (0'15 euros) al 659 70 96 96 o escríbenos a tentartos@elpais.es**

2 ■ Fíjate en las formas gramaticales diferentes que aparecen después de "estar harto de". ¿Puedes escribir un ejemplo más tomado de los mensajes en cada apartado del cuadro? Escribe luego algo de lo que tú estás harto.

Estoy harto/a de	sustantivo	los adictos al móvil
		....
	oración con el verbo principal en infinitivo	vivir para trabajar
		....
	que + oración con el verbo principal en subjuntivo	que mi novio me haya dejado sin darme explicaciones
		....
	sustantivo + oración de relativo	los locos de la carretera que no respetan a nadie
		....

Otras construcciones que sirven para expresar estados de ánimo funcionan como "estar harto":

estar | satisfecho de
cansado de
aburrido de
contento | de (+ que + oración)
con (+ sustantivo)

3 ■ **A.** Piensa en el significado de estas tres frases y escribe cada una en el cuadro en el que corresponde:
- Estoy harto de que los profesores siempre te lleven la contraria
- Estoy harto de los profesores que siempre te llevan la contraria
- Estoy harto de los profesores, que siempre te llevan la contraria

Estoy harto de todos los profesores, porque todos te llevan siempre la contraria	Estoy harto solamente de un tipo de profesores, los que siempre te llevan la contraria

B. En el periódico, una persona se quejaba "de la gente que se para a la izquierda en las escaleras mecánicas". ¿Quiere decir que todo el mundo lo hace o que está harta de la gente que lo hace, que no es toda?

C. ¿Estás harto de alguna de las cosas siguientes? ¿Crees que son generalizadas o que sólo algunas personas lo hacen?

	CASI TODOS/AS	ALGUNOS/AS
Los niños y jóvenes te dan golpes con sus mochilas en el autobús		
Los conductores se saltan los semáforos en rojo		
La gente intenta colarse en las tiendas		
La gente tira los papeles al suelo en lugar de tirarlos a las papeleras		
La gente te empuja en el metro		

D. Escribe ahora tus mensajes a *El País de las Tentaciones* según lo que has marcado antes. Tu mensaje tendrá una forma diferente si has marcado una columna u otra.

4 ■ ¿Por qué lamentarnos siempre? Te proponemos crear la sección "Estamos contentos". Cada persona o cada pareja de la clase va a enviar un mensaje hablando de algo de su vida cotidiana que le hace estar contenta. Podrás leer todos los mensajes enviados por tus compañeros.

ESTAMOS CONTENTOS ➤

CON TEXTOS 2

1 ■ Si vivieras en un bloque de viviendas con muchos vecinos, ¿qué cosas podrían molestarte de ellos? Haz una lista con varios compañeros. Después toda la clase hará una lista común.

2 ■ Lee el relato siguiente, publicado en una revista. ¿Cuáles de las cosas que tienes en la lista ocurrieron en la historia que nos cuenta?

VECINOS

Era la ilusión de su vida. Tener un pisito en Arturo Soria, la zona *pija* de la ciudad. Tres habitaciones, salón comedor, dos baños, cocina completa y amplio recibidor. Un pequeño jardín
5 y una piscina para patos completaban el panorama. Todo perfecto.

Los problemas vendrían más tarde. Una pintada en la tapia le dio la primera pista: "Los del cuarto A son unos capullos". Pensó que se tra-
10 taba de una broma de chiquillos, pero se equivocó. Efectivamente, los del cuarto eran unos capullos. Y los del tercero, y los del segundo, y los del primero. La mayor parte de los vecinos parecían sacados de un libro de terror domésti-
15 co. El que no tenía un niño que lloraba sin parar 24 horas sobre 24, como si se tratara de un *drugstore*, subía y bajaba las escaleras constantemente acompañado de una jauría de perros o se pasaba el día llamando a la Policía Municipal
20 para protestar porque la niña del quinto no dejaba de aporrear el piano. La casa, definitivamente, estaba en guerra.

Alistados en dos bandos enemigos, los vecinos vivían con la única obsesión de hacerse la
25 puñeta. Unos pensaban que el edificio era su finca particular y actuaban con ese convencimiento. Fueron los que se ocuparon de establecer un estricto horario y un férreo reglamento en la pista de tenis, los que decidían las horas
30 generales de calefacción y, sobre todo, quienes los sábados, fiestas y días de guardar invadían los soportales, armados con una terrible barbacoa, dispuestos a comerse una tremenda sardinada que a la postre acababa en una rotunda
35 borrachera, con coral incluida. Ése era precisamente el momento en el que *las fuerzas de paz* del otro bando aprovechaban para llamar al

092[1] y empezar a regar las plantas de las terrazas a manguera abierta con la sana intención de
40 mojar a los cantantes. Así un día y otro día.

De modo que a los seis meses Ricardo había recibido más de una indirecta para alistarse en alguno de los bandos contendientes. Trató de evitar cualquier partidismo, pero no era tarea
45 fácil. En las primeras juntas de vecinos a las que asistió –se convocaban con urgencia y cada mes, aunque siempre con el mismo orden del día repleto de dimes y diretes– se vio envuelto en un enfrentamiento directo al viejo estilo de
50 la guerra fría[2]. El bando de los del *A* se enzarzaba sistemáticamente contra el bando de los del *B*, en un recuerdo de lo que eran aquellas viejas peleas escolares en las que los alumnos se liaban a mamporros exclusivamente por el hecho
55 de que sus apellidos comenzaran por *d* o por *n*[3].

Su intento de permanecer al margen resultó baldío. Le invitaron a tomar café los del piso de abajo; a una copa los de la puerta de al lado; a comer la señora del tercero derecha, y a una
60 timba de cartas, que acabó como el rosario de la aurora, los del bajo interior, que, dicho sea de paso, eran los más simpáticos de todos. Con independencia, naturalmente, de la posición que mantuvieran en el conflicto local. Mosqueado
65 por tanta amabilidad, cogió papel y lápiz y echó cuentas: su voto no era decisivo. El Club de Amigos de la Sardinada estaba en amplia minoría, pero hacían lo que les daba la gana. De modo que su participación no cambiaría nada en
70 la tensa relación de fuerzas. A la altura a que se había llegado, la casa era una auténtica anarquía; cada cual hacía lo que le venía en gana, con la única condición de que molestara el contrario, siempre jaleado por los de su propio bando.

75 Al año tiró la toalla. El pisito era mono, le costó relativamente barato –aunque los del banco le sacaban un ojo de la cara con lo de la hipoteca– y estaba en un sitio inmejorable, pero no podía soportarlo más. A las siete y media de la maña-

80 na empezaba la jarana, y antes de las tres de la madrugada nadie podía pegar ojo. Cuando los *malos* trasnochaban, los *buenos* –que, como es natural, se pasaban la noche pegando porrazos en las paredes– salían a la escalera cantando y

85 con la radio a todo meter a las siete de la maña-na. Tenía, de siempre, muy mala opinión de las comunidades de vecinos, pero nunca pensó que la cosa pudiera llegar tan lejos. Desde luego nin-guno de sus amigos conocía un caso igual.

90 Pensó vender el piso. Pensó también poner una denuncia en el juzgado o extirparse direc-tamente los tímpanos, pero eso no sería más que el primer paso de una inmensa cadena de autolesiones que sin duda le hubieran llevado

95 directamente a un asilo para minusválidos.

Finalmente decidió atacar...

(Alberto Anaut, extracto)

[1] Número de teléfono de la Policía Municipal.

[2] Se refiere al periodo del siglo XX comprendido entre finales de los años 40 y principios de los 90, en el que estuvieron enfren-tados Estados Unidos y la Unión Soviética, sin llegar a la guerra.

[3] Hace referencia a la costumbre de los colegios de dividir a los alumnos en distintas aulas según el apellido.

3 ▪ Vamos a entender la historia en sus detalles. Intenta deducir por el contexto el signifi-cado de las palabras y expresiones informales de la izquierda y relaciónalas con los sig-nificados de la columna de la derecha. Hay dos palabras que significan lo mismo.

1. Pijo (l. 2)	a) con un volumen muy alto
2. Aporrear (l. 21)	b) golpear
3. Mamporros (l. 54)	c) golpes
4. Jalear (l. 74)	d) cobrar mucho dinero a otra persona por un objeto o servicio
5. Sacar un ojo de la cara (l. 77)	e) característico de los que dan mucha importancia a los signos externos de riqueza (marcas comerciales, aspecto, coche, ropa, etc.)
6. Jarana (l. 80)	g) finalizar con una pelea o discusión
7. A todo meter (l. 85)	h) animar, aplaudir
8. Porrazos (l. 83)	i) jaleo, juerga
9. Acabar como el rosario de la aurora (l. 60-61)	

4 ▪ Busca con qué palabras está dicha la siguiente información, que está en el mismo orden en el que aparece en el texto. Cuando lo encuentres, levanta la mano, y léeles a tus compañeros las palabras del texto:

a) Ricardo se dio cuenta pronto de que casi todos sus vecinos eran unos imbéciles.

b) Había un vecino que tenía muchos perros, y que resultaban amenazadores.

c) Los vecinos de los dos bandos buscaban continuamente fastidiarse unos a otros.

d) Los que comían sardinas cantaban cuando estaban bebidos.

e) Al poco tiempo de vivir allí, varios vecinos le insinuaron a Ricardo que debía formar parte de uno de los dos grupos.

f) Los dos bandos discutían por todo en las reuniones de la comunidad.

g) Ricardo no deseaba implicarse en ningún grupo, pero sus intentos no le valieron de nada.

h) Ricardo sospechaba que algunos vecinos le invitaban para conseguir su voto.

i) Un año después de comprar la casa, Ricardo decidió abandonar, dejar de luchar por vivir tranquilo.

j) En aquella casa solamente se podía dormir entre las tres de la madrugada y las siete y media de la mañana.

5 ▪ Para hacer el ejercicio anterior, has tenido que entender o deducir el significado de las palabras o expresiones que tienes en los cuadros. Comprueba que las has entendido de la misma forma que uno o dos compañeros; trata de explicarles su significado. Las primeras son palabras y expresiones informales; las segundas, palabras cultas.

INFORMALES	CULTAS
– ser un/a/os/as capullo/a/os/as – hacer la puñeta a alguien – enzarzarse (en una discusión, en una pelea) – estar mosqueado/a/os/as – tirar la toalla – no pegar ojo – recibir / lanzar una indirecta	– jauría – baldío/a/os/as

6 ▪ Como habrás observado, el texto está incompleto, porque falta el final. Sólo tu profesor sabe qué hizo el protagonista del relato. ¿Qué hubieras hecho tú en su caso? Escribe tu propio final.

 MATERIA PRIMA 2

1 ▪ Generalmente, cuando en español aparecen juntos un adjetivo y un sustantivo, ¿cuál es el orden de palabras? ¿Primero el sustantivo o el adjetivo? ¿Conoces alguna excepción?

2 ▪ En algunos tipos de textos (por ejemplo, artículos periodísticos de opinión o columnas de autores conocidos, textos publicitarios, literarios, folletos turísticos, etc.), los adjetivos no siempre aparecen donde los esperamos. En el texto "Vecinos" (de "Con textos 2") aparecían estas combinaciones:

amplio recibidor	**pequeño jardín**	**estricto horario**
férreo reglamento	**terrible barbacoa**	**tremenda sardinada**
rotunda borrachera	**inmensa cadena de autolesiones**	

Si Ricardo estuviera contándole la historia a un amigo, no usaría ese orden de palabras, sino que diría, por ejemplo: **La casa tenía un recibidor bastante amplio** o **Se comían una sardinada tremenda.**

¿Cómo te parece que la valoración expresada por el adjetivo destaca más en español: poniéndolo delante o detrás del sustantivo?

3 ■ Observa el uso de los adjetivos en estos textos.

A. Marca todos los casos en los que el orden de sustantivo y adjetivo no es el "normal":

> **mansión** *f* Casa o vivienda lujosa.

> **granizo** *m* Agua helada que cae de las nubes en forma de granos más o menos duros y gruesos.

KANTENAH FIESTA GRAN RESORT
* * * * *

Playa Kantenah. Riviera Maya. México

Situación: Hotel ecológico de lujo, decorado al estilo indio Maya y construido en un solar de más de 700.000 m² sobre un frente de playa de alrededor de 800 m lineales de arena fina y blanca, goza de amplios y cuidados jardines con exuberante vegetación tropical.

Acomodación: El Resort consta de 11 villas y un total de 422 habitaciones que se distribuyen en villas de 3 plantas y 4 cabañas estilo bungalows de 2 plantas. Las habitaciones dobles estándar disponen de 2 camas Queen Size (máximo para 3 personas), de bañera, balcón o terraza, teléfono, aire acondicionado, TV vía satélite, minibar y caja fuerte. Las Junior Suites disponen además de un sofá-cama y bañera con hidromasaje. Las habitaciones "Royal" de las cabañas disponen además de una entrada particular y una amplia terraza, un baño con hidromasaje y una ducha estilo Maya. Las Suites, todas con vista al mar, disponen de un gran baño con bañera hidromasaje y un gran salón, así como una espléndida terraza.

23.10 / Drama / La 2
Flores de otro mundo ★★★
España, 1999 (100 minutos). Directora: Icíar Bollaín. Intérpretes: Lissete Mejía, José Sancho, Luis Tosar, Marilyn Torres, Chete Lera.
Después de dirigir, con bastante éxito, *Hola, ¿estás sola?*, Icíar Bollaín se lanza a su segundo trabajo como realizadora. Para esta ocasión monta un sólido drama que narra las vivencias de un grupo de mujeres solitarias y de distintas nacionalidades que buscan iniciar una convivencia familiar en un pequeño pueblo, Santa Eulalia. Para dar vida a la historia, Bollaín contó con un buen ramillete de actores que, sumado a un excelente guión y una trabajada dirección, dio como resultado un bonito y emotivo drama que obtuvo el Premio de la Crítica Internacional del Festival de Cannes.

> **liebre** *f* Mamífero roedor parecido al conejo, de unos 70 cm de largo, orejas grandes, y muy veloz, que vive preferentemente en las llanuras y se caza como comestible apreciado.

B. ¿En cuáles de estos textos hay solamente una intención de describir? ¿En cuáles hay intención de convencer, vender, criticar, elogiar, etc.? ¿Tiene esto alguna relación con el orden de los adjetivos?

– *Esto no es una norma gramatical, sino un uso de la lengua con una determinada intención.*

– *No suele usarse este recurso en el diálogo informal.*

– *Sólo se da esta posibilidad con los adjetivos que pueden expresar una valoración, y no con los adjetivos con los que queremos describir objetivamente o clasificar el objeto o la persona de la que estamos hablando. Por ejemplo, en el texto "Vecinos" se decía "bandos enemigos", "conflicto local" y "zona pija", y no se podría decir al revés, porque se trata de adjetivos que clasifican el tipo de bandos, de conflicto o de zona. En cambio, se habla de un "pequeño jardín" no como algo solamente descriptivo; el jardín es pequeño, pero al poner el adjetivo delante se valora positivamente, como un rincón acogedor poco habitual en una ciudad como Madrid.*

4 ▪ Imagina que, al final, Ricardo, el narrador de "Vecinos", decide vender su casa. Con otros compañeros, escribe el anuncio que podría mandar a un periódico o a una página de Internet. ¡Recuerda que resulta más persuasivo decir que la casa tiene un "amplio recibidor" que decir que tiene un "recibidor amplio"!

 # MATERIA PRIMA 3

1 ▪ Una comunidad de vecinos de un bloque de pisos se reúne. Ésta es la convocatoria de su reunión:

Estimado convecino:

Habiendo entrado ya el nuevo año, se procede a CONVOCAR REUNIÓN DE VECINOS de esta Comunidad de Sanchidrián, 4, en el portal de la casa, el día 16 de enero, para tratar el siguiente orden del día:

1° Cambio de Presidente y Tesorero de la Comunidad.
2° Presentación de las cuentas de este ejercicio.
3° Decisiones sobre las obras y mejoras que serán realizadas durante este año*.
4° Ruegos y preguntas.

Sin otro particular, reciba un atento saludo de la Presidenta de la Comunidad,

Fdo.: Pilar Esquivias

* Las propuestas que se debatirán, y que han sido presentadas por diferentes vecinos durante el año pasado, son:
 – Instalación de ascensor.
 – Pintura de las paredes y techos de las escaleras.
 – Instalación de gas natural.
 – Arreglo del suelo del garaje.
 – Renovación del tejado.
 – Reforma del portal.

Aquí tienes parte de la conversación de los vecinos durante la reunión. Léela y contesta estas preguntas:

a) ¿Qué punto del orden del día están tratando?

b) ¿Qué edad tienen los vecinos?

c) ¿Quién de ellos vive en el último piso?

d) ¿Quién no vive en el último piso, pero tampoco en el bajo?

e) ¿Crees que llegarán a un acuerdo?

(1) SR. PÉREZ: A mí lo que no me parece necesario es pintar otra vez las escaleras. Sólo hace tres años que las pintamos y están como nuevas.

(2) SRA. MONREAL: ¡Qué van a estar nuevas! ¡Si están llenas de huellas de zapatos, y da la casualidad de que son de sus nietos!

(3) SR. PÉREZ: Bueno, vale, vale, pues habrá que pintar, pero lo que no podemos dejar de ninguna manera es el tejado. A los demás a lo mejor les da igual, pero yo tengo el techo lleno de goteras.

(4) SRA. MONREAL: En eso sí que le doy la razón. El tejado está hecho una pena.

(5) SR. MARTÍNEZ: ¡Pero qué va a estar hecho una pena! ¡Si lo único que necesita ese tejado es cambiarle unas cuantas tejas! Se lo digo yo, que he estado arriba un montón de veces. Y el dinero que no nos gastamos en eso, que es un pastón, nos viene de perlas para poner el ascensor de una vez.

(6) SR. GALLARDO: Eso sí que es imprescindible. Aquí nos vamos todos haciendo viejos, y dentro de nada la mayoría no vamos a poder subir a nuestra propia casa.

(7) SR. PÉREZ: ¿Y yo para qué quiero subir a una casa que un día se me va a inundar de lo que me entra por el techo? Si no se arregla el tejado, yo me niego a lo del ascensor.

(8) SR. GALLARDO: ¿Pero cómo se va a negar, hombre? ¡Si usted es el que más escaleras tiene que subir, y el que más lo necesita de toda la comunidad!

(9) SR. PÉREZ: De eso nada. Usted sí que lo necesita, que en cada descansillo tiene que pararse por lo menos cinco minutos, que lo he visto yo un montón de veces. Por eso quiere poner el ascensor y dejarme a mí con todas las goteras.

(10) SR. MARTÍNEZ: Bueno, señores, tengamos la fiesta en paz... Yo propongo que, como no hay manera de ponerse de acuerdo ni con lo del ascensor ni con el tejado, pues que este año dediquemos el dinero a reformar el portal.

(11) SRA. MONREAL: ¡Ah, eso sí que no! ¿Pero por qué vamos a reformar el portal? Si eso precisamente es lo que menos falta hace.

(12) SR. MARTÍNEZ: ¿Y cómo no va a hacer falta, señora, si está todo el suelo roto? ¡Si da vergüenza cuando vienen visitas!

2 ■ A. Completa este cuadro sobre la conversación anterior:

Nombre del vecino		Opinión	Con qué palabras da su opinión	Cómo justifica su desacuerdo
El Sr. Pérez	opina que las paredes de las escaleras	están limpias		
	opina que las paredes de las escaleras	están sucias		*¡Si están llenas de huellas de zapatos!*
	opina que el tejado	está en muy mal estado		
	opina que el tejado	no está en muy mal estado	*¡Pero qué va a estar hecho una pena!*	

B. A la vista del cuadro anterior, completa estas afirmaciones con las palabras: *negar, justificar, si, tajantemente, qué.*

> *Para negar _____ (1), de forma rotunda, que lo que otro ha dicho sobre un sujeto (por ejemplo, "el tejado", "las paredes") sea verdad, podemos usar la forma:*
>
> *¡(Pero) _____ (2) + repetición de lo que queremos _____ (3) con el verbo en la forma "ir a + infinitivo"*!*
>
> *Con frecuencia, para _____ (4) esta opinión, introducimos una explicación, y para ello podemos usar la forma:*
>
> *¡(Pero) _____ (5) + justificación!*
>
> ** El verbo "ir", en presente, o en imperfecto de indicativo si hablamos de acciones pasadas.*

C. Imagina que eres un vecino de esta comunidad y que quieres negar lo que otro vecino ha dicho antes.

EJEMPLO:

*SR. PÉREZ: Pues si no hay dinero suficiente para pintar las escaleras, **las pintamos nosotros.***
*TÚ: **¡Qué vamos a pintarlas nosotros!** ¡Si no tenemos ni idea!*

1. SRA. MONREAL: Yo creo que es **necesario arreglar el suelo del garaje**.
   TÚ: _____

2. SR. GALLARDO: En realidad, lo que **hace falta** es **instalar gas natural**.
   TÚ: _____

3. SR. MARTÍNEZ: Claro que arreglar el suelo del portal va a ser caro, porque como **es de mármol bueno**...
   TÚ: _____

3 ■ A. En la conversación de la comunidad de vecinos hay otras tres preguntas con una forma y una intención muy similares, aunque no iguales, a las que hemos estudiado. ¿Puedes escribirlas aquí?

   1. _____
   2. _____
   3. _____

B. Fíjate en las tres frases y completa esta explicación con las palabras: *cómo, rechazo, infinitivo, motivo, absolutamente.*

> Usamos estas formas no para negar _____ (1) , como en el ejercicio anterior, sino para mostrar _____ (2) , desacuerdo porque no encontramos _____ (3), lógica, forma, lugar, momento, etc. para que se cumpla lo que nuestro interlocutor ha dicho.
>
> ¿(Pero/ Y) por qué / dónde / _____ (4) / cuándo, etc. + repetición de la afirmación con la que no estamos de acuerdo con el verbo en la forma "ir a + _____ (5)"?
>
> ** El verbo "ir", en presente, o en imperfecto de indicativo si hablamos de acciones pasadas.*

C. Imagina que un vecino te hace los siguientes comentarios. Muestra tu desacuerdo con la parte marcada y justifica tu rechazo con la ayuda que te damos o de otra manera:

EJEMPLO:

*VECINO: No pienso **ir a la próxima reunión**. Estoy harto de peleas.*
*TÚ (este vecino es el presidente de la comunidad): **¿Pero cómo no vas a ir?** ¡Si tú eres el presidente!*

1. VECINO: ¡Menudo jaleo había ayer por la noche en la escalera! Seguro que **eran las del quinto**.
   TÚ (no encuentras motivo para acusar a las vecinas del quinto porque nunca han dado problemas): _____

2. VECINO: Esto de reunirse en el portal es incomodísimo. Te quedas helado en invierno. Tendríamos que **buscar otro sitio**.
   TÚ (no encuentras otro lugar donde reunirse; nadie quiere celebrar las reuniones en su casa): _____

3. VECINO: Tendríamos que **cambiar las lámparas** de la escalera. Son horrorosas.
   TÚ (la comunidad se ha gastado todo el presupuesto del año y no hay dinero para comprar lámparas): _____

4 ■ **A.** Vuelve al principio de la conversación de los vecinos (actividad 1): ¿responde el siguiente esquema a lo que ocurre en las intervenciones 1, 2, 3 y 4?

➤ Opinión del Sr. Pérez

➤ Opinión contraria de la Sra. Monreal

➤ Nueva opinión del Sr. Pérez

➤ Acuerdo de la Sra. Monreal

B. ¿Cuando la señora dice que está de acuerdo con su vecino, con qué palabras marca que ahora está de acuerdo, pero que en la primera opinión no lo estaba?

C. En la intervención n° 6, el Sr. Gallardo dice que poner el ascensor le parece imprescindible, pero al decirlo de esa forma está señalando que hay otras cosas nombradas anteriormente que no le parecen imprescindibles. ¿Cuáles son?

D. Analiza el uso de "sí que" en las intervenciones 9 y 11. ¿Qué información aporta?

E. Estás en plena discusión en la reunión de la comunidad. Tus vecinos te acusan de diferentes cosas. Defiéndete contraatacando; inventa tus propios argumentos.

Ejemplo:

VECINO: Está usted todo el día ensuciando la escalera.
TÚ: ¿Que yo ensucio la escalera? ¡Usted sí que ensucia con sus perritos, que hasta se mean en mi puerta!

1. VECINO: Estoy harto de que esté todo el día espiándonos desde la terraza.
   TÚ: _____.

2. VECINO: En mi casa no hay quien duerma antes de las dos de la mañana desde que usted vive aquí, todo el día con la música y la radio a todo trapo...
   TÚ: _____.

3. VECINO: ¡Es que hay que fastidiarse con su perro! ¡Está todo el santo día ladrando!
   TÚ: _____.

¡LO QUE HAY QUE OÍR! 2

1 ▪ Vamos a escuchar un fragmento de un programa de radio. En él hay una sección llamada "El triángulo", durante la cual los locutores conversan con oyentes que llaman por teléfono y también leen mensajes que han recibido por correo electrónico, todo ello sobre un tema anunciado antes. Escucha el principio de la grabación: ¿cuál es el tema de hoy?

2 ▪ Al principio, un locutor presenta el tema y fija la orientación de la sección, que puede tener un tono serio, crítico, humorístico, etc. En esta presentación vas a escuchar estas tres expresiones:

intención jovial
pataleo inocente
palabras mayores

¿Conoces el significado de todas las palabras?

Escucha la presentación de la sección y piensa:

a) ¿Qué tipo de cosas vamos a escuchar: pataleos inocentes o palabras mayores?

b) ¿Cuál es la intención del programa de hoy: presentar los graves problemas de las comunidades de vecinos, pasar un rato entretenido con los problemas de la vida cotidiana...?

3 ▪ En el bloque de pisos de la página siguiente ocurren todos los problemas sobre los que después vamos a oír hablar. Observa el dibujo: ¿qué vecinos pueden estar molestando a otros y cómo?

4 ▪ Escucha la grabación completa e identifica en el dibujo a Mariví, Cristina y Julia.

5 ▪ Vuelve a escuchar la grabación y fíjate ahora en los detalles que necesitas para contestar estas preguntas:

Conversación con Mariví

a) ¿Por qué Mariví piensa que a lo mejor es culpa suya que le molesten los ruidos?

b) ¿Es normal en España que alguien se duche todos los días?

c) ¿El ruido producido al barrer en la escalera es igual de molesto que los demás?

d) ¿Qué conclusión saca el locutor sobre la calidad de las viviendas?

Mensaje de Cristina

e) ¿Le molestaba al principio el sonido que hacía el niño?

f) ¿Le molestaba más tarde?

g) ¿Le molesta ahora?

Conversación con Julia

h) ¿Qué quiere decir Julia cuando habla de que su vecina "se camufla"?

i) ¿Por qué esto le molesta tanto?

j) ¿Es éste un problema frecuente en las comunidades de vecinos?

6 ▪ Durante las conversaciones por teléfono se han usado estas palabras y expresiones:

sí   **¿eh?**
pues mira / mire
dígame / díganos   **¡ah!**

Intenta completar con ellas las siguientes frases.

a) Cuando el locutor invita a contar su historia a la persona que llama dice _____ .

b) Cuando la persona que llama empieza a contar su historia dice _____ .

c) Para dar muestra de interés y de que está escuchando, mientras la persona cuenta su historia el locutor dice _____ .

d) Cuando el locutor hace una pregunta y le dan una aclaración, para expresar que ha entendido la aclaración dice _____ .

e) Cuando el locutor saca una conclusión o da una opinión que piensa que es compartida por los demás, pide su conformidad o asentimiento con la palabra _____ .

Ahora escucha de nuevo las conversaciones y comprueba las respuestas.

7 ▪ Vas a simular con un compañero una entrevista similar a la anterior. Imagina el problema que vas a contar y llama a la radio. Una vez harás el papel del locutor y otra vez serás la persona que llama. Intenta utilizar esas pequeñas palabras (¿eh?, sí, ¡ah!) que se usaban en la grabación. Al final, varias parejas harán la entrevista para toda la clase.

DIMES Y DIRETES

1 ▪ Vamos a ordenar según su función algunas expresiones muy usadas en situaciones de la vida cotidiana. Agrupa las expresiones escribiéndolas en cada uno de los cuadros:

¿Cómo te va?

¡Hombre! ¿Qué es de tu vida?

¿Qué tal estamos?

¿Qué quieres que te diga?

¡Dichosos los ojos!

Pues ya ves...

¿Qué tal andas?

¿Cómo andamos?

Tirando / Tirandillo

A

A) ENCUENTROS INFORMALES	
Para saludar a alguien a quien hace tiempo que no ves	
Para preguntar a tu interlocutor cómo está	
Para responder a la pregunta anterior cuando queremos expresar que no estamos muy bien	

¡Qué le vamos a hacer!

Hay que tomar las cosas como vienen

Lo siento mucho

Te / Le acompaño en el sentimiento

¡Qué se le va a hacer!

Así es la vida

B

B) MALAS NOTICIAS

Para expresar resignación ante una noticia que nos han dado y nos afecta o ante algo que nosotros mismos hemos contado y por lo cual nuestro interlocutor nos compadece	
Para dar el pésame (mostrar condolencia)	

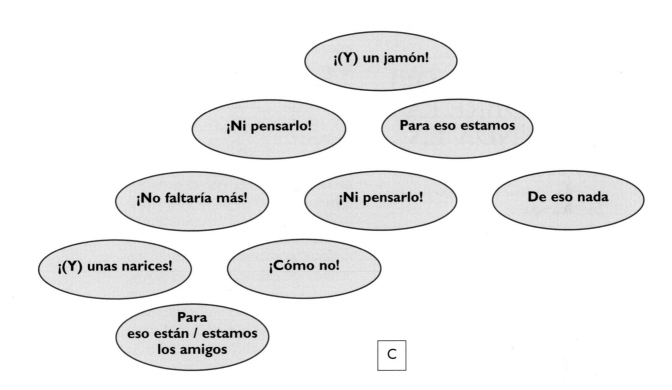

¡(Y) un jamón!

¡Ni pensarlo!

Para eso estamos

¡No faltaría más!

¡Ni pensarlo!

De eso nada

¡(Y) unas narices!

¡Cómo no!

Para eso están / estamos los amigos

C

C) CUANDO ALGUIEN NOS PIDE QUE HAGAMOS ALGO

Para decir que sí de forma muy amable y un poco formal	
Para reaccionar quitando importancia al asunto cuando hemos dicho que sí a lo que nos piden y nos dan las gracias	
Para decir que no de forma muy rotunda, en situaciones informales	

2 ■ Ahora, utiliza con tu compañero las expresiones que acabas de aprender. Una persona de la pareja tiene que ir a la página 242 y la otra a la página 245.

MATERIA PRIMA 4

1 ■ Aquí tienes algunos datos del Centro de Investigaciones Sociológicas de España sobre las casas españolas y lo que hay en ellas. Haz una lectura general y contesta las preguntas que tienes a continuación.

SOCIEDAD/29

VIDA COTIDIANA

NUEVA ENCUESTA DEL CIS SOBRE LA VIVIENDA EN ESPAÑA

¿En qué régimen de propiedad tiene su vivienda?

Piso en propiedad	52 %
Casa en propiedad	34 %
Piso en alquiler	10 %
Casa en alquiler	3 %
Otras respuestas	1 %

¿En su casa tiene los siguientes servicios?

Cuarto de baño independiente	99 %
Cocina independiente	99 %
Agua caliente	98 %
Calefacción o acumuladores de calor	88 %
Un lugar para sentarse fuera, por ejemplo, balcón, terraza o jardín	73 %
Televisor	97 %
Lavadora	97 %
Aparato de vídeo	68 %
Ordenador	33 %
Lavavajillas	29 %

La última encuesta del CIS sobre la calidad de vida en España muestra que la mayoría de los españoles prefieren tener su vivienda en propiedad: un 86 por ciento vive en casa propia o de la familia, frente a un 13 por ciento que vive en régimen de alquiler.

En cuanto al equipamiento de las casas, casi el cien por cien de los españoles tiene en su vivienda cuarto de baño y cocina independientes, y agua caliente. Aproximadamente el noventa por ciento disfruta de un sistema de calefacción en el hogar, mientras que sólo poco más de un 70 % dispone de un lugar para sentarse fuera, como terraza, balcón o jardín. ¿Echan abajo estos datos la idea de España como el paraíso de sol donde la gente pasa el día al aire libre?

En lo referente a electrodomésticos, casi la totalidad tiene en su casa televisor y lavadora; el vídeo es también un bien muy extendido, y se encuentra presente en el 68 % de los hogares. En cambio, sólo el 33 % de las viviendas disponen de ordenador. Menor aún es el número de lavavajillas, que únicamente posee el 29 % de los españoles. No deja de ser curiosa la poca difusión de este último aparato, que tantos años lleva ya en el mercado, en un país donde, según las encuestas, la tarea de fregar los platos la siguen haciendo mayoritariamente las mujeres.

A. Fíjate en cómo se expresan los porcentajes en español:

– ¿Se usa siempre delante un artículo (el / un)?

– ¿Hay diferencia entre usar "el" y usar "un"?

– ¿Cuándo usamos "por cien" y cuándo "por ciento"?

B. Vamos a fijarnos ahora en la concordancia entre sujeto y verbo:

– Cuando las expresiones como "el 33 % de las viviendas", "la mayoría de los españoles", "el 29 % de los españoles", etc. son el sujeto, ¿el verbo está en singular o en plural?

– Cuando el sujeto es solamente una expresión como "un 86 por ciento", "casi la totalidad", etc., sin nada más detrás, ¿el verbo está en singular o en plural?

C. Fíjate en los comienzos de los párrafos. ¿Con qué palabras podemos introducir subtemas (diferentes partes del tema general)?

D. ¿Con qué palabras se marca el contraste entre datos que son diferentes?

2 ■ Teniendo en cuenta tus respuestas en la actividad anterior, expresa en palabras (usando cantidades exactas, pero también cantidades aproximadas) los siguientes datos:

EJEMPLO:

Datos sobre personas mayores de 65 años en Europa:
– Italia: 18 %.
– España: 17 %.
– Albania y Turquía: 5 %.

(Exacto) El dieciocho por ciento de los italianos y el diecisiete por ciento de los españoles son mayores de 65 años, mientras que en Albania y Turquía sólo el cinco por ciento de la población supera esta edad.

(Aproximado) Casi la quinta parte de los italianos y los españoles es mayor de 65 años; en cambio, sólo un cinco por ciento de los albaneses y los turcos tienen esta edad.

a) Hijos nacidos fuera del matrimonio en Europa. España: 16 %; Islandia: 65 %.

b) Horas de salida de casa hacia el trabajo. Madrid: antes de las 6 de la mañana, 2 %; entre las 6.00 y las 8.00, 31 %; entre las 8.00 y las 9.00, 40 %.

c) Centros de enseñanza en España: públicos, 65 %; privados, 35 %.

d) Sexo de los diputados españoles: mujeres, 28 %; hombres, 72 %.

e) Población española que necesita tomar medicinas con regularidad: mujeres, 35 %; hombres, 27 %.

ESCRIBE A TU AIRE

1 ■ Observa de nuevo el texto y las estadísticas de "Materia prima 4" (página 62) y contesta estas preguntas:

a) En el texto, ¿se dan siempre los datos exactos que aparecen en las estadísticas? ¿Por qué?

b) ¿El texto es pesado de leer? ¿Repite siempre el mismo tipo de frases, el mismo orden de palabras, el mismo vocabulario?

c) ¿El autor se limita a dar los datos estadísticos o incluye comentarios?

2 ■ Sigue el modelo del texto que has analizado para escribir un texto periodístico similar utilizando los datos que tienes a continuación.

El menú más popular del verano

Estudio realizado en España por la empresa Quota / Sigma Dos

¿Qué platos, postres y bebidas le gusta tomar en verano?

PLATOS		BEBIDAS		POSTRES	
Ensalada de hortalizas frescas y aceite de oliva	61 %	Cerveza	58 %	Helados	Postre favorito de 10 de las 17 comunidades autónomas
Ensaladilla rusa	36 %	Refrescos de cola	48 %	Sandía	Favorito en 5 comunidades
Gazpacho	35 %	Tinto de verano (vino con gaseosa)	39 %		
Paella	31 %				

HABLA A TU AIRE

La **ONU** ha precisado cuáles son las condiciones mínimas que los seres humanos necesitan en su vida diaria para obtener lo que se considera el estado de felicidad. Ahora te damos la lista de esas condiciones, pero entre ellas hay dos que son falsas; ¿cuáles? Discútelo con tus compañeros.

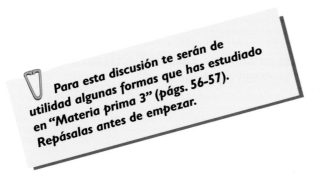

Para esta discusión te serán de utilidad algunas formas que has estudiado en "Materia prima 3" (págs. 56-57). Repásalas antes de empezar.

a) Una ración diaria de 2.500 a 4.000 calorías

b) Una batería de utensilios de cocina por unidad familiar

c) Tres conjuntos de traje y chaqueta y tres pares de zapatos por individuo

d) 10 litros de agua al día

e) Un habitáculo de seis metros cuadrados como mínimo que ofrezca una mínima protección de la intemperie

f) Escolarización de al menos seis años y educación continuada para el adulto

g) Una biblioteca pública por cada 200.000 habitantes

h) Una radio por familia

i) Un televisor por cada 100 habitantes

j) Una bicicleta por unidad familiar

k) Distancia máxima de 7 kilómetros hasta la red de transportes públicos

l) 10 médicos y 50 camas de hospital por cada 100.000 habitantes más 10 dólares por persona y año para medicamentos

m) Un trabajo para poder mantener a la unidad familiar

n) Un sistema de seguridad social que cubra las enfermedades

¿TÚ QUÉ CREES?

Lee con atención estos documentos: una tarjeta postal y una estadística publicada en una revista. ¿Qué información te dan sobre la sociedad española?

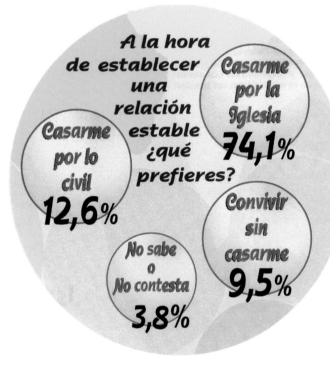

A la hora de establecer una relación estable ¿qué prefieres?

Casarme por la Iglesia **74,1%**

Casarme por lo civil **12,6%**

Convivir sin casarme **9,5%**

No sabe o No contesta **3,8%**

(De la revista *Quo*)

yo

los prejuicios →

Igualdad es libertad.

Ayuntamiento de Madrid
Concejalía de Promoción de la Igualdad y Empleo
PLAN DE IGUALDAD DE OPORTUNIDADES ENTRE MUJERES Y HOMBRES DEL MUNICIPIO DE MADRID

Si tuvieras que elaborar dos textos semejantes sobre tu país, ¿qué cambios tendrías que hacer?

ON TEXTOS 1

1 ■ En el artículo que vas a leer, "La historia de un largo silencio", aparecen las siguientes expresiones:

    – Feminización de la pobreza   – Filiación matrilineal   – Misoginia
    – Patria potestad compartida   – Residencia matrilocal

Teniendo en cuenta esto y el título, ¿de qué crees que va a tratar?

2 ■ Los fenómenos que se han nombrado anteriormente, ¿son propios de una sociedad machista (1), matriarcal (2) o igualitaria (3)? Coloca uno de los tres números al lado de cada expresión.

3 ■ Lo que tienes a continuación es un índice del contenido del artículo; en el índice se da el tema de cada uno de los párrafos, en orden (del primer al último párrafo). Después aparece el texto, pero con los párrafos desordenados. Teniendo en cuenta lo que dice este índice, trata de reconstruir el orden original del artículo.

1. Explotación de Hispanoamérica por parte de los países desarrollados.

2. Problemas económicos, que afectan en mayor grado a la mujer.

3. Problemas sanitarios, derivados de los económicos, de la mujer en Hispanoamérica.

4. Diferencias, en cuanto a la tasa de nacimientos, entre algunos países hispanoamericanos.

5. Influencia de la visión occidental del mundo en la condición de las mujeres en Hispanoamérica.

6. Aspectos favorables para las mujeres en las comunidades indígenas antes de la llegada de los europeos; su desaparición.

7. Situación a la que ha llegado la mujer india en muchas de las actuales sociedades hispanoamericanas.

8. Protagonismo reciente de la mujer en la vida política de algunos países hispanoamericanos.

9. Algunos objetivos por los que deben luchar los movimientos formados por mujeres hispanoamericanas.

10. Observación global sobre el estado actual en que se halla el movimiento de liberación de la mujer en Hispanoamérica.

A. Evidentemente estas son estadísticas generales que enmascaran la diversidad de las situaciones locales; así, por ejemplo, la natalidad **oscila** entre más de seis hijos por mujer en Bolivia, Ecuador, México, Nicaragua y Honduras, hasta menos de tres en Argentina, Chile y Uruguay, y menos de dos en Cuba. Esta diferencia se correlaciona con diferencias semejantes en condiciones sanitarias y expectativas de vida.

B. La participación en la política global está acompañada por una conciencia de género desigual, pero que ha dado lugar a concreciones como los "Encuentros Feministas Latinoamericanos y del Caribe". Las tareas que estos grupos tienen por delante son enormes; sólo en casos excepcionales (como es el de Cuba) tienen reconocido el derecho al aborto, y el divorcio por acuerdo y la patria potestad compartida son derechos aún no reconocidos en muchos países del área. La desigualdad de salarios por el mismo trabajo es una práctica generalizada, aun en los casos (como Argentina o Chile) en que la ley garantiza la igualdad.

C. Diosas femeninas, mujeres sacerdotisas, filiación matrilineal, residencia matrilocal, participación de las mujeres en la toma de decisiones políticas, acceso a los puestos militares, libertad sexual de las solteras y reconocimiento en los mitos de su importancia y autonomía, son elementos que podrían encontrarse, reunidos o separados, en muchas sociedades precolombinas, y que la cultura europea no apreciaba. Todas esas prácticas y creencias fueron prohibidas o desvalorizadas por los conquistadores, que implantaron normas mucho más misóginas y excluyeron a las mujeres de todos los ámbitos de poder.

D. En la actualidad, el reflujo de capital desde el Sur hacia los países ricos es de 436.000 millones de dólares anuales, lo cual genera pobreza y desequilibrios económicos en cada uno de los países de América Latina.

F. En general, en todo el continente se observa que las mujeres están avanzando en su nivel de organización, pero que la situación política y económica de la zona influye en sentido opuesto a sus reivindicaciones.

E. Así, en América Latina abundan las familias donde la madre es el único **sostén** del hogar; éstas, precisamente las familias más pobres, constituyen la tercera parte del total de los hogares. Malnutrición, embarazos frecuentes y exceso de trabajo terminan de configurar un cuadro de alto índice de enfermedad, ya que una sexta parte de las mujeres del área presentan anemia por desnutrición, mientras la mortalidad materna afecta a una **parturienta** de cada noventa.

G. Sobre esta historia común como fondo, en cada uno de los países surgidos de la colonización, las mujeres han ido **tejiendo** sus propias reivindicaciones y en las últimas décadas han tomado parte decisiva en todos los movimientos de liberación. Esta participación política alcanzó reconocimiento al encarnarse en las "Madres de plaza de Mayo", en Argentina. Pero ellas no son un ejemplo aislado: las pobladoras chilenas, las viudas de Guatemala, las guerrilleras salvadoreñas y grupos similares en otros países, muestran el nivel de radicalidad que han asumido las mujeres de Latinoamérica.

H. Se institucionaliza entonces una situación que ha perdurado hasta nuestros días, y que establece para las descendientes de los primeros pobladores del continente americano una triple discriminación: en tanto que indias, en tanto que mujeres y en tanto que pobres. El "machismo" que caracteriza tantas sociedades **mestizas** se ha generado entonces en ese contexto y no es una herencia de las culturas indias.

I. Y de esta pobreza resultan las mujeres las principales víctimas. Según datos recientes, esta situación tiende a agravarse en un proceso de "feminización de la pobreza". Salarios bajos, paro estacional o permanente, informalización de la economía, falta de servicios sociales y deficientes sistemas sanitarios, afectan en mayor medida a las mujeres; éstas, además de recibir menos paga por su trabajo, deben **afrontar** a menudo solas la responsabilidad de la alimentación de los hijos, ya que la misma inestabilidad económica empuja a los hombres a la emigración o al abandono de sus responsabilidades familiares.

J. Así como la relación económica con el mundo desarrollado produce y amplía la pobreza del Tercer Mundo y la sobreexplotación de sus mujeres, la imposición de las ideologías europeas en los ámbitos religiosos y políticos trasplantó a otras tierras una tradición de desvalorización femenina y produjo un descenso global del estatus de las mujeres en las zonas colonizadas.

(Dolores Juliano, extracto)

4▪ ¿Puedes completar estas afirmaciones con palabras que estén destacadas en el artículo? Quizás tengas que cambiar el tiempo verbal, el género o el número.

a) La condición social de la mujer en las comunidades precolombinas _____ entre la nula participación en la vida pública y el matriarcado.

b) En los países hispanoamericanos donde la tasa de natalidad es más baja se producen menos muertes de _____.

c) Las estructuras de la economía sumergida o informal están _____ fundamentalmente en torno a la mujer pobre.

d) Los grupos feministas tendrán primeramente que _____ el hecho de que no todas las mujeres hispanoamericanas son igualmente conscientes de su situación.

e) En las naciones _____, el ser más marginado es la mujer india.

f) En Argentina y en Chile, la ley que regula la igualdad salarial es el _____ que permite a las mujeres avanzar hacia otras reivindicaciones laborales.

5▪ Según el texto, ¿las afirmaciones del ejercicio anterior son verdaderas o falsas? Relee el texto (en la página 251) y fíjate en los detalles.

6▪ Si un texto está bien estructurado en párrafos, se puede escribir sobre él un índice como el de la actividad 3 de este apartado. Utiliza alguno de tus trabajos escritos para comprobarlo; intenta ponerle un título a cada párrafo.

PALABRA POR PALABRA

1 ▪ Fíjate en estas palabras y expresiones y piensa de dónde proceden. ¿En qué grupo de los tres que tienes debajo incluirías cada una?

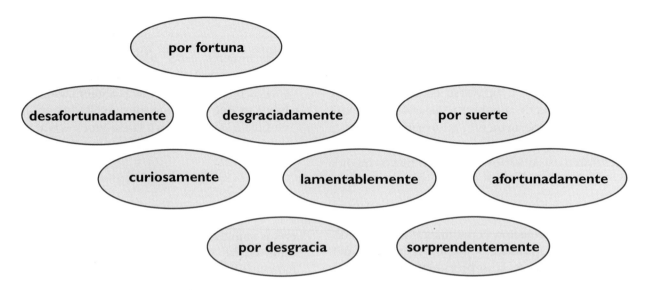

por fortuna

desafortunadamente

desgraciadamente

por suerte

curiosamente

lamentablemente

afortunadamente

por desgracia

sorprendentemente

A) *Cuando comienzo a decir algo con la/s palabra/s* _____ _____, *quiero mostrar que lo que voy a decir después me parece muy positivo.*

B) *Cuando comienzo a decir algo con la/s palabra/s* _____ _____, *quiero mostrar que lo que voy a decir después me parece muy negativo.*

C) *Cuando comienzo a decir algo con la/s palabra/s* _____ _____, *quiero mostrar que lo que voy a decir después me produce sorpresa o llama mi atención.*

2 ▪ Añadiendo las palabras y expresiones anteriores, puedes dar tu opinión sobre los hechos que nos cuenta el texto de "Con textos 1". Intenta usar una expresión de cada grupo (aunque todo depende de tu opinión personal).

Ejemplo:

(Párrafo f) Afortunadamente, en todo el continente se observa que las mujeres están avanzando en su nivel de organización.

3 ▪ ¿Cuál es la situación de los derechos de la mujer y su papel social en la zona del mundo en la que vives ahora? Cuéntales algo sobre ese tema a tus compañeros. Muestra tu postura utilizando alguna de las expresiones con las que hemos trabajado.

Ejemplo:

Dicen que los hombres de mi país son muy machistas, pero, curiosamente, la mayoría de los cargos directivos los ocupan las mujeres.

¡LO QUE HAY QUE OÍR! 1

1 ▪ ¿Hay metro o algún otro medio de transporte colectivo en el lugar en el que vives? ¿Qué abunda más: el personal masculino o femenino? ¿Crees que alguno de los siguientes puestos de trabajo del metro son más adecuados para los hombres o para las mujeres?

taquillero/a   revisor/a   mecánico/a   jefe/a de estación   limpiador/a

2 ▪ La grabación que vas a oír se realizó en 1969, cuando se celebraba el 50 aniversario de la inauguración del Metro de Madrid. Antes de escucharla, intenta decidir cuáles de las siguientes afirmaciones son verdaderas y cuáles falsas:

a) El Metro de Madrid se inauguró en 1919.

b) En esa época había pocos coches en Madrid.

c) Muchos hombres iban en metro sólo porque había muchas chicas.

d) Había más público por la mañana temprano porque la gente iba en metro al trabajo.

e) Algunos hombres les regalaban dulces a las empleadas del Metro.

f) En aquella época había pocos sitios en los que trabajaran mujeres.

Ahora comprueba tus respuestas escuchando la grabación.

3 ▪ La entrevista que vas a escuchar expone algunos de los problemas laborales que tenían hace años las empleadas del Metro por el hecho de ser mujeres. Toma notas siguiendo el esquema:

a) ¿Qué cortapisas tenían las mujeres?

b) ¿Qué problema tuvo la señora entrevistada?

c) ¿Cómo lo solucionó?

d) ¿Qué es lo que le parece extraño desde el punto de vista legal?

e) ¿Cómo conservaron su puesto de trabajo otras compañeras?

4 ▪ Vamos a fijarnos en algunos detalles de la mentalidad e ideología de Justina, la mujer entrevistada. ¿Qué impresión tienes sobre ella?

a) Es una mujer valiente que ha luchado por sus derechos.

b) Es una mujer anticuada, que cree que la discriminación consiste solamente en que los hombres te traten mal en el trabajo.

c) Es una mujer liberal, a la que no le importa si una mujer embarazada está casada o no.

d) Mantiene la idea conservadora de que es vergonzoso ser madre soltera.

Escucha de nuevo la grabación y toma nota de aquellos detalles que te ayuden a conocer mejor a Justina.

MATERIA PRIMA 1

1 ▪ Vamos a repasar, con un juego, el género de algunos nombres de objetos. Imagina esta situación: en un caso de divorcio, los abogados, el marido y la mujer no consiguen ponerse de acuerdo en el reparto de una serie de bienes comunes. El juez decide que la mujer se quedará con todo lo que sea femenino y el marido con todo lo masculino. La clase se dividirá en dos grupos: mujeres y hombres, que representarán al marido y la mujer. El profesor, que es el juez, va a dar fotografías o dibujos de los objetos en litigio.

2 ▪ Seguimos con masculinos y femeninos, pero ahora con parejas de palabras que se parecen mucho.

a) Con ayuda del diccionario si es necesario, completa estos cuadros, anotando también si es una palabra femenina o masculina. Las palabras de la izquierda y de la derecha de cada fila son de la misma familia.

una calabaza

un batín

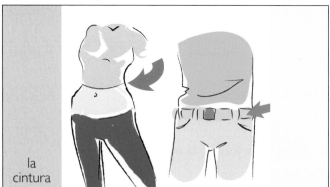

la cintura

un piñón

una camisa

un chaquetón

una tapa

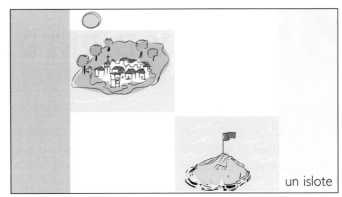

un islote

una blusa

un jarrón

b) ¿Qué tienen en común todas las palabras que aparecen sobre fondo azul? ¿Y las que están en los espacios amarillos?

c) Mira el cuadro e intenta memorizar las palabras en relación con las imágenes.

Ahora tápalo y responde a las preguntas de tu profesor.

3 ■ A veces, estos cambios de femenino a masculino pasan también cuando usamos las terminaciones aumentativas (-ón, -ote), pero sin que cambie el significado de la palabra.

a) ¿De dónde vienen las palabras que están marcadas en este diálogo? Se trata de dos conocidos que viven en casas cercanas.

– ¿Cómo estamos?

+ No estamos mal. Y tú, ¿qué haces por aquí?

– ¿No te has enterado? A Márquez, el del n.º 22, le han dado un **palizón** que casi lo matan y le han robado todo lo que tenía.

+ ¿Pero todo lo que tenía dónde? ¿En su casa?

– Sí, sí, ha sido en su casa, ¡y menudo **pastón** se habrán llevado! Porque Márquez es de los que tienen el dinero metido en el calcetín, no le gustan los bancos, y además sólo en joyas su mujer tenía un dineral*. Por cierto, que le entra-

ron por el balcón, así que ya puedes tener tú cuidado, que tu balcón está muy bajo...

+ ¿Y él cómo está?

– Pues bastante mal, pero ya ha vuelto del hospital. Yo he venido a verle, por eso estoy aquí.

+ Pues chico, ¡menudo **notición**! ¡Con lo tranquilos que vivíamos en este barrio! Ahora mismo se lo voy a contar a mi mujer y lo mismo ponemos rejas en las ventanas...

– Bueno, pues te dejo, que además vienen unos **nubarrones** por ahí, que se va a poner a llover pero ya.

* Cantidad grande de dinero.

---

b) ¿Para qué se usa en este diálogo la terminación -ón? ¿Qué añade?

DIMES Y DIRETES

1 ▪ En el cuadro tienes diez expresiones muy utilizadas en la lengua hablada. Pregúntale a un compañero las expresiones que no entiendes y explícale las que tú sabes. Intentad averiguar el significado de las que no sabéis con ayuda de los dibujos y ejemplos que tenéis en esta página y en las dos siguientes.

LOS HOMBRES **LAS MUJERES**	– siempre le buscan tres pies al gato – siempre han querido tener la sartén por el mango – hablan hasta por los codos – tienen tendencia a hacer / construir castillos en el aire – no tienen pelos en la lengua – tienen la lengua muy larga – siempre consiguen llevarse el gato al agua – no ven más allá de sus narices – tienen la cabeza llena de pájaros – nunca se apean / bajan del burro

EJEMPLOS

(Una pareja acaba de salir del cine)

– ¿Qué te ha parecido?
– Es un poco complicada, pero a mí me ha gustado mucho.
– Pero si son todo clichés: el hombre misterioso, la mujer aventurera, el amante comprensivo, el científico moralista... —exclamo, completamente asqueado.
– **Tampoco hay que buscarle tres pies al gato**, Carlos. Es una película entretenida y punto. Y a mí me ha gustado. Venga, vamos a beber algo.

(José Ángel Mañas, *Historias del Kronen*, España)

(Se habla sobre los cambios en los precios de los productos agrícolas)

...cuando hay una gran cosecha, los precios se derrumban a niveles aún inferiores a los fijados oficialmente. Y así ocurre sin ningún esfuerzo, porque, ante la abundancia, en las negociaciones en los mercados entre vendedores y compradores, estos últimos **tienen**, como se dice vulgarmente, **la sartén por el mango**. Si en un puesto no satisfacen sus deseos de pagar menos, pues entonces se van a otro puesto. Pueden estar seguros de encontrar, por dondequiera, a vendedores que no saben qué hacer ante ofertas de compra a precios cada vez más bajos, con el temor de encontrarse al final, si no bajan los precios, con sobrantes que no hayan logrado vender.

(Pedro G. Beltrán, *La verdadera realidad peruana*, Perú)

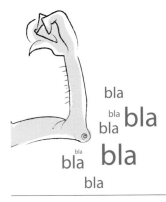

bla
bla bla **bla**
bla
bla **bla**
bla

...a Juan Carlos R. I. las palabras no son, precisamente, lo que le falta. **Hasta por los codos habla** este hombre. Demóstenes*, a su lado, era un pobre infeliz con la boca llena de piedras.

(El Mundo, España)

**Famoso orador de la antigua Grecia*

"Antaño, cuando era joven," escribe este amigo, "sentí lo mismo que otros muchos sienten. Tenía la idea de dedicarme a la política tan pronto como fuera dueño de mis actos, ya que por tratarse de una época turbulenta, ocurrían cosas indignantes (...). Al principio estaba lleno de entusiasmo por trabajar en estas actividades, pero al dirigir la mirada a ellas y ver que las leyes, las costumbres, la política se iban corrompiendo a tal punto que la república se iba a la deriva, acabé por marearme y sentir náusea de todo".

Parecen palabras de hoy, pero fueron escritas hace veinticinco siglos. Y lo paradójico del caso es que el nombre de este amigo —se llama Platón— se usaría y sigue usando para describir esa propensión tan humana de **construir castillos en el aire***. Aquel gran idealista que por siglos tantos sueños supo inocular en la mente de otros hombres devenía al final de su vida poco menos que un escéptico.

(El Nuevo Herald, EE. UU.)

**Se refiere al adjetivo 'platónico' usado en el sentido de 'utópico, ideal'.*

(En una entrevista a un periodista. Son palabras del entrevistado)

Yo soy muy francote. **No tengo pelos en la lengua.** Digo lo que siento, digo lo que pienso.

(Caretas, Perú)

— Dime, Estrella... Tú conoces a Pedro, ¿verdad?
— ¿Pedro Villalta? Sí, lo conocí en el Banco... Un buen chico.
— Paquito asegura que es un mangante*.
— No hagas caso de Paquito: **tiene una lengua muy larga.**

(Mercedes Salisachs, *La gangrena*, España)

* *(Informal) Ladrón.*

(De la crónica periodística de un campeonato de tenis)

Ayer, ambos jugadores se enfrentaron en octavos de final, y durante tres horas y 37 minutos mantuvieron un duelo a muerte. El peruano terminó **llevándose el gato el agua**, y se impuso 3–6, 6–3, 4–6, 7–6, 7–5.

(El Mundo, España)

Ileana: ¿No te llama la atención que (...) sólo haya viejas y jovencitos?
Diego: Ya lo sabía. He visto fotos de las manifestaciones que hacen ustedes, cuando van a tumbar una casa antigua.
Ileana: Mi padre dice que, en este país, el idealismo sólo se da en la primera y la tercera edad. Y que a nuestra generación el egoísmo no la deja **ver más allá de sus narices.**
Profesor Brunelli: ¡Más allá de sus carteras, más bien!

(Mario Vargas Llosa, El loco de los balcones, Perú)

(Un hombre habla con la chica que viene habitualmente a cuidar a sus hijos)

Yo te trato con total normalidad, escucho lo que dices porque lo encuentro interesante, pienso que eres una muchacha muy madura para tu edad, sin **tener la cabeza llena de pájaros** como otras chicas.

(Lluís Llongueras, Llongueras tal cual, España)

(Fragmento de una entrevista a un político de la oposición)

P: El Gobierno ¿puede respirar en paz, después de la huelga?
R: No. La huelga, con la dimensión real que alcanzó, no puede dejar tranquilo ni al Gobierno ni al Parlamento, porque ha mostrado un estado de profundo malestar. Ha sido una huelga política, contra la política de un Gobierno que se empeña en **no bajar del burro** y en llevar adelante una reforma laboral que nada bueno garantiza.

(El Mundo, España)

2 ■ Vuelve al cuadro del principio de esta sección. Ahora que ya conoces todas las expresiones, ¿con qué sujeto las asocias: con "los hombres" o con "las mujeres"? (No tomes esta cuestión demasiado en serio: sólo hablamos de tópicos de una manera divertida)

Compara tus respuestas con las del resto del grupo.

 ¡LO QUE HAY QUE OÍR! 2

1 ▪ Vas a trabajar con la letra de una canción que se titula "Asesina de mi vida". ¿Quién crees que la canta, a quién y cuál es la relación entre ambos?

2 ▪ En cada una de las dos estrofas de esta canción, cada verso está partido por la mitad. Las primeras mitades están en el orden correcto, pero las de la derecha no. Teniendo en cuenta el significado, la construcción de la frase y los signos de puntuación, trata de unir cada primera mitad con la parte correspondiente de la derecha. Después comprobarás tu respuesta escuchando la canción.

No sé cómo te soporto,	como quien profesa un credo,
debe ser el fin de siglo	un descenso a los infiernos.
Sé que amarte es un combate	dices "negro" y digo "negro",
pero bien valen tus rejas	no sé cómo te tolero,
Me someto a tu malicia	porque no deseo hacerlo.
no me quedan más esquemas	donde siempre caigo preso,
Bailo al son de tus caprichos,	que las reglas de tu juego.
no te llevo la contraria	o que estoy enloqueciendo.

LUIS EDUARDO AUTE

Vas a acabar con mis días y mis noches, asesina, asesina de mi vida.

Tu crueldad es una esponja	con tu corazón de hielo.
me torturas lentamente	es dulcísimo veneno.
No tienes la sangre fría,	como si fuera un mal sueño,
lo que corre por tus venas	que succiona mi cerebro,
Mira que te gusta verme	me insinúan: ahora quiero.
qué te importa maltratarme	que eso es tener sangre al menos,
Pero todo se me pasa	si ni siento ni padezco.
cuando veo que tus ojos	humillado como un perro,

M ATERIA PRIMA 2

1 ▪ La primera frase de la canción anterior es "*No sé cómo te soporto*". ¿Qué implica decirle esta frase a alguien? Elige una respuesta:

a) Que llevamos aguantando a esa persona un tiempo, y se nos hace difícil.

b) Que hay algo que no nos gusta nada en esa persona.

c) Que queremos romper nuestra relación con esa persona, porque no la aguantamos más.

2 ▪ A continuación tienes siete fragmentos extractados de seis obras de teatro y una novela donde aparecen conversaciones de siete parejas. ¿En cuáles de ellos y dónde alguno
de los personajes podría decir "No sé cómo te soporto" o "No sé cómo te aguanto"?
Marca todos los lugares de cada texto en donde podría haberse usado esta frase.

A

(Lupe y Rick están en habitaciones distintas de la casa)

Rick: ¡Lupe!

Lupe: ¿Qué?

Rick: Acaban de sacar en la teletienda una promoción de corbatas a juego con las zapatillas. ¿Y sabes qué, Lupe?

Lupe: ¿Qué?

Rick: Que no me ha dado tiempo a buscar un
boli para apuntar el teléfono. **Mira que** te
tengo dicho que me dejes un teléfono
cerca para la teletienda. ¡Lupe!

Lupe: ¿Quéeeee?

(Elvira Lindo, *La ley de la selva*)

B

Chola: Pintamos la casa y la vendemos y con esa
plata nos instalamos allá. ¿Qué te parece?

Chiche: (Dormido) Sí, sí. Apagá[1].

Chola: Bueno. (Apaga la luz.) ¿Pero le vas a escribir? Viejo... ¿Me estás escuchando?

Chiche: ¡Qué podrido[2] me tenés[1], Chola!

Chola: Sí, muy podrido... ¿Y por casa cómo te
crees que andamos? Mira, si yo fuera una
de esas locas de las revistas, te pedía el
divorcio.

Chiche: **Mira que** decís[1] pavadas[3]... pavadas...

(Marisel Lloberas, *Acordate[1] de la Francisca*)

[1] Formas verbales usadas en Argentina y otras zonas de América en
lugar de *apaga, tienes, dices* y *acuérdate*.

[2] *Arg.* Harto.

[3] *Arg.* Tontería.

C

Chity: ¡Menuda faena me has hecho, rico!

Paco: ¿Quién? ¿Yo?

Chity: ¡Si te parece va a ser el de enfrente! **¡Mira
que** te dije que pusieras el despertador a
las siete!

Paco: Y lo puse.

Chity: ¡Qué lo vas a poner! Entonces, ¿por qué no
sonó?

(Carmen Resino, *Pop y patatas fritas*)

D

Trudi: Esta noche será fabulosa.

Gabriel: Eso espero.

Trudi: Y mañana. Y la semana que viene... Quizá
tiremos un mes, tal vez dos. Pero luego tú
no podrás seguirme.

Trudi: ¿Que yo no podré seguirte? ¿Que no
podré seguirte? ¿Pero qué dices? **¡Anda
ya!** ¡Tú eres la que no seguirás mi ritmo!

(María Manuela Reina, *Alta seducción*)

E

(Calixto no trabaja porque está escribiendo un libro)

Angustias: Lo único que echo de menos es el poder
juntar dos sueldos para comprar antes el
piso de Móstoles.

Calixto: Lo dices como si me lo echaras en cara.

Angustias: Te juro que lo digo sin mala intención.

Calixto: **Anda que no** te ha dado fuerte con el
piso de Móstoles... Y seguro que tiene
escaleras.

Angustias: Si no sales nunca de casa no sé por qué te
importa que tenga escaleras.

Calixto: Pero al mudarse habrá que subir, ¿no?

(Rafael Mendizábal, *¡Viva el cuponazo!*)

F

(Rafa entra en el cuarto de baño donde está Irene y ve un enorme cuchillo de cortar jamón)

Permaneció un instante callado y después, señalando el cuchillo, preguntó:

- ¿Para qué necesitas eso aquí?

Irene dijo muy tranquila:

- Para cortarme las uñas de los pies.

Rafa dejó escapar una risilla nerviosa y breve.

- **<u>Venga ya</u>**, no me tomes el pelo. ¿Qué hace ahí? ¿Para qué lo has traído?

- Para cortarme las venas –respondió ella aún más tranquila y desafiante.

- No digas estupideces. ¿Y para algo así necesitarías esa bestialidad de cuchillo?

(Javier García Sánchez, *La historia más triste*)

G

(Mónica está obsesionada con la decoración y los arreglos de su casa. Su marido, Carlos, entra en el salón con una pistola)

Mónica: Bueno, ¿y para qué la pistola...?

Carlos: Si prestaras atención a algo que no fuera el consumo, habrías podido observar que he llegado a casa a media mañana, que he cortado el cable del teléfono y que estoy aquí escuchándote, por si había algo en ti que a última hora me hiciera cambiar de opinión.

Mónica: ¿Cambiar de qué...? No te entiendo, Carlos. ¿No me irás a decir que la tontería de la pistola... es por mí...?

Carlos: Exactamente, Mónica. No aguanto más.

Mónica: Y luego dices que yo soy rara. ¡**<u>Anda que tú</u>**! Chico, que quieres que te diga, entre ir a El Corte Inglés todo el día y esto tuyo...

Carlos: Deja de moverte. Voy a matarte, Mónica.

Mónica: ¡Será posible! ¡Tú no estás bien de la cabeza...! Me voy a ver los muebles, a ver si cuando vuelva se te ha pasado... *(Abre la puerta y se encuentra la entrada tapiada de ladrillo)* ¡Carlos, por Dios...! ¿Te has vuelto loco? ¿Cómo conseguiste traer un albañil?

Carlos: ¡Se terminó El Corte Inglés!

Mónica: ¡**<u>Mira que</u>** haber tenido un albañil en casa, y yo sin saberlo!

(Juan José Alonso Millán, *Sólo para parejas*)

3 ▪ Observa las palabras que están marcadas en los textos y escríbelas en este cuadro, según lo que creas que significan. En algún cuadro pueden aparecer dos expresiones, y alguna expresión puede tener varios usos.

Para expresar lo sorprendente que nos parece alguna acción (con intención crítica, o como lamentación, o como sorpresa agradable)	*+ infinitivo*
Para expresar que ha sucedido algo malo a pesar de que nosotros habíamos intentado evitarlo	
Para decirle a una persona que los reproches o críticas que nos está dirigiendo pueden serle aplicados también a ella	
Para expresar que creemos que no es cierto lo que la otra persona acaba de decir	
Para expresar que lo que se dice a continuación sucede o existe en un grado muy alto	

4■ Todas las expresiones anteriores contienen un verbo. ¿De qué tiempo verbal se trata? ¿Este es el uso normal de ese tiempo? ¿Conoces otros usos parecidos con las palabras "anda", "mira", "toma", "vaya" y "venga"?

5■ ¿Cuáles de las expresiones de la actividad 3 usarías en estos textos sobre parejas?

A

Jorge: ¿Empiezo yo?

Sara: Qué más da, empezamos los dos... Jorge, qué maravilla, cómo eres de fenomenal. ¡ _____ encargar champán, como hace veinticinco años! ¿Te acuerdas?

(Ana Diosdado, *Trescientos veintiuno, trescientos veintidós*)

B

– Aunque lo niegues, tú llevas un maletín de versos escondido en tu interior.

– Pues ya me dirás dónde lo guardo, porque no me lo veo, chica, por más que miro no lo encuentro.

– Es cuestión de concentrarse y dejarse llevar por la emoción. Lo demás viene rodado.

– _____ eres cursi, Sofía. No aguanto esa vena de ñoñería que te gastas.

(Lola Beccaria, *La luna en Jorge*)

C

(Hablan del coche en el que están montados)

– Pues claro que es de los dos. Yo le echo gasolina y lo llevo, pero la madrina eres tú, que lo has bautizado. Y luego que te estaba esperando, que yo no lo había usado tanto tiempo seguido con la misma persona.

– _____, mentiroso.

– Que no, de verdad, estas excursiones las hago siempre solo.

(Carmen Martín Gaite, *Nubosidad variable*, extracto)

D

(Están dando un paseo)

– Espero desaparecer antes de que te hartes. A mí no me gusta que me echen de más, siempre de menos.

– ¿Qué dices? Contigo no se harta uno. Y no me amenaces con despedidas, que estamos empezando. ¡ _____ nos quedan paseos por dar!

(Carmen Martín Gaite, *Nubosidad variable*, extracto)

E

(Víctor se va a casar con Cris, que antes había estado casada con Josema)

Josema: Cristina me ha hablado mucho de usted.

Cris: Mentira. No le creas.

Víctor: A mí, en cambio, de usted no.

Josema: ¿Ah, no?

Cris: Eso sí es verdad.

Víctor: Sabía que existía un marido, pero creo que jamás mencionó su nombre.

Josema: Pero Cristina, cómo eres, por Dios. _____ no mencionar nunca mi nombre...

(Santiago Moncada, *Caprichos*)

F

Me meto en la cama y apago mi luz. Tengo un sueño invencible. Cuando me estoy quedando frita, llega Antonio y empieza a desnudarse.

– ¿Estás dormida, Carmencita?

"¿Quién puede dormir con todo el follón que estás armando?", pienso.

– ¿No me preguntas dónde he estado?

_____ me había jurado a mí misma ser distante e indiferente, pero me puede mi maldito carácter.

– No tienes que decirme dónde has estado. Puedes hacer lo que te plazca y no tienes que darme ninguna explicación. Es más, prefiero que no me des ninguna, porque no tienes necesidad de mentirme.

(Carmen Rico Godoy, *Cómo ser una mujer y no morir en el intento*, extracto)

G

(Están discutiendo porque a uno de ellos no le ha dado tiempo a comprar la comida)

– Ten en cuenta que yo hoy trabajaba.

+ Tú no has trabajado en tu vida.

– _____, guapo, que todos los días te tengo que sacar de la cama.

(Texto oral del corpus CREA, adaptado)

6 ■ En la columna de la izquierda tenemos las palabras que le dice una persona a su pareja. Busca una posible respuesta en la columna de la derecha. Representa los diálogos en voz alta con tu compañero para ver si os suenan bien (prestad atención a la entonación: hay muchas exclamaciones).

a) Te has vuelto a olvidar de comprar el pan. ¡Pero mira que eres despistado!

¡Anda ya! ¡Si en el fondo te encanta!

b) ¡Mira que no decirme que venían tus amigos a comer! ¡Siempre igual! Pues no tengo nada que darles.

¿Cómo que no? ¡Anda que no hablé ayer por la noche! Si me duele la garganta y todo.

c) Mira que te he dicho ochenta mil veces que no me gusta que me llames "cariño" delante de mis amigos.

¡Vaya detalle! ¡Mira que acordarte de esta fecha, con todo el trabajo que tienes ahora!

d) Oye, ya que vas a la cocina, tráeme un flan. Y apaga la luz de la terraza. ¡Oye! Y recoge la ropa, que va a llover.

¡Anda que tú! ¡Si ayer te dejaste las gafas en la nevera!

e) No encuentro mis llaves. ¿Las has visto tú?

¡Venga ya! Seguro que por ahí queda algo.

f) No sé qué te pasa últimamente. Casi no me hablas.

¡Anda que no mandas!

g) Toma, para ti.

¡Pero mira que te tengo dicho que las dejes siempre en el mismo sitio!

1 ■ Observa las imágenes del anuncio, lee el texto y contesta las preguntas:

Estés donde estés... plántate a su lado.

*Por muy lejos que te encuentres,
ahora puedes estar con ella.
Llámanos. Te indicaremos la floristería Interflora
más cercana o, si lo prefieres, podrás
hacer tu envío con cargo a tu tarjeta de crédito*

902 25 45 65
Interflora

Díselo con flores

a) ¿Cuál es el producto anunciado?

b) Las palabras "Estés donde estés..." significan que... (elige todas las opciones correctas):

1. La persona que va a regalar las flores vive lejos de su pareja.

2. Puedes enviarle flores a tu pareja independientemente del lugar donde estés.

3. Aunque no estés en el mismo lugar que tu pareja, puedes enviarle flores.

2 ■ Relaciona los eslóganes con el producto que crees que anuncian:

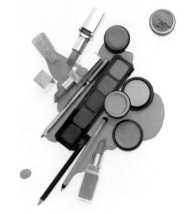

HAGAS LO QUE HAGAS EN EL FUTURO, ESTE RECUERDO SERÁ IMBORRABLE

LLEGARÁS A TIEMPO A TU CITA PASE LO QUE PASE

Podrá hablar contigo vayas a donde vayas

¿PESES LO QUE PESES, SIEMPRE TE QUERRÁ?

Venga quien venga a la fiesta, solamente te verá a ti.

3 ■ La estructura gramatical que se repite en los anuncios de las actividades anteriores es... (completa el cuadro):

Verbo en _____ +	(preposición) +	pronombre o adverbio relativo ("como", "lo que", _____, _____, etc.) +	el mismo verbo en _____

A veces necesitamos introducir en esa construcción otras partes de la oración: "Lo diga quien lo diga", "Se mire como se mire", "Se ponga tu novia como se ponga", "Haga el día que haga".

Según las necesidades de la situación, podemos usar esta estructura en los distintos tiempos del subjuntivo: "Me dijo que, hiciera lo que hiciera, no conseguiría el trabajo".

4 ■ Haz combinaciones con los elementos de las dos columnas para crear construcciones que respondan al esquema anterior. Escribe un ejemplo de las combinaciones en presente de subjuntivo a la derecha, como en el ejemplo:

decir	lo que
hacer	quien
venir	donde
ir	de donde
ser	a donde
pasar	como
costar	
salir	
estar	
ver	

Ejemplo: digan lo que digan

5 ■ Utiliza una de las combinaciones posibles de la actividad anterior para completar cada una de estas conversaciones domésticas:

a) – No me gusta nada este jarrón que compraste.
   + No sé qué te pasa últimamente, que _____, nada te parece bien.

b) – Oye, de este invierno no pasa: este invierno me tengo que comprar el abrigo ese
      que te dije.
   + ¡Pero si es carísimo!
   – Me da igual. Me lo voy a comprar, _____.

c) – Y cuando tengamos un hijo, ¿tú qué prefieres: niño o niña?
   + Yo preferiría que fuera niña, ¿y tú?
   – A mí me da lo mismo. Yo voy a quererlo igual, _____, niño o niña.

d) – Yo no pienso ir a ese viaje. Estoy cansada, no me apetece salir el fin de semana.
   + Pues Julián y Mercedes sí que van.
   – Me da lo mismo. _____, a mí no me apetece ir. Vete tú si quieres.

e) – Me vengo en avión, y así llego a tiempo del cumpleaños del niño.
   + Sí, ya... Seguro que llegarás tarde, _____. Y pasará lo mismo de todos
      los años: que nunca estás en el cumpleaños de tu hijo. ¡Pobre hijo mío! ¡No sé para
      qué quiere un padre y una madre, si a la hora de la verdad sólo me tiene a mí!

ON TEXTOS 2

1 ■ ¿Has leído alguna vez una carta de amor en español? En la actividad 2 tienes tres cartas de amor que diferentes lectores han mandado a una revista. Échales un vistazo y piensa cuál de ellas ha sido escrita por...

a) Una persona que ya convive con su pareja.

b) Un adulto que se está declarando mediante esta carta.

c) Un niño.

2 ■ Lee de nuevo las cartas con más detalle y contesta estas preguntas:

a) ¿Dónde viven estas parejas: en una ciudad, en un pueblo, en el campo?

b) ¿Qué tipo de vida llevan o piensan llevar?

c) ¿Hay en alguna de las cartas palabras que sugieran la pervivencia de una mentalidad un tanto machista?

I

Podríamos comprar un piso de dos habitaciones y financiarlo con una hipoteca referenciada al euribor a un plazo de veinticinco años sin carencia. Amueblarlo sin olvidar la nevera, lavadora, microondas, vitrocerámica, lavavajillas, televisión, vídeo, equipo de música, ordenador, impresora, sofá–cama, mesa de comedor, seis sillas, cama de matrimonio, cama individual, mesitas de noche, alfombras poco sufridas, y un sinfín de accesorios y complementos.

Podríamos comprar un coche y financiarlo a ocho años durante los cuales deberíamos pagar el seguro, los cambios de aceite y las reparaciones.

Podríamos tener niños y llevarlos a la guardería y verlos crecer y pagar los recibos de autobús, comedor del colegio, clases de inglés, clases de ballet/judo, clases de informática y música, pañales, ropita que les dura dos semanas, ropa de marca, triciclos, bicicletas, juguetes, puzzles y hasta la paga del fin de semana.

Podríamos ir al cine de vez en cuando y esperar a que nuestros hijos dejen de ir de vacaciones con nosotros al cumplir los quince.

Podríamos ir aportando unas pesetas al plan de pensiones e ir reservando plaza en un geriátrico.

Dicho lo cual y visto el panorama: ¿Quieres casarte conmigo?

Gerardo García Saguar, Puente Arce (Cantabria)

85 ■

2

Me gustas. Me gustas cuando juegas a cromos, cuando haces muñecos de nieve, cuando te ríes en el patio. Me gustas cuando vamos en bici al río, cuando comes patatas fritas sentada en la orilla y cuando tiras piedras al agua. Eres chica pero sabes tirar piedras.

Me gustas cuando bostezas a media tarde, cuando te apoyas en la barandilla de la plaza y miras cómo jugamos al fútbol. Me gustas cuando grita tu madre y le dices que espere, que aún no ha terminado el partido. Me gustas cuando bebes agua de la fuente.

Me gustas cuando cuchicheas en el banco rojo, cuando tarareas camino de la panadería, cuando te rascas las rodillas. Me gustas cuando te asomas a la ventana, cuando saltas sobre los charcos, cuando toses y cuando estás en silencio. Me gustas cuando pareces enfadada.

Me gustas, Ana, y cuando seamos mayores iremos de la mano al cine, y, si quieres, hasta nos besaremos. Como en las pelis.

Larra. Bilbao

3

Te quiero. Aunque seas algo tozudo; aunque a veces te quedes embobado mirando la televisión sin decir nada; aunque no tengamos los mismos gustos cinematográficos (¡y ceda yo más veces que tú!); aunque me critiques cada vez que cocino; aunque a veces te enfades por tonterías; aunque seas insoportable cuando algo te sale mal; aunque... A pesar de todo esto, te quiero. Porque piensas en mí; porque eres cariñoso; porque me gusta hablar contigo; porque escuchas mis preocupaciones; porque me dejas guiar en los viajes; porque muchas veces escojo yo; porque me haces reír; porque me aguantas cuando estoy de mal humor; porque...

Aránzazu Uribe-Echevarría

3 ■ ¿Con qué tono está escrita cada carta? Quizá estos adjetivos te sirvan para describirlo.

irónico, afectuoso, ilusionado, humorístico, ingenuo, sarcástico, romántico, cariñoso, desapasionado

4 ■ **A.** Fíjate, por último, en la forma en que están escritas. ¿Qué tienen las tres en común en su estilo? ¿Las cartas de amor se escriben siempre así?

B. ¿En qué otros tipos de textos, tanto orales como escritos, se suele utilizar este estilo? Elige entre los siguientes, y añade otros que se te ocurran.

— Mítines políticos — Enciclopedias

— Folletos informativos — Anuncios publicitarios

— Poemas — Cartas comerciales

MATERIA PRIMA 4

1 ■ Vamos a escribir diez posibles comienzos de cartas de amor. Para eso, primero repasaremos algunas construcciones. Imagina que las cartas empezaran con las palabras que están en la columna A; ¿cuáles de las estructuras gramaticales de la columna B podríamos usar para continuar? (Algunas palabras de la columna A admiten varias construcciones, dependiendo de lo que se quiera decir). Basta con que escribas en la columna de la izquierda las letras correspondientes a las construcciones de la columna de la derecha, como en el ejemplo.

A

B

EJEMPLO: – A pesar de... +   **a), d)**

– A pesar de que... + _____

– ¿Y si... + _____

a) sustantivo o pronombre

– Por mucho que... + _____

– Gracias a... + _____

b) oración con el verbo conjugado en indicativo

– Gracias a que... + _____

– ¿Te gustaría... + _____

c) oración con el verbo conjugado en subjuntivo

– Cuanto más... + _____

– ¿No crees que... + _____

d) infinitivo

– Nunca te he dicho... + _____

2 ▪ Teniendo en cuenta lo que has hecho en la actividad 1, escribe los comienzos de cartas de amor utilizando estas continuaciones:

...tú estás siempre ahí, sobrevivo.

...ser mi despertador?

...tus ronquidos, te quiero.

...lo mucho que te echo de menos cuando no estás.

...nunca te lo diga, te quiero.

...te conozco, más te quiero.

...haríamos una estupenda pareja?

...te hiciera el desayuno cada mañana?

...ti, consigo dormir cada día.

...te enfades conmigo, siempre te querré.

A pesar de _____

A pesar de que _____

¿Y si _____

Por mucho que _____

Gracias a _____

Gracias a que _____

¿Te gustaría _____

Cuanto más _____

¿No crees que _____

Nunca te he dicho _____

3 ▪ Escribe (a) o (b) al lado de cada comienzo, según se trate de un comienzo que serviría para:

(a) Una carta en la que queremos declararnos.

(b) Una carta en la que queremos recordar a la persona que ya es nuestra pareja que la queremos.

ESCRIBE A TU AIRE

Las cartas de amor que has leído en "Con textos 2" respondían a esta convocatoria:

Cartas de amor en 'El País Semanal'

¿Se acuerda de cuándo escribió su primera carta de amor? ¿Y de cuándo la recibió? Aquella carta que siempre guardó en un rincón poco accesible del armario. O la que quiso escribir y no supo. O que escribió y no se atrevió a enviar. Mejor aún, la carta de amor que siempre ha esperado recibir y que probablemente ha desistido ya de seguir esperando. *El País Semanal* propone a sus lectores empezar el año con amor, enviando por correo a nuestra dirección (El País Semanal. Miguel Yuste, 40. 28037. Madrid; o por correo electrónico: eps@elpais.es) su mejor carta de amor, de ayer o de hoy. La carta jamás escrita, la carta de amor desesperada y también la serena y la apasionada. La suya. De entre todas las cartas recibidas, con una extensión máxima de 20 líneas, publicaremos las más originales en nuestro número más cercano al 14 de febrero, San Valentín. ♥

Participa en la convocatoria. Puedes inspirarte en las cartas que has leído y usar el mismo estilo, o puede ser totalmente diferente. Puedes también usar uno de los comienzos de cartas que has creado en el apartado anterior ("Materia prima 4")

HABLA A TU AIRE

1 ▪ Lee con atención las siguientes instrucciones:

– Tu profesor te va a dar una tarjeta donde hay una línea del diálogo entre una pareja. Tendrás medio minuto para aprendértela de memoria.

– Después, levántate y deja la tarjeta en tu silla. Luego, paséate entre tus compañeros y diles tus palabras hasta que encuentres a tu pareja. Si tu tarjeta es gris, eres el primero que habla; si tu tarjeta es blanca, hablas en segundo lugar. Si se te olvida algo, puedes volver a tu silla y memorizarlo de nuevo.

– Cuando encuentres a tu pareja, sentaos los dos juntos e imaginad el resto del diálogo, hasta que el profesor marque el fin de la actividad.

2 ▪ Algunas parejas van a representar su situación ante el resto de la clase.

Lee a tu aire

1 ▪ Imagina que el poema que tienes debajo, a la derecha, lo escribió su autor a mano muy rápidamente (por eso algunas partes no se pueden leer). Fíjate en las palabras que se entienden, y, con ayuda de ellas, imagina alguna respuesta a estas preguntas:

a) ¿Qué relación hay entre quien lo escribió y "ella"?

b) ¿Por qué ella está presa? ¿Por qué la sueltan solamente por la noche?

c) ¿Dónde está ella?

d) ¿Qué quiere decir que ella es su "musa dócil"?

2 ▪ Tu profesor tiene el poema completo. Escúchalo o léelo, y contesta estas preguntas:

a) ¿En qué zona del cuarto está presa "ella"?

b) ¿Qué tiene que hacer el poeta para soltarla?

c) ¿Por qué dice de ella que es "artificial" y "eléctrica"?

d) ¿"Ella" es una persona o un objeto?

3 ▪ Vuelve a las preguntas de la actividad 1. ¿Hay que cambiar alguna de las respuestas que habías dado?

¿Te ha gustado este poema? ¿Te ha parecido original? Puedes leer más en el libro *Seguro azar*, de Pedro Salinas, o en alguna antología de la poesía de este autor español.

Sí. Cuando quiera yo
ab milimsi. Está presa
mesi dshhrca tfxrnelob
Yo la veo en su claro
castillo de cristal, y la vigilan
— cien mil lanzas— los rayos
— cien mil rayos— del sol. Pero de noche,
cerradas las ventanas
para que no la vean
— guiñadoras espías— las estrellas,
la soltaré. (Jpemtml xe ojyam.)
Falri ymfe im fmojs
a besarme, a envolverme
de bendición, de claro de amor, pura.
En el cuarto ella y yo no más, amantes
eternos, ella mi iluminadora
musa dócil kl eksibr
bo dimrpjfl fl xibw ūx jā mlarx
—rkobho—
vesnigtrmprcoa kwqbrca jnlre, mfeqprs
perseguidos en mares de blancura
por mí, por ella, jhrfsyoidlbpm princesa,
amada ifolbtasci.

Las respuestas correctas pueden ser todas, algunas o una sola.

1 ▪ _____ que voy conociendo gente de otros países, voy descubriendo otras variedades del español.

a) A medida   b) A la par de

c) Asimismo   d) Mientras

2 ▪ Debemos fomentar el deseo de aprender más lenguas, _____ de entender mejor otras culturas.

a) asimismo   b) así como

c) a la par que   d) y además

3 ▪ Usa una palabra derivada de la palabra que te damos entre paréntesis para completar cada frase:

a) Internet está sirviendo para _____ los contactos interculturales. (INTENSO)

b) El hecho de que el número de hablantes de español aumenta cada año no puede pasar _____. (PERCIBIR)

c) El auge de algunas lenguas no tiene por qué traer como consecuencia el _____ de otras. (DÉBIL)

d) A pesar de su contacto con otras lenguas, el español no ha quedado _____, sino que ha aprendido a convivir con ellas. (RINCÓN)

4 ▪ Con la expansión del imperio en el siglo XVI, el español fue _____ terreno en el mundo diplomático.

a) cogiendo   b) tomando

c) aumentando   d) ganando

5 ▪ A partir del siglo XVIII el español fue perdiendo _____ su relevancia internacional.

a) gradualmente

b) progresivamente

c) repentinamente

d) de golpe

6 ▪ _____, no consigo librarme de mi acento.

a) Aunque lo intento

b) Por más que lo intente

c) Por mucho que lo intento

7 ▪ _____ la gente, cualquiera puede aprender a pronunciar cualquier idioma.

a) Por más que dice

b) Por mucho que diga

c) Aunque diga

8 ▪ No puedo decir que hable bien alemán, pero al menos lo _____.

a) domino   b) defiendo

c) chapurreo

9 ▪ En el siglo XVI el latín era una lengua _____.

a) vernácula   b) viva

c) culta

10 ▪ Haz parejas tomando un elemento de cada columna. ¿Qué palabras son más habituales en el español de América?

saco	boleto
zumo	chaqueta
tardar	coger
tomar	demorarse
billete	jugo
papas	pena
vergüenza	patatas

11 ▪ – Me dijo que era de Bolivia.

+ _____ .

a) ¿Que de dónde era?

b) ¿Qué dónde era?

c) ¿Que era de dónde?

12 ▪ No sé qué dices. No me entero

_____ .

a) ni papa   b) de nada

c) ni jota   d) ni palabra

13 ▪ Las diferencias entre el español de América y el de España se dan en _____ .

a) la pronunciación

b) el vocabulario

c) las estructuras gramaticales

d) los tiempos verbales

14 ▪ ¿Cuáles de estos alimentos son tapas?

a) pinchos   b) raciones

c) tostas   d) bocadillos

15 ▪ ¡No se te ocurrirá ir a _____ con los niños!

a) un bar de copas b) un bar

c) una cafetería   d) un chiringuito

16 ▪ En el local había un ruido _____ .

a) abigarrado   b) atronador

c) tumultuoso

17 ▪ Pon estas frases en orden para formar una conversación típica de un bar. Cuando termines, piensa en otras formas de decir lo mismo.

a) ¿Cuánto le debo?

b) Que no, cóbreme a mí.

c) ¿Qué van a tomar?

d) No, pago yo.

e) ¿Nos pone unas cervezas y una de gambas?

18 ▪ Estoy aburrido de _____ .

a) tus quejas

b) escucharte

c) que te quejas todo el rato

19 ▪ Son unos vecinos muy ruidosos. Se pasan la vida _____ .

a) mosqueados

b) sin pegar ojo

c) de jarana

20 ▪ Elige la opción más adecuada en cada caso para un anuncio en el periódico:

a) Se vende adosado chalé / chalé adosado.

b) Excelente estado / Estado excelente.

c) Magníficas vistas / Vistas magníficas.

d) Grandes facilidades / Facilidades grandes.

21 ▪ Completa esta conversación con "que", "qué", "cómo", "si" o "sí".

– He pensado que no voy a ir a la cena de tus padres.

+ ¿Pero _____ no vas a ir, _____ la han organizado para ti?

– ¡ _____ la van a organizar para mí, _____ es el cumpleaños de tu madre!

+ ¿Pero tú estás loco? _____ el cumpleaños de mi madre es en enero.

– ¿Que yo estoy loco? ¡Tú _____ _____ estás loca! ¿Es que no sabes en qué mes estamos?

22 ■ – Oye, muchas gracias por todo, ¿eh?

+ _____.

a) Pues ya ves   b) Así es la vida

c) Para eso estamos   d) ¡Ni pensarlo!

23 ■ – Siento mucho lo que le ha pasado a tu suegro.

+ _____.

a) No faltaría más

b) Te acompaño en el sentimiento

c) Hay que tomar las cosas como vienen

d) ¡Cómo no!

24 ■ Las mujeres a menudo tienen que_____

_____ solas la responsabilidad

de sostener económicamente a la familia.

a) abandonar   b) tomar

c) garantizar   d) afrontar

25 ■ _____, los gobiernos están

empezando a tomar medidas sociales para que

cambie esta situación.

a) Afortunadamente   b) Curiosamente

c) Por desgracia   d) Lamentablemente

26 ■ a) Para cerrar una botella usamos una tapa / un tapón.

b) Para dormir, muchas mujeres usan una camisa / un camisón.

c) Trae la jarra / el jarrón del agua a la mesa, por favor.

27 ■ Mi marido _____. ¿Cuándo

aprenderá a ser más realista?

a) siempre está haciendo castillos en el aire

b) siempre le busca tres pies al gato

c) nunca se apea del burro

d) nunca ve más allá de sus narices

28 ■ Yo _____. Si tengo algo que

decirle a alguien, se lo digo.

a) tengo la sartén por el mango

b) no tengo pelos en la lengua

c) tengo la lengua muy larga

d) hablo por los codos

29 ■ ¿Otra vez te has vuelto a caer?_____

_____ no te he dicho veces

que no te subas a las sillas cuando no alcanzas

a coger algo.

a) Mira que   b) Venga que

c) Anda que

30 ■ _____ ¿Tú estás loco? ¿Cómo

nos vamos a comprar otro coche si éste está

nuevo?

a) ¡Mira!

b) ¡Anda que no!

c) ¡Venga ya!

31 ■ _____, no pienso cambiar de

opinión.

a) Dices lo que dices

b) Digas lo que digas

c) Digas lo que dices

32 ■ _____ te conozco, más te

quiero.

a) Por mucho que

b) Gracias a que

c) A pesar de que

d) Cuanto más

33 ■ A pesar de _____, te quiero.

a) tus desprecios

b) que me desprecias

c) que me desprecies

¿TÚ QUÉ CREES?

Imagina que te toca un millón de euros en la lotería. ¿En cuál de estas tres cosas preferirías invertir más dinero? Pregunta a tu profesor todo lo que no entiendas de los anuncios.

AEME-INMOBILIARIA

Inversionista: En venta, centro comercial de 1.375 m², en primera línea playa de la Garita, en Telde (Gran Canaria), rentabilidad asegurada para sus negocios.

Información: 902 683 183

R.B.E 105.02

Patagon Internet Bank. S.A.

DEPÓSITO SEMANAL

7% TAE*

Patagon
Mucho más que un banco

*Abono de intereses al vencimiento.
Tipo de interés nominal anual 6.77%.
Máximo 25.000 € por depósito y/o
titular mayor de edad.
Sólo para nuevos clientes.

Telf. 902 365 366
www.patagon es

REFUGIADOS

Obligados a dejar sus trabajos, sus casas, sus familias, su país. A diario miles de personas se ven obligadas a dejarlo todo y a huir por miedo a ser perseguidos, e incluso asesinadas por sus ideas políticas, raza, religión o grupo social. Tú puedes hacer algo por ellos. Hazte socio.

Ayudamos a los refugiados.
Ayúdanos tú.

 **UNHCR ACNUR**
La Agencia de la ONU para los Refugiados
comité español

Donativo: Santander Central Hispano 1, c/c 7000-9
902 218 218 - www.eacnur.rog

CON TEXTOS 1

1 ¿Te has suscrito alguna vez a una revista o a otra publicación? ¿Te has inscrito en algún congreso, curso, etc., por correo o por Internet? ¿Te has hecho socio de alguna asociación? ¿Cuáles son las formas de pago que se suelen utilizar en todas estas operaciones?

2 Las personas que quieran asociarse a MSF deben rellenar el siguiente texto. Busca en el documento qué es MSF. ¿Qué tipo de organización crees que es?

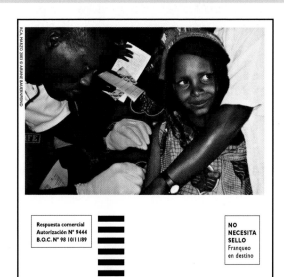

Respuesta comercial
Autorización Nº 9444
B.O.C. Nº 98 10/11/89

NO
NECESITA
SELLO
Franqueo
en destino

MÉDICOS
SIN FRONTERAS

Apartado F.D. Nº 203
08080 Barcelona

Quiero ser socio de MSF colaborando con:

Podrás deducir el 20% de tus aportaciones en la declaración del IRPF. Podrás cancelar este compromiso cuando tú decidas.

○ **10 euros al mes**
  1.663,86 ptas. al mes

○ _____ **euros al mes**
○ _____ euros al año
○ _____ euros al trimestre
  El importe que desees

○ En este momento prefiero
  colaborar con _____
  euros una sola vez
  El importe que desees

Datos personales
Imprescindibles para poder enviarte el recibo correspondiente a tus aportaciones.

NOMBRE _____

APELLIDOS _____

DOMICILIO _____

Nº _____ PISO _____

C.P. _____

POBLACIÓN _____

TELÉFONO _____

NIF _____

PROFESIÓN _____

FECHA NACIMIENTO _____

E-MAIL _____

La información que nos facilitas será recogida en nuestro fichero personalizado y confidencial. Tienes derecho a acceder a ella y rectificarla o cancelarla si lo deseas. Si no quieres recibir información de Médicos Sin Fronteras, sólo tienes que marcar con una X esta casilla:

○

Código: RE039 CF0000

Forma de pago
Si eliges la domiciliación bancaria nos facilitas los trabajos administrativos. Muchas gracias.

○ **Domiciliación bancaria**
  Titular cuenta
  C.C.C. |__|__|__|__|__|__|__|__|__|__|__|__|__|__|__|__|__|__|__|__|
  Lo encontrarás en tu libreta o talonario de cheques del Banco o Caja.

○ **Adjunto un cheque a nombre de Médicos Sin Fronteras**
  No olvides rellenar tus datos personales.

○ **Cargo a mi tarjeta**
  ○ VISA   ○ Otra _____
  Tarjeta nº |__|__|__|__|__|__|__|__|__|__|__| Caducidad |__|__|
  No olvides firmar este cupón.

○ **Transferencia bancaria a**
  Bco. Santander **c.c.c.** 0049/1806/95/2811869099
  "la Caixa" **c.c.c.** 2100/3063/99/2200110010
  BBVA **c.c.c.** 0182/7305/57/0000748701
  Por favor, envíanos el comprobante que te dará el banco.

Firma _____ Fecha _____
del titular de la cuenta, libreta o tarjeta

DOBLAR POR AQUÍ

RELLENA Y RECORTA ESTE CUPÓN, HUMEDECE LA PARTE ENGOMADA, CIÉRRALO Y DEPOSÍTALO EN CUALQUIER BUZÓN DE CORREOS. NO NECESITA SELLO.

3▪ Busca en el documento la siguiente información:

a) Para ser socio, ¿hay que pagar todos los meses o existen otras opciones?

b) ¿La cantidad que se paga es fija o se puede elegir?

c) ¿Para qué hay que dar los datos personales?

d) ¿De cuántas formas diferentes se puede pagar?

e) ¿Cuál es la forma de pago que MSF prefiere?

f) ¿Qué tarjetas de crédito admiten?

4▪ En el formulario aparecen bastantes palabras técnicas relacionadas con los pagos. Busca las palabras que corresponden a estas definiciones:

a) Envío de dinero de una cuenta bancaria propia a una cuenta de otra persona:

b) Autorización del pago de recibos o cobro de ganancias en nuestra cuenta del banco:

c) Conjunto de cheques numerados que forman una especie de pequeño libro:

d) Cantidad de dinero que das a una organización:

e) Pago que debe hacerse con el dinero de una cuenta (por ejemplo, "Quiero pagar el recibo de la luz con _____ a la cuenta n.º..."):

f) Persona cuyo nombre aparece en una cuenta o tarjeta:

g) Papel que te dan en el banco cuando ingresas dinero o cheques, haces una transferencia, etc., para tener la seguridad de que la operación se ha efectuado:

5▪ En el formulario se usan varias siglas. Busca las que corresponden a estos conceptos:

a) Código de cuenta corriente.

b) Código postal.

c) Impuesto sobre la renta de las personas físicas.

d) Número de identificación fiscal.

6▪ Rellena el formulario con tus datos. ¿Hay algo más que no se entienda bien?

7▪ En el documento se dice que el dinero que envíes a MSF hará que pagues menos impuestos. ¿Dónde se dice esto? ¿Por qué crees que es así? ¿Te parece justo?

PALABRA POR PALABRA

1 ▪ Todas estas palabras están relacionadas con operaciones que puedes hacer en un banco. ¿Conoces sus significados?

un cheque

un ingreso   *la nómina*   *una cuenta*

un reintegro   *el saldo*   *los recibos*

un extracto   *un talonario*

un crédito   *una transferencia*

2 ▪ Agrupa cada una de las palabras de arriba con el verbo con el que suelen asociarse para hablar de operaciones bancarias:

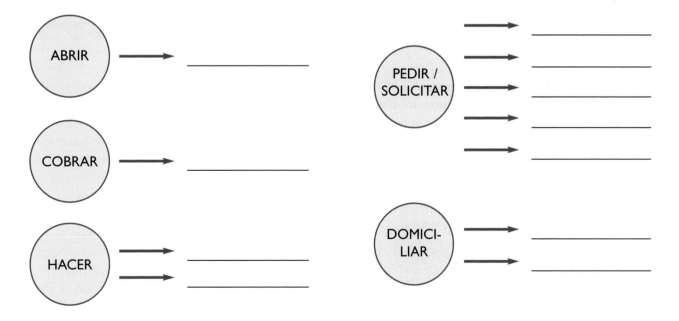

ABRIR ⟶ _____

COBRAR ⟶ _____

HACER ⟶ _____
⟶ _____

PEDIR / SOLICITAR ⟶ _____
⟶ _____
⟶ _____
⟶ _____
⟶ _____

DOMICI-LIAR ⟶ _____
⟶ _____

3 ▪ ¿Cuáles de las anteriores operaciones has hecho alguna vez en español? ¿Cuáles crees que necesitarás hacer en el futuro y para qué?

MATERIA PRIMA 1

1 ▪ En las afirmaciones y documentos que tienes debajo, busca algún dato o hecho que te parezca:

lógico	**vergonzoso**	**injustificable**	**de vergüenza**
comprensible	**inadmisible**	**increíble**	

Explícaselo a tu grupo o a toda la clase.

En los países en desarrollo una de cada cinco personas se acuesta con hambre.

792 MILLONES DE PERSONAS EN 98 PAÍSES EN DESARROLLO NO TIENEN COMIDA SUFICIENTE PARA LLEVAR UNA VIDA NORMAL, SANA Y ACTIVA.

Gracias al desarrollo tecnológico en la agricultura, el mundo podría alimentar actualmente, sin problemas, hasta 12.000 millones de seres humanos. Eso quiere decir que hay alimentos suficientes para alimentar a casi el doble de la población mundial actual.

Aproximadamente 200 millones de niñas y niños menores de cinco años padecen síntomas de malnutrición aguda o crónica.

Los alimentos disponibles por habitante, a nivel mundial, han aumentado alrededor de un 18%.

Además de los casi 800 millones de personas de los países en desarrollo que carecen de suficientes alimentos, otros 34 millones de personas de los países desarrollados o industrializados y de los países de economías en transición padecen también de inseguridad alimentaria crónica.

Intermón Oxfam

Catorce millones de personas mueren al año como consecuencia de enfermedades que tienen tratamiento. Las normas de comercio internacional (redactadas por los países ricos en la Organización Mundial del Comercio) obligan a todos los países a otorgar patentes de al menos 20 años para los nuevos fármacos fabricados por las empresas farmacéuticas transnacionales. Esto impide que los países pobres produzcan sus propios equivalentes más baratos de dichos fármacos y hace que las medicinas estén aún más lejos del alcance de las personas pobres.

Ayuda en Acción
miembro de ActionAid Alliance

Los países ricos presionan a los pobres para que abran sus mercados y luego los invaden con productos subvencionados, sembrando el caos en las industrias locales. Al mismo tiempo, los países ricos protegen ferozmente sus propios mercados de las exportaciones de los países pobres.

2 ■ Imagina que tu grupo está participando en una Conferencia Mundial sobre el Desarrollo Sostenible patrocinada por Naciones Unidas. Vas a desarrollar propuestas de mejora para la solución de estos problemas:

- Las enfermedades en los países pobres

- El libre mercado, las subvenciones y el comercio justo

- El hambre

Intenta llegar a un acuerdo sobre la mejor solución para cada problema. Una persona de cada grupo tomará nota de los acuerdos. Utiliza las formas del cuadro:

Ejemplo:

+ Para solucionar el problema del hambre, lo mejor sería que los países ricos les perdonaran la deuda externa a los países pobres. Bueno, por lo menos yo lo veo así.

FORMAS DE HACER PROPUESTAS	PARA DESTACAR QUE SE TRATA DE NUESTRA OPINIÓN Y QUE PUEDE HABER OTRAS IGUALMENTE VÁLIDAS
· *(Yo creo que) lo ideal sería que...* · *(Yo creo que) lo mejor sería que...* · *Sería conveniente que...* · *Estaría muy bien que...*	· *Bueno, (por lo menos) eso pienso yo* · *Bueno, (por lo menos) yo lo veo así* · *Bueno, (por lo menos) así lo veo yo* · *Bueno, (por lo menos) eso es lo que yo pienso* · *Bueno, (por lo menos) esa es mi opinión*

¡LO QUE HAY QUE OÍR! 1

1 ■ En la grabación vas a oír una entrevista a un orero de Costa Rica. ¿Qué pueden ser los "oreros"? (Piensa en algo muy importante para la economía mundial).

2 ■ Escucha el principio de la grabación. ¿Confirma lo que has pensado? ¿Cómo te imaginas el lugar que describe?

3 ■ Piensa en la imagen que tienes de los que se dedican a este oficio. Toma nota para después comparar con lo que vas a oír:

a) ¿Es gente muy rica?

b) ¿Encuentran oro fácilmente?

c) ¿Tienen fama de algo los que se dedican a esto?

d) ¿Tienen un sueldo fijo?

4 ■ En la grabación vas a oír estas palabras; si no las conoces, búscalas en tu diccionario:

pepita

cooperativa

plata (en América)

5 ■ Escucha la grabación y concéntrate en las preguntas de la actividad 3. ¿Coincide con lo que habías pensado?

6 ■ Escucha de nuevo la grabación y fíjate en estos otros detalles:

a) ¿Cuánto pesaba la mayor pepita que consiguió el entrevistado?

b) ¿Qué puede significar "purrujita"?

c) ¿A qué le llaman los oreros "seguir la ley"?

d) Según Alfredo Vargas, ¿es cierta la fama que tienen muchos oreros?

e) ¿Con quiénes comercia la asociación en la que trabaja el entrevistado?

> *No es importante que aprendas "purrujita" ni "seguir la ley", que son palabras técnicas que usan los oreros. Lo que es importante es que seas capaz de deducir su significado por el contexto.*

CON TEXTOS 2

1 ■ Vas a leer un artículo periodístico que se titula "Negocios de andar por casa". *De andar por casa* es una expresión que significa que algo es informal, provisional, sencillo y cotidiano, o poco elaborado. Aquí tienes algunos ejemplos de uso de esta expresión:

En realidad hago muy poco porque en el marco de los problemas que agobian al mundo soy una insignificancia, pero creo en el ecologismo de andar por casa. La gente que no recicla las botellas lo hace por vagancia y por despreocupación y por no pensar más que en lo que les afecta a ellos, y eso es egoísmo. Yo hago pequeñas cosas como comprar papel reciclado, guardar las pilas usadas en un tarro...

(*Cambio 16*, entrevista a Silvia Marsó)

Ni los empresarios más optimistas podían imaginar que los culebrones sudamericanos iban a disfrutar del éxito que están obteniendo en toda Europa, sí, señor. Lo que nació como una fórmula barata y de andar por casa, se ha convertido en un negocio en sí mismo, que hace las delicias de la señora de Albacete y la ciudadana de Varsovia.

(Joaquín Carbonell, *Apaga... y vámonos. La televisión: Guía de supervivencia*)

M.ª Teresa: Es que... Mañana tengo que entregar un trabajo, y... bueno, esperaba haberlo acabado ayer... pero no me dio tiempo. Y, si me quedo a cenar, pues voy a estar inquieta todo el rato, pensando que... bueno, que esta noche me tendré que acostar a las tantas... Y, la verdad, no me apetece demasiado.

Daniel: No te preocupes... No pasa nada, mujer... Lo comprendo. En realidad, ésta era una cena muy de... bueno, de andar por casa. La próxima vez que quedemos, haremos un extraordinario.

(Rodolf Sirera, *Indian summer*, extracto)

En el artículo, esta expresión hace referencia a negocios que se pueden realizar sin mucha infraestructura y desde casa. ¿Se te ocurren algunos ejemplos?

2 ■ ¿Qué tipo de trabajo crees que podría hacer:

a) una empresa que se llamara "Paseantes caninos"?

b) otra que ofreciera "un esclavo a su servicio"?

c) una compañía que tratara corazones rotos?

3 ■ La información real sobre las preguntas anteriores está en parte en el primer párrafo del texto. Búscala.

NEGOCIOS DE ANDAR POR CASA

Las empresas domésticas relacionadas con la soledad y la salud proliferan en las ciudades

A.CASTILLA / J. MARTÍN

Viajan por usted, pasean el perro, le retiran del tabaco e incluso le ayudan a recuperar al marido. Estas actividades proliferan en las grandes ciudades. Son negocios privados y domésticos relacionados muchas veces con el campo de la soledad y el de la salud. Ideados para sobrevivir o buscarse la vida, ninguno de estos profesionales reconoce perseguir fines lucrativos; sólo buscan, dicen, ayudar a los demás.

---

4 ■ Vuelve a leer la última frase del texto anterior. Si estos profesionales sólo buscan ayudar a los demás, ¿buscan hacerse ricos? ¿Tiene esto relación con lo que dice justamente antes: "ninguno reconoce perseguir fines lucrativos"?

5 ■ Lee el resto del texto y busca la información relacionada con estas preguntas: ¿Cómo ayudan a los demás? ¿Qué efectos positivos tiene su actividad sobre otras personas? Toma nota de ello.

NEGOCIOS DE ANDAR POR CASA (continuación)

Ángel Parras tiene 25 años. Es soltero, vive solo en Barcelona, tiene piso, una perra, *Tana,* y lo que más le gusta en el mundo son los perros. Cogió el paro laboral para montar su empresa
5 *Paseantes caninos*. "Mucha gente no pasea a sus perros porque viven solos en casa y cuando regresan del trabajo están cansados, o porque son personas mayores que ni ellos mismos salen a la calle. Los perros son entonces destrozones y
10 se hacen todo en casa".

Para preparar su empresa trabajó seis meses como repartidor de *pizzas*, "porque necesitaba conocer bien la ciudad". Parras no es un paseante de perros elitistas. "Mi empresa nace para
15 cubrir una necesidad. Hay que trabajar mucho para sacar un sueldo mínimo, porque, además, de momento, no saco a pasear varios perros a la vez; pero es que mi empresa nace para cubrir una necesidad, no para hacerme rico". Parras
20 dibujó la publicidad, se la fotocopió su hermano y luego distribuyó los panfletos por las paradas del metro.

Parras pasea perros callejeros de gente solitaria y perros de lujo de gente más ocupada; pero
25 abunda más el primer caso. "No me he encontrado a nadie que alquile mis servicios para librarse del perro; por lo general es gente con problemas de salud que no puede andar subiendo y bajando escaleras; gente que quiere mucho a su ani-
30 mal, pero que no puede darle lo que necesita y por eso me llaman pidiendo socorro. En algunos casos, los dueños se van de casa y me dejan las llaves para que entre y salga cuando quiera".

A Roberto, un madrileño cuarentón, también le
35 gustan los perros, pero lo suyo es otra cosa. Se define como *un esclavo a su servicio*. Presume de gestionar asuntos con rapidez y de disponer de tiempo libre. En su currículo figuran más de 8.000 horas de vuelo y varios idiomas. Habla
40 inglés y francés y chapurrea algo de alemán. Antes de convertirse en un recadero particular trabajaba en una compañía aérea.

Su nueva profesión tiene relación con los viajes de negocios que no pueden hacer los demás. "Lo

---

45 mismo llevo un barco de Barcelona a Ibiza que transporto una pieza imprescindible para un laboratorio madrileño que fabrican en Londres", dice. Su tarifa siempre es negociable con el cliente.

Roberto también se ofrece como acompañan-
50 te, lo que le ha valido más de un malentendido. El sexo no va incluido en su trabajo. Da prioridad a viajes de tipo humanitario o ecológico porque lo que a él le gustaría es "ayudar a construir un mundo más positivo".

55 La especialidad de Teresa García, de 60 años, no es el sexo, pero sí los corazones rotos. Los principales clientes de esta consejera, a la que algunos llaman cariñosamente bruja, son personas con problemas sentimentales. Para su clienta
60 más fiel, la que la visita cada lunes desde hace tres años, ella se ha convertido en su psicóloga desde que consiguió que su marido, que la había abandonado por su secretaria, volviera a casa. A su casa llega gente pidiendo ayuda para encon-
65 trar trabajo o la recuperación de un hijo *yonqui*. Ella les da sobre todo cariño. Antes de preguntar qué les atormenta, les toma la mano y les mira a los ojos. "Muchos dicen que hablar conmigo es como tomarse una aspirina", asegura Tere. Su
70 cuarto de trabajo, que tiene instalado en su propia casa, situada en el barrio madrileño de San Blas, parece un santuario: san Martín de Porres, santa Teresa, Buda, el padre Damián, rosas del desierto, pirámides y árboles de la salud, entre

75 otros objetos, reposan sobre las estanterías.

Tere asegura que puede predecir una catástrofe y anticipar cómo será el nuevo Gobierno, pero no admite a políticos en su casa. Dos días antes de que se estrellara un avión en la localidad
80 madrileña de Mejorada del Campo llamó al aeropuerto para avisar de lo que iba a ocurrir y la tomaron por loca. No ha vuelto a intentar evitar una catástrofe.

Lo de Carmen Quintana es la acupuntura elec-
85 trónica. Con ella, asegura, consigue curar el tabaquismo, quitar una depresión o aliviar el estrés o la ciática. Antes de decidirse a dejar la oficina donde había trabajado durante 23 años realizó un cursillo sobre la práctica de la acupuntura y
90 leyó algunos libros.

Ahora, cuando un cliente llega a su consulta, lo primero que hace es "chequear su energía", comprobar si tiene exceso o defecto para conseguir el equilibrio. Cuando la acupuntura no basta
95 acompaña la terapia de masajes con flores de bach (extractos de rosa, alhelí, mimosa y orégano). También utiliza minerales con fines terapéuticos, "sobre todo el cuarzo, que es muy bueno para la angustia o la depresión". Descubrió su
100 utilidad un día que se encontraba completamente tirada en su casa: "Tenía una piedra en la mano y la apoyé sobre la garganta hasta que empecé a sentirme bien".

(Extracto)

6 ■ Busca más detalles sobre cada uno de estos empresarios y completa todo lo que puedas del cuadro:

	EDAD	LUGAR DE TRABAJO	HERRAMIENTAS DE TRABAJO	DEDICACIÓN ANTERIOR
Ángel Parras				
Roberto				
Teresa García				
Carmen Quintana				

7 ■ Completa las siguientes palabras del texto teniendo en cuenta la explicación y las letras que ya tienes escritas. Consulta también el primer párrafo del artículo.

a) Aumentan en número ⟶ PR _ L _ F _ _ _ _

b) Ámbito, entorno ⟶ _ _ MP _

c) Pensados ⟶ ID _ _ _ _ _

d) Lo que cobra un profesional por sus servicios ⟶ HON _ _ _ _ _ _ _

e) Hablar un poco un idioma ⟶ _ _ _ P _ RR _ _ _

f) El que hace pequeños servicios que requieren un
desplazamiento ⟶ R _ C _ D _ R _

g) Drogadicto, heroinómano ⟶ Y _ _ _ _ _

8 ■ Trabajando con uno o dos compañeros, intenta llegar a un acuerdo sobre el significado de estas frases del texto. ¿Todo el mundo las ha entendido igual?

a) "Parras no es un paseante de perros elitistas" (l. 13-14).

b) "En su currículo figuran más de 8.000 horas de vuelo y varios idiomas" (l. 38-39).

c) "Roberto también se ofrece como acompañante, lo que le ha valido más de un malentendido" (l. 49-50).

MATERIA PRIMA 2

1 ■ Fíjate en las partes subrayadas de las siguientes frases. ¿Son diferentes formas de decir lo mismo?

– A Roberto también le gustan los perros, pero lo suyo es otra cosa.

– La especialidad de Teresa García no es el sexo, pero sí los corazones rotos.

– Lo de Carmen Quintana es la acupuntura electrónica.

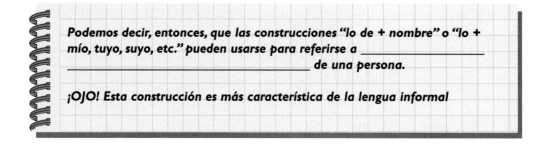

Podemos decir, entonces, que las construcciones "lo de + nombre" o "lo + mío, tuyo, suyo, etc." pueden usarse para referirse a _____
_____ de una persona.

¡OJO! Esta construcción es más característica de la lengua informal

2 ■ Estas construcciones tienen también un sentido más amplio. Lee los siguientes ejemplos; ¿qué significa en ellos "(no) es lo mío"?

> **Te** incluyo un plano en papel cuadriculado y marco con una R. y una L. en rojo los lugares que ocupan esos dos viejos conocidos tuyos dentro de la habitación donde ahora paso la mayor parte de mi vida. Ha quedado algo chapucero, ya sabes que el dibujo no es lo mío, pero, en fin, te puedes hacer una idea.
>
> (Carmen Martín Gaite, Nubosidad variable, extracto)

> **Creo** que debe haber especialización en cada uno. Es evidente que yo no servía mucho para militar ni para político. Todos teníamos la sensación de que la política no era lo mío.
>
> (La Vanguardia)

3 ■ Un grupo de amigas que está en el paro quiere montar una empresa. Lee su conversación y busca expresiones que signifiquen algo similar a:

SER LO (MÍO, TUYO, SUYO...)	NO SER LO (MÍO, TUYO, SUYO...)

Lucía: *Yo tengo una idea genial: ¿Y si montamos una autoescuela? Ese negocio nunca falla, ¿no?*

Carmen: *Pues yo lo siento, pero conducir no es lo mío. Soy un desastre conduciendo, así que, ¿cómo voy a sacarme el carné de profesor de autoescuela?*

Lucía: *Bueno, pero tú, por ejemplo, tienes facilidad para los números, podrías llevar las cuentas; y Juana y yo podríamos dar las clases.*

Juana: *Pero yo las prácticas, ¿eh? A mí se me da fatal soltar rollos teóricos, lo mío es la acción.*

Carmen: *Y además a Lucía se le dan muy bien las clases. ¿Te acuerdas de cuando les dio clases de inglés a tus hijos? ¡Menuda paciencia tenía!*

Lucía: *Pues sí, la verdad es que no se me da mal del todo. En cambio, soy una negada para la burocracia, así que a mí no me encarguéis el tema del papeleo. ¿Quién se va a encargar de eso?*

4 ▪ Vuelve a leer la conversación y contesta estas preguntas:

a) En la expresión "dársele bien/mal algo a alguien", ¿cuál es el sujeto: la persona o la cosa que se hace bien o mal?

b) Completa este cuadro con las construcciones y ejemplos del diálogo:

Ser un desastre	- para + sustantivo: "para los papeles"
	- _____
Ser un/a negado/a	- para + infinitivo: "conducir"
	- _____
Tener facilidad	- para + infinitivo: "para tratar con la gente"
	- _____

5 ▪ Vamos a imaginar que todos los compañeros de clase están sin trabajo y quieren montar una empresa. Busca un compañero con el que trabajar; uno (A) va a seguir las instrucciones de la página 244 y el otro (B) las instrucciones de la página 247. ¡No leas la página de tu compañero!

¡LO QUE HAY QUE OÍR! 2

1 ▪ ¿Con qué tema relacionas todas estas palabras?

fajas o fajitas   **tacos**   **margaritas**   **churros**

2 ▪ En la grabación que vas a escuchar aparecen estos nombres de empresas. ¿Qué tipo de empresas te parece que son?

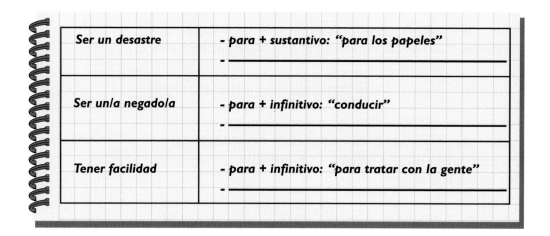

EL FOGONCITO

POLLO CAMPERO

FAJA FRESH

CHURROMANÍA

EL TIZONCITO

GORDITAS DONA TOTA

¿Te has fijado en que estas empresas usan mucho los diminutivos (las terminaciones –ito, –ita) en sus nombres? Eso puede ocurrir en todas las zonas hispanoparlantes, pero ¿de qué zona es más típico: de España o de América?

3 ▪ Comprueba lo que has imaginado con el principio de la grabación.

4 ■ En la presentación de esta parte de un programa de radio, Javier del Pino, periodista corresponsal en Washington, les cuenta a los demás participantes (Gemma Nierga, locutora principal, y Javier Cansado) que en los últimos años muchas empresas latino-americanas están creando cadenas de restaurantes de comida rápida hispana, y están teniendo mucho éxito en los estados de Estados Unidos donde hay muchos emigrantes latinoamericanos.

Imagina que trabajas en la elaboración de una página de Internet que reúne datos sobre empresas latinoamericanas. Ésta es la ficha de información que se ofrece sobre cada empresa en la página:

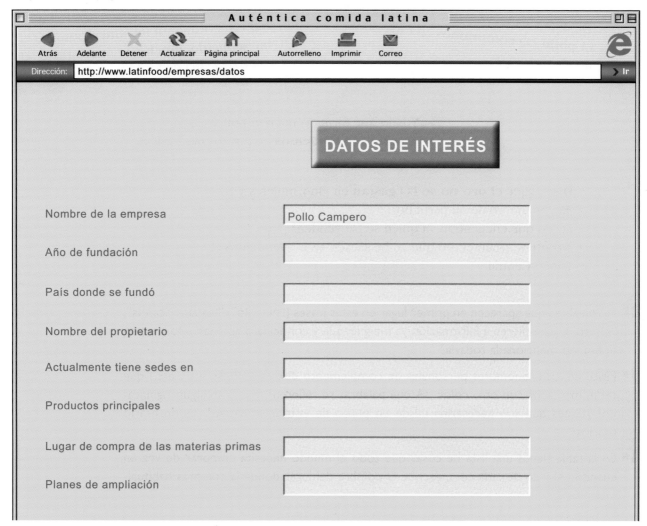

Escucha la grabación y toma nota de la información principal para completar la ficha anterior. Puede que no sea posible completar toda la ficha.

5 ■ Vuelve a escuchar la entrevista y fíjate en estos detalles:

a) ¿Cómo surgió la idea de abrir establecimientos en Estados Unidos?

b) ¿Qué peculiaridad tiene el producto que ofrecen?

c) Según Rodolfo Jiménez, además de sus productos, ¿cuál es el factor de éxito de su empresa?

d) ¿Tiene esta empresa algún tipo de símbolo comercial?

6 ■ ¿Crees que "Pollo Campero" tendría éxito en la ciudad donde vives? ¿Por qué?

MATERIA PRIMA 3

1 ▪ Aquí tienes algunos fragmentos de las entrevistas que has escuchado en las secciones "¡Lo que hay que oír!" de esta unidad. Observa con atención las partes destacadas en negrita; ¿el orden de palabras es "sujeto + verbo + complementos"?:

> – ¿De dónde es la carne que venden, el pollo?
> + **El pollo LO compramos** en cada sitio donde operamos.

> + Estamos entrando en el año 2001 al mercado americano... **a los americanos LOS ha seducido mucho la amabilidad**, el calor, la alegría de los hispanoamericanos.

> – ¿Y bajo qué forma venden el pollo?
> + **El pollo LO vendemos** de dos formas básicas.

> – O sea, ¿que **el oro no se LO gastan** en vino, mujeres y juerga?
> + No, bueno, yo de mi parte no.
> – El oro que encuentran, ¿a quién se LO venden?
> + Nosotros... todo el oro que yo he sacado se LO vendemos al Banco Central.

2 ▪ Las palabras que aparecen en primer lugar en estas frases ("el pollo", "los americanos", "el oro"), ¿se refieren a información ya mencionada y conocida o aportan información nueva, no mencionada todavía?

3 ▪ Fíjate en los pronombres personales de complemento directo ("lo, la, los", etc.) que están marcados con otro color. ¿A qué palabras se refieren? ¿Aportan algún significado? ¿Crees que son necesarios desde un punto de vista informativo? ¿Es necesario usarlos?

4 ▪ En la tabla tienes una lista de cosas que todo el mundo necesita comprar de vez en cuando. Al lado de cada cosa, escribe el nombre del lugar donde la compras habitualmente.

ropa	
zapatos	
jabón	
colonia	
fruta	
bolígrafos	

Habla con tus compañeros. Intenta descubrir si alguien compra las cosas en la misma tienda que tú.

Ejemplo:

– Yo la ropa la compro casi siempre en el centro comercial de... ¿Y tú?
+ Yo en El Corte Inglés. ¿Y los zapatos, dónde los compras?

5 ■ Imagina que, junto con tu compañero, tenías una tienda de regalos. El negocio no fue bien y la tienda ahora está cerrada. Han sobrado estos objetos que no se han podido vender. ¿Qué se puede hacer con ellos: guardarlos, tirarlos, regalárselos a alguien de la clase? Decídelo junto con tu socio.

Ejemplos:

– La flauta, ¿la quieres para ti?
+ No, mejor se la regalamos a _____, que le gusta mucho la música.
– Este cuadro, ¿lo tiramos? Es horrible.
+ ¿Y si se lo regalamos a _____? Dijo que estaba decorando su casa.

> *En todas las preguntas anteriores hablábamos de objetos o personas determinados y conocidos. Cuando hablamos de clases de objetos o personas, no usamos pronombres. Compara estos dos ejemplos:*
>
> *– ¿Quieres el collar para ti?*
> *+ No, <u>collares</u> ya tengo un montón.*
>
> *– ¿Quieres el collar para ti?*
> *– No, <u>ese collar</u> ya se lo he prometido a Ana.*

DIMES Y DIRETES

El ámbito de la economía tiene su propio lenguaje; vamos a fijarnos ahora en algunos verbos que se usan casi siempre con los mismos complementos. Antes de ver qué significan estos verbos en el campo económico, asegúrate de que conoces su significado más común.

congelar   reajustar

regenerar   retraer   atraer

recortar   fusionar   captar

flexibilizar   disparar

enfriar   moderar

combatir   reducir

Completa el siguiente escrito usando todos los verbos anteriores. En algunos huecos puedes usar más de uno, a veces con cambio de significado.

¿QUÉ HACER EN ÉPOCA DE CRISIS?

Cuando los inversores se _____ (1), la economía se _____ (2) y los precios se _____ (3). Hay que _____ (4) la inflación y _____ (5) el déficit _____ (6) recursos.

Para ello, el Gobierno suele aplicar una política de choque: _____ (7) los presupuestos del Estado; _____ (8) el mercado laboral facilitando el despido de trabajadores fijos, de modo que las empresas puedan _____ (9) su plantilla; pide que se _____ (10) las subidas salariales; concede ventajas fiscales a las empresas que se _____ (11), con el fin de _____ (12) el tejido empresarial e industrial.

¿Te parecen estas medidas acertadas para mejorar la economía? ¿Son justas, eficaces, contraproducentes...?

HABLA A TU AIRE

CONSEJO DE ADMINISTRACIÓN

Vas a participar en una reunión del Consejo de Administración de la cadena comercial **Limbo;** esta empresa se dedica a la venta de ropa, y tiene doce establecimientos en diversas ciudades españolas. Es una sociedad anónima en la cual cada empleado tiene un porcentaje de participación en razón de su antigüedad.

El Consejo está constituido por los siguientes miembros:

– Un socio capitalista

– El director general

– El jefe de ventas

– (El contable)

– El jefe de personal

– Uno o dos representantes de los empleados

Elige qué personaje quieres ser dentro de tu grupo. Uno de estos personajes hará también de secretario y tomará nota de las decisiones que se adopten durante la reunión.

A continuación tienes una serie de documentos que te han sido entregados antes de la reunión para que los estudies. Toma notas de tus propias ideas sobre cada tema para discutirlo el próximo día de clase, momento en que se celebrará la reunión.

**CONVOCATORIA DE REUNIÓN
DEL CONSEJO DE ADMINISTRACIÓN DE LIMBO, S. A.**

DÍA Y HORA: Jueves, 10 de julio, a las 10.00 h.
LUGAR: Sala de Juntas

<u>ORDEN DEL DÍA:</u>

    1. Lectura y aprobación, si procede, del acta de la reunión anterior.

    2. Propuesta de ampliación de horarios.

    3. Asunto relativo a la política de precios.

    4. Reclamaciones de los consumidores.

    5. Propuestas sobre servicio de vigilancia.

    6. Ruegos y preguntas.

Fdo. D. Florencio Fernández
Secretario

DOCUMENTO 1

INFORME

A: Miembros del Consejo de Administración.
DE: Jefe del Departamento de Ventas.
Asunto: Ventas en domingo.

Sabiendo que en la próxima reunión del Consejo se discutirá la posibilidad de abrir nuestras tiendas los domingos en horario normal de comercio, he estimado oportuno enviarles con cierta antelación los resultados de la investigación de mercado que hemos realizado al efecto.

Como observarán, nuestros más directos competidores en el sector abren los domingos y, lo que es más importante, los volúmenes de ventas que obtienen este día son notables.

De hecho, podrán comprobar que en cada una de las doce semanas consideradas en el estudio, la facturación del domingo ha sido muy superior a la del lunes y martes siguientes.

A la vista de estos datos, estoy convencido de que apoyarán en el Consejo mi propuesta de abrir nuestras tiendas todos los días de la semana y sé que estarán abiertos a negociar los nuevos acuerdos laborales que resulten de la ampliación de nuestro negocio.

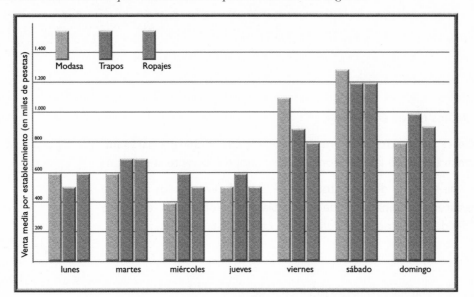

DOCUMENTO 2

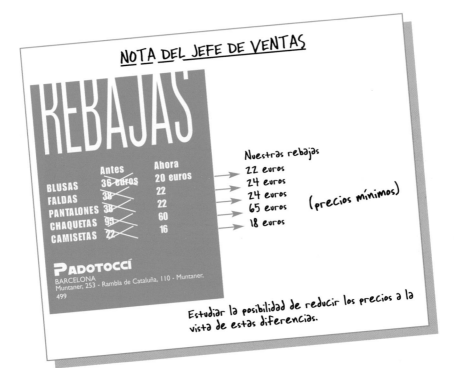

DOCUMENTO 3

ASOCIACIÓN DE CONSUMIDORES ESPAÑOLES

Ignacio Bueno, 32
28070 Madrid

Sr. D. Pedro Montálvez Rojo
Director General de la Cadena Comercial "Limbo"

Muy Sr. mío:

Nos dirigimos a usted para plantearle un problema que ha surgido últimamente en algunos de los establecimientos de la cadena comercial que usted dirige.

Se ha acumulado en nuestras oficinas una serie de quejas de varios clientes que presentan reclamaciones, debidas en todos los casos al mismo hecho: tras haber comprado una prenda en una de sus tiendas, la han hallado defectuosa y, cuando han vuelto al establecimiento para cambiarla, los empleados les han informado de que no había más prendas de características semejantes y se han negado a reintegrarles el importe pagado. Las personas que han presentado reclamación en ACE tienen en su poder tanto las prendas defectuosas como el recibo de compra.

Nuestra asociación se ofrece a mediar entre ustedes y los clientes por el sistema de arbitraje, que, como saben, consiste en nuestra actuación como árbitros en la discusión entre un representante de su firma y el cliente, siempre con el fin de llegar a un acuerdo que satisfaga a ambas partes. Si ustedes desean hacer uso de esta vía, deberán comunicárnoslo en el plazo máximo de un mes. De no recibir respuesta, no nos quedaría más remedio que denunciar los hechos y reclamar por la vía judicial.

Sin más, le saluda atentamente,

Juan Barrientos Gómez
Presidente de ACE

DOCUMENTO 4

SEGURSA

Río Guadalete, 14
28030 MADRID

LIMBO, S. A.
Río Guadiana, 56
28030 MADRID

Estimados Sres.:

Me complace comunicarles que nuestra empresa, SEGURSA, ha ampliado sus actividades de protección y seguridad a las empresas de su zona.

Por ello, nos dirigimos a ustedes para ofrecerles nuestro asesoramiento y servicios en lo que se refiere a temas de seguridad.

Es de todos sabido que cualquier empresa, como la suya, con trato directo con el público, debe tener muy en cuenta la seguridad, tanto de los productos como del cliente.

Para ello, nuestra empresa pone a su disposición nuestro equipo de profesionales y nuestra infraestructura técnica, todo ello con una inversión muy razonable y costes mínimos por su parte.

Esperando una futura fructífera colaboración de nuestras respectivas empresas, se despide atentamente,

Fdo.: Óscar Salvado Pérez
Director Técnico de Seguridad

NOTA INTERNA
DAÑOS POR ROBOS

MES	EUROS
Marzo	12.000
Abril	14.000
Mayo	15.600
Junio	18.350

DOCUMENTO 6

DOCUMENTO 5

ESCRIBE A TU AIRE

1 ■ Imagina que en el Consejo de Administración que se ha celebrado en la sección "Habla a tu aire" se han tomado, entre otras, estas decisiones:

a) Responder negativamente a la oferta de arbitraje de la Asociación de Consumidores Españoles (documento 4), pues existe constancia en la empresa de que las prendas que se reclamaron habían sido deterioradas por los clientes.

b) Pedir presupuesto a la empresa "Segursa" (documento 5) para la vigilancia de los establecimientos en las zonas de entrada, salida y probador, durante el horario comercial.

Eres el/la secretario/a del Director General y debes escribir ambas cartas. A continuación tienes varias formas de saludar, empezar la carta y despedirse, todas ellas usadas frecuentemente en las cartas formales. Elige cuáles serían las más adecuadas para estas dos situaciones (puede haber varias):

PARA SALUDAR

Estimado señor:

Estimada señora:

Estimado/a cliente:

Muy señor mío:

Muy señora mía:

Muy señor nuestro:

Muy señora nuestra:

PARA INTRODUCIR EL MENSAJE

Me dirijo a usted para solicitarle... / comunicarle... / informarle de... / anunciarle...

Lamento comunicarle... / informarle de... / anunciarle...

Me complace comunicarle... / informarle de... / anunciarle...

Me es grato comunicarle... / informarle de... / anunciarle...

En respuesta a su solicitud / escrito / carta de (fecha), le comunico...

En relación con su solicitud / escrito / carta de (fecha), me es grato / me complace anunciarle que...

En relación con su solicitud / escrito / carta de (fecha), lamento comunicarle que...

Me dirijo a usted, en referencia a su anuncio / escrito / solicitud de (fecha), para comunicarle / informarle de...

PARA DESPEDIRSE

Sin más, le saluda atentamente,

Sin otro particular, le saluda atentamente,

Sin más, se despide atentamente,

Sin otro particular, se despide atentamente,

Atentamente,

Agradeciéndole de antemano su atención, le envía un cordial saludo,

En espera de sus noticias, le saluda atentamente,

En espera de sus noticias, reciba un cordial saludo,

En esta situación, conoces el nombre y sexo de la persona a la que te diriges. Cuando no es así, y se escribe a una empresa sin saber quién va a leer la carta, es preferible usar formas plurales ("Estimados señores", "Muy señores nuestros", "Me dirijo a ustedes...", etc.). Igualmente, si quien escribe la carta no quiere hacerlo en su propio nombre sino en el de la empresa, en un tono más impersonal, puede usar el plural ("Nos dirigimos a usted", "Nos es grato comunicarle", etc.).

2 ■ Busca en las tablas anteriores una forma adecuada de empezar y terminar estos tipos de cartas o faxes:

a) Para darte de baja en un servicio (por ejemplo, si no quieres renovar una suscripción de una revista, o quieres cambiar de seguro de vida o de vivienda, o no quieres seguir con una empresa de televisión por cable, telefonía móvil, etc.).

b) Para solicitar una beca, una carta de recomendación, un cambio de horario de tus clases o tus exámenes, etc.

c) Para comunicar a diversas empresas y servicios (por ejemplo, la compañía eléctrica, la compañía aseguradora, etc.) tu nuevo número de cuenta bancaria, o algún otro cambio en tus datos personales.

d) Para presentar una reclamación a una empresa (por ejemplo, por una factura telefónica incorrecta, por un mal servicio de una agencia de viajes o por una reparación defectuosa de algún electrodoméstico).

e) Para dar a conocer un servicio o una oferta de la empresa en la que trabajas (por ejemplo, si escribes a tus clientes habituales para informarles de una oferta pensada en exclusiva para ellos).

3 ■ ¿Cuál de las cartas anteriores es más probable que tengas que escribir en español en el futuro? Selecciona una, la que te parezca más útil para ti, y redáctala completa, para enviarla por correo o por fax.

Unidad 5
Con pan y vino...

¿TÚ QUÉ CREES?

1 ■ ¿Qué eres tú cuando viajas?

¿VIAJERO? ¿TURISTA? ¿AVENTURERO?

2 ■ Éstas son algunas actividades para el verano que propone la revista *Viajar*. ¿Cuáles elegiría un turista, cuáles un viajero y cuáles un aventurero? Para decidirlo, quizá debas situar antes cada lugar que se nombra en el mapa.

A) Conocer el Egipto faraónico navegando por el Nilo.

B) Atravesar los Alpes en el ferrocarril Glaciar Express.

C) Atreverse con las carnes de cocodrilo y avestruz en Kenia.

D) Fotografiar ballenas en las costas de Terranova.

E) Observar a los chimpancés salvajes en el lago Tanganika.

F) Caminar por los bosques y los palacios vieneses.

G) Pasear por la Ibiza rural de día y bailar hasta que amanezca.

H) Conocer a los cortadores de cabezas malayos.

I) Jugar en los mejores campos de golf británicos.

J) Aprovechar el clima tropical de Isla Margarita.

PALABRA POR PALABRA 1

1 ■ ¿De dónde crees que viene la palabra "mochilero"? ¿Qué puede ser un mochilero?

a) Una persona que vende mochilas.
b) Alguien que viaja con una mochila como equipaje.
c) Una persona a la que le gusta ir al campo.

A ver si coincide lo que has imaginado con esta definición:

Les gusta estar fuera del rebaño. En sus viajes buscan la sorpresa, aunque haya que renunciar a la comodidad. Prefieren el albergue al hotel de lujo y los destinos más vírgenes a los de moda. Son los mochileros: llámales turistas y verás con qué cara te miran. (Mundo macuto, Pablo Guimón)

2 ■ En el mismo reportaje, nos dice P. Guimón:

Hacer el equipaje: un momento crucial para cualquier mochilero. Todo lo que lleves tendrás que soportarlo sobre tu espalda durante lo que dure el viaje. La ecuación está clara: máxima utilidad, mínimo peso y volumen.

Según el reportaje, hay 20 objetos que debemos llevar en la mochila; todo lo demás sobraría. ¿Cuáles son los dos objetos que sobran en esta lista?

1. Cubremochilas
2. Bolsas de plástico herméticas
3. Riñonera para llevar pegada a la piel

4. Candado para la mochila
5. Toalla
6. Saco de dormir
7. Mosquitera
8. Juego de cubiertos
9. Pastillas para potabilizar el agua

10. Cantimplora
11. Cepillo de dientes plegable
12. Parches antimosquitos
13. Botiquín
14. Pasta de dientes
15. Linterna
16. Forro polar
17. Camiseta

18. Pantalón largo con una cremallera que permite convertirlo en bermudas
19. Botas
20. Sandalias
21. Calcetines
22. Peine

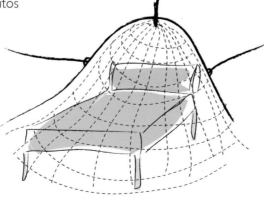

3 ■ Organízate en un grupo con dos o tres compañeros. Cada grupo de la clase va a hacer una lista de los 20 objetos imprescindibles para un tipo de viaje. El profesor dirá a cada grupo el tipo de viaje sobre el que trabajará. Al final, los compañeros de los demás grupos deberán descubrir para qué viaje es el equipaje de cada grupo.

¡LO QUE HAY QUE OÍR! 1

1 ■ Si te gusta ir a la playa, estarás familiarizado con los "chulos de playa", de los que vas a oír hablar en la grabación. ¿Sabes qué significa esa expresión, "chulos de playa"? ¿Qué te sugiere? ¿Qué te imaginas?

2 ■ En la grabación vas a escuchar las palabras "chulo" y "macarra", que tienen varios significados. Escucha la grabación una vez y piensa cuál de los significados tienen estas palabras en el texto.

CHULO: 1) Atrevido, prepotente.
2) Hombre que trafica con prostitutas.
3) Presumido.
4) Elegante.
5) Bonito, gracioso.

MACARRA: 1) Hombre que trafica con prostitutas.
2) De mal gusto, de baja clase.
3) Agresivo, que busca pelea.

3 ■ En el reportaje aparecen muchos sustantivos y adjetivos aplicados a los "chulos de playa". Siguiendo las pistas que te damos, ¿podrías completar estas listas?

SUSTANTIVOS	ADJETIVOS
P _ _ _ _ _ _ *	A _ _ _ _ _ _ _ S
F _ _ _ _ _	A _ _ _ _ _ _ _ _ S
B _ _ _ _ _ _ _ _ **	M _ _ _ _ _ _ _ _ S
E _ _ _ _ ***	A _ _ _ _ _ _ _ _ S
M _ _ _ _ _ _ S ****	G _ _ _ _ S

4 ▪ Une cada verbo con el sustantivo que lo acompañe en la grabación que has oído (si es necesario, escúchala otra vez). Algunos de los sustantivos aparecen en el ejercicio anterior (te lo indicamos con asteriscos).

a) despertar	1) *
b) desarrollar	2) **
c) lucir	3) ***
d) marcar	4) ****
e) pasear	5) culto
f) levantar	6) envidia
g) profesar	7) pasiones

5 ▪ Algunos de los verbos de la primera columna podrían combinarse con otros sustantivos de la segunda. ¿Sabes cuáles?

6 ▪ ¿Cuál de estos hombres representa mejor el prototipo del chulo de playa?

7 ▪ ¿Qué opinas de los chulos de playa? ¿Conoces a alguien que sea así? ¿Coincide tu opinión con las que se dan en la grabación?

CON TEXTOS 1

1 ¿Tienes o has tenido alguna vez miedo a montar en un avión? ¿Conoces a alguien que lo tenga? ¿Qué sueles hacer o qué suele hacer la gente para superar ese miedo? Con tus compañeros, haz una lista de todos los remedios posibles.

2 Haz una lectura rápida del texto periodístico que sigue. ¿Qué remedios de tu lista se mencionan? ¿Hay alguno nuevo que nadie de la clase ha dicho?

Remedios para volar

GABRIEL GARCÍA MÁRQUEZ

Una vez más he hecho el disparate que me había propuesto no repetir jamás, que es el de dar el salto del Atlántico de noche y sin escalas. Son doce horas entre paréntesis dentro de las 5 cuales se pierde no sólo la identidad, sino también el destino. Esta vez además fue un vuelo tan perfecto que por un instante tuve la certidumbre de que el avión se había quedado inmóvil en la mitad del océano e iban a tener que lle- 10 var otro para transbordarnos. Es decir, siempre me había atormentado el temor de que el avión se cayera, pero esta vez concebí un miedo nuevo. El miedo espantoso de que el avión se quedara en el aire para siempre.

15 En esas condiciones indeseables comprendí por qué la comida que sirven en pleno vuelo es de una naturaleza diferente de la que se come en tierra firme. Es que también el pollo –muerto y asado– va volando con miedo, y las burbujas 20 de la champaña se mueren antes de tiempo, y la ensalada se marchita de una tristeza distinta. Algo semejante ocurre con las películas. He visto algunas que cambian de sentido cuando se vuelven a ver en el aire, porque el alma de los acto- 25 res se resiste a ser la misma y la vida termina por no creer en su propia lógica. Por eso no hay ninguna posibilidad de que sea buena ninguna película de avión. Más aún: cuanto más largas sean y más aburridas, más se agradece que lo 30 sean, porque uno se ve forzado a imaginarse más de lo que ve y aun a inventar mucho más de lo que se alcanza a ver, y todo eso ayuda a sobrellevar el miedo.

Semejantes remedios son incontables. Tengo 35 una amiga que no logra dormir desde varios días antes de embarcarse, pero su miedo desaparece por completo cuando logra encerrarse en el excusado del avión. Permanece allí tantas horas como le sean posibles, leyendo en un sosiego 40 sólo comparable al del ojo del huracán, hasta que las autoridades de a bordo la obligan a volver al horror del asiento. Es raro, porque siempre he creído que la mitad del miedo al avión se debe a la opresión del encierro, y en ninguna 45 parte se siente tanto como en los servicios sanitarios. En los excusados de los trenes, en cambio, hay una sensación de libertad irrepetible. Cuando era niño, lo que más me gustaba de los viajes en los ferrocarriles "bananeros" era mirar 50 el mundo a través del hueco del inodoro de los vagones, contar los durmientes entre dos pueblos, sorprender los lagartos asustados entre la hierba, las muchachas instantáneas que se bañaban desnudas debajo de los puentes. La primera 55 vez que subí a un avión –un bimotor primitivo de aquellos que hacían mil kilómetros en tres horas y media– pensé, con muy buen sentido, que por el hueco de la cisterna iba a ver una vida más rica que la de los trenes, que iba a ver 60 lo que ocurría en los patios de las casas, las vacas caminando entre las amapolas, el leopardo de Hemingway petrificado entre las nieves

del Kilimanjaro. Pero lo que encontré fue la triste comprobación de que aquel mirador de la vida había sido cegado y que un acto tan simple como soltar el agua implicaba un riesgo de muerte.

Hace muchos años superé la ilusión generalizada de que el alcohol es un buen remedio para el miedo al avión. Siguiendo una fórmula de Luis Buñuel, me tomaba un martillazo de Martini seco antes de salir de la casa, otro en el aeropuerto y un tercero en el instante de decolar. Los primeros minutos del vuelo, por supuesto, transcurrían en un estado de gracia cuyo efecto era contrario al que se buscaba. En realidad, el sosiego era tan real e intenso que uno deseaba que el avión se cayera de una vez para no volver a pensar en el miedo. La experiencia termina por enseñar que el alcohol, más que un remedio, es un cómplice del terror. No hay nada peor para los viajes largos: uno se calma con los dos primeros tragos, se emborracha con los otros dos, se duerme con los dos siguientes, engañado con la ilusión de que en realidad está durmiendo, y tres horas después se despierta con la conciencia cierta de que no ha dormido más de tres minutos y que no hay nada más en el futuro que un dolor de cabeza de diez horas.

La lectura –remedio de tantos males en la tierra– no lo es de ninguno en el aire. Se puede iniciar la novela policiaca mejor tramada, y uno termina por no saber quién mató a quién ni por qué. Siempre he creído que no hay nadie más aterrorizado en los aviones que esos caballeros impasibles que leen sin parpadear, sin respirar siquiera, mientras la nave naufraga en las turbulencias. Conocí uno que fue mi vecino de asiento en la larga noche de Nueva York a Roma, a través de los aires pedregosos del Ártico, y no interrumpió la lectura de *Crimen y castigo* ni siquiera para cenar, línea por línea, página por página; pero a la hora del desayuno me dijo con un suspiro: "Parece un libro interesante". Sin embargo, el escritor uruguayo Carlos Martínez Moreno puede dar fe de que no hay nada mejor que un libro para volar. Desde hace veinte años vuela siempre con el mismo ejemplar casi desbaratado de *Madame Bovary*, fingiendo leerlo a pesar de que ya lo conoce casi de memoria, porque está convencido de que es un método infalible contra la muerte.

Siempre pensé que no hay un recurso más eficaz que la música, pero no la que se oye por el sistema de sonido del avión, sino la que llevo en un magnetofón con auriculares. En realidad, la del avión produce un efecto contrario. Siempre me he preguntado con asombro quiénes hacen los programas musicales del vuelo, pues no puedo imaginarme a nadie que conozca menos las propiedades medicinales de la música. Con un criterio bastante simplista, prefieren siempre las grandes piezas orquestales relacionadas con el cielo, con los espacios infinitos, con los fenómenos telúricos. "Sinfonías paquidérmicas", como llamaba Brahms a las de Bruckner. Yo tengo mi música personal para volar, y su enumeración sería interminable. Tengo mis programas propios, según las rutas y su duración, según sea de día o de noche, y aun según la clase de avión en que se vuele. De Madrid a Puerto Rico, que es un vuelo familiar a los latinoamericanos, el programa es exacto y certero: las nueve sinfonías de Beethoven. Siempre pensé –como he dicho antes– que no había un método más eficaz para volar hasta esta semana de mi infortunio, en que un lector de Alicante me ha escrito para decirme que ha descubierto otro mejor: hacer el amor tantas veces como sea posible en pleno vuelo. De esto –como en las telenovelas– vamos a hablar la semana entrante.

3■ Vuelve a leer el texto más despacio y completa este cuadro con la información y opiniones que se dan en él. Quizá debas dejar algún cuadro en blanco, o quizá la respuesta de la última columna no sea "sí" o "no", sino "depende".

REMEDIOS	VENTAJAS	INCONVENIENTES	¿AYUDA A SUPERAR EL MIEDO?
Ver películas			

4■ Las siguientes palabras aparecen en el texto con un sentido que no es el literal. ¿Puedes explicar qué significan aquí? No es necesario que uses el diccionario, el contexto te ayudará.

el excusado (l. 38)

los durmientes (l. 51)

un martillazo (l. 71)

5■ Busca cómo se han expresado las siguientes ideas en el texto:

a) Las personalidades de los actores de las películas que se proyectan en los aviones parecen distintas.

b) Es bueno que las películas sean malas, porque estimulan la imaginación del viajero y así le ayudan a superar el miedo.

c) Fue una desilusión comprobar que el hueco del inodoro del avión estaba tapado.

d) Me di cuenta de que no era verdad lo que opina mucha gente de que...

e) Los que más miedo tienen son los que leen sin demostrar sus emociones, sin cerrar los ojos, mientras el avión se hunde entre corrientes de aire.

6■ ¿Cuál crees tú que es el remedio que ayuda más?

MATERIA PRIMA 1

1 ▪ Muchas personas sienten las mismas sensaciones que Gabriel García Márquez cuando viajan en avión; por eso, en el texto anterior, aunque nos habla de sus sensaciones o reacciones, a veces las presenta no en primera persona –yo–, sino como algo generalizado, como algo que casi todo el mundo en su situación sentiría, haría, etc. ¿En qué partes de estos fragmentos pasa eso? ¿Con qué palabras se marca ese sentido generalizador?

> La lectura –remedio de tantos males en la tierra– no lo es de ninguno en el aire. Se puede iniciar la novela policiaca mejor tramada, y uno termina por no saber quién mató a quién ni por qué.

> Por eso no hay ninguna posibilidad de que sea buena ninguna película de avión. Más aún: cuanto más largas sean y más aburridas, más se agradece que lo sean, porque uno se ve forzado a imaginarse más de lo que ve y aun a inventar mucho más de lo que se alcanza a ver, y todo eso ayuda a sobrellevar el miedo.

> Siguiendo una fórmula de Luis Buñuel, me tomaba un martillazo de Martini seco antes de salir de la casa, otro en el aeropuerto y un tercero en el instante de decolar. Los primeros minutos del vuelo, por supuesto, transcurrían en un estado de gracia cuyo efecto era contrario al que se buscaba. En realidad, el sosiego era tan real e intenso que uno deseaba que el avión se cayera de una vez para no volver a pensar en el miedo. No hay nada peor para los viajes largos: uno se calma con los dos primeros tragos, se emborracha con los otros dos, se duerme con los dos siguientes, engañado con la ilusión de que en realidad está durmiendo, y tres horas después se despierta con la conciencia cierta de que no ha dormido más de tres minutos.

2 ■ Vamos a leer unas declaraciones de cinco personas que nos hablan de sus viajes de trabajo o de placer. Escribe el nombre de la persona que crees que habla al lado de cada bocadillo:

a) Manuel Soto. Trabaja en la marina.

b) Jaime Loring. Es un alto ejecutivo de una empresa multinacional.

c) Carlos Cortijo. Pasa sus vacaciones en lugares vírgenes.

d) Rosario Arsuaga. En sus vacaciones se retira a un monasterio.

e) Jesús de la Herrán. Es tripulante de cabina de pasajeros en vuelos intercontinentales.

> **Puedes hacer tu vida sin que nadie se meta contigo**

> **Cuando se es joven este oficio está bien, pero con el tiempo la casa tira mucho. Te pierdes los primeros pasos, las primeras palabras de tus hijos, muchas cosas. Al principio no piensas en el futuro y luego ya es tarde. Si decides cambiar de profesión tienes que lanzarte rápido. La vida a bordo es difícil, la convivencia no siempre es buena. Estás 24 horas al día con la misma gente.**

> **El problema es que a veces el riesgo viene a ti, sin que tú lo busques**

_____

_____

_____

> **A uno le parece maravilloso irse al Caribe, pero cuando lo has visto ya 15 veces, el Caribe es la habitación de un hotel que no te da el calor que has dejado en casa**

> **La experiencia merece la pena, aunque no seas creyente**

> **Tiene muchísimas incomodidades: trabajas más, duermes menos, no estás en tu ambiente normal y cuando vuelves te encuentras con todo el trabajo acumulado.**

_____

_____

_____

> **Muchas veces comes cosas asquerosas, duermes en sitios incómodos, no te duchas en 15 días**

(*Viajeros profesionales*, por María Laleva, y

Otras vacaciones, por Javier Morales)

_____

3 ■ También las cinco personas anteriores, igual que García Márquez, presentan a veces sus reacciones, sentimientos, etc., como algo muy generalizado para todo el mundo en esa situación. Marca con qué palabras lo hacen.

4■ Elige la opción correcta cuando hay un paréntesis y completa con ejemplos. Para hacerlo, analiza y usa como ejemplos las frases que has marcado en los ejercicios 1 y 2.

> *Cuando usamos la palabra "uno" como sujeto generalizador, el verbo, los pronombres personales y los posesivos que se refieren a él se usan en la (primera / segunda / tercera) persona del singular. Ejemplo: _____*
>
> *Cuando usamos la persona "tú" como sujeto generalizador, el verbo, los pronombres personales y los posesivos que se refieren a él se usan en la (primera / segunda / tercera) persona del singular. Ejemplo: _____*
>
> *La palabra "uno" y la segunda persona del singular se pueden usar para hacer una generalización (sólo si la persona que habla es el sujeto de la oración / en cualquier función: sujeto y complementos). Ejemplo: _____*

> *Ambas formas son de uso informal (a diferencia del "se" generalizador, que es neutro, ni formal ni informal).*

5■ Para dominar un poco más las formas, haz la siguiente práctica: vuelve a las frases de los ejercicios 1 y 2; lo que está expresado con "uno", exprésalo con "tú", y al revés. No es necesario que lo hagas con todas las frases, sólo hasta que notes que controlas las formas.

Ejemplo:

– *Uno se ve forzado a imaginarse más de lo que ve.*
– *Te ves forzado a imaginarte más de lo que ves.*

– *A veces el riesgo viene a ti, sin que tú lo busques.*
– *A veces el riesgo viene a uno, sin que (uno) lo busque.*

6■ Piensa en tus experiencias u opiniones sobre los diferentes medios de transporte y, junto con un compañero, expresa tu punto de vista como en el ejemplo:

Ejemplo:

Donde más (SENTIR) el calor humano es en _____.
Donde más se siente el calor humano es en el metro.
Donde más siente uno el calor humano es en el metro.
Donde más sientes el calor humano es en el metro

– Donde más (MAREARSE) es en _____.

– Donde más deprisa (IR) es en _____.

– Donde más peligro (CORRER) es en _____.

– Donde más tranquilamente (IR) es en _____.

– Donde (VIAJAR) más barato es en _____.

> *¡OJO!: La palabra "uno" se usa con mucha frecuencia después del verbo:*
> – *Cuanto más piensa uno que está en un avión, peor.*
> – *Nunca piensa uno que va a haber un accidente.*
> – *En ninguna parte siente uno más la soledad que en un avión.*

7 ▪ ¿Cómo crees que se viaja en estos otros medios de transporte, menos convencionales? Intenta usar las formas que has trabajado en este apartado.

¡LO QUE HAY QUE OÍR! 2

1 ▪ ¿Conoces estas palabras? ¿Tienen algo que ver con la fotografía?

aerostación   aerostato   aerostático

2 ▪ Acabas de comprar el periódico y has encontrado una entrevista relacionada con el tema de este apartado, la aerostación. Léela con atención; te será más fácil entender el texto oral que escucharás más tarde si sabes algo sobre el tema.

En lugar de responder a preguntas de comprensión, hoy vas a prepararlas tú. Escribe dos preguntas que les harías a tus compañeros para ver si han entendido el texto y dáselas a tu profesor en dos papeles distintos. Intenta que no sean preguntas demasiado fáciles.

JAUME LLANSANA:
"LA AVENTURA EN GLOBO ES LA CONQUISTA DE LO INÚTIL"

Jaume Llansana es ingeniero de sistemas informáticos pero deja el ordenador y se sube al globo. En ese frágil vehículo y con dos compañeros acometió y superó, en 1979, la bellísima peripecia de hacer realidad la aventura imaginada por Julio Verne en su novela *Cinco semanas en globo*, sobrevolando África durante 11 meses.

Pregunta. Desde el primer ascenso humano en globo, en 1783, a cargo del arrojado François Pilarte de Dossier, en un aerostato de Montgolfier, la aventura romántica de conquistar el aire con aire no ha cesado. En la línea que va del pionero francés al norteamericano Steve Fossett, primero en dar la vuelta al mundo en solitario, ¿dónde se sitúa usted?

Respuesta. Me tienen que explicar qué es eso del romanticismo, porque no lo he sabido nunca. Y déjeme que le discuta lo de Fossett, que, sin quitarle los méritos, me parece un logro tecnológico más que otra cosa. Yo llegué al globo porque me permitía atravesar los paisajes en línea recta, salirse de los caminos. Una expresión de mi anhelo, mi placer de correr por las praderas alpinas. ¿No tenemos todos ganas de salirnos de lo trazado? En el globo no hay rutas.

P. ¿Qué definición daría de aventura?

R. La conquista de lo inútil. Por eso me gusta tanto el globo. ¿Sabe cuál es el primer objetivo del globo? No ir a ningún sitio, porque no lo puedes dirigir. Es el paradigma de la aventura, la aventura perfecta. Déjeme matizar que la aventura como la entende-

mos es un concepto del primer mundo; la aventura no es posible con el estómago vacío.

P. ¿Es miedoso? No, ¿verdad? Y no debe tener vértigo, claro.

R. No tengo miedo al riesgo físico, aunque nunca, nunca, corro riesgos inútiles. No me siento Supermán. En cuanto al vértigo, gente que lo sufre me ha dicho que en el globo no lo tienen.

P. ¿Podemos nosotros realmente, simples mortales, olvidar el peso?

R. Volando de Zanzíbar hacia la costa africana escuché un sonido muy especial. Era el rumor del mar. Desde el aire sólo es posible oírlo en globo. No he sentido nunca algo tan maravilloso. Era como ser un ave marina. Si eso no es olvidar el peso...

(Jacinto Antón, extracto)

3■ Tu profesor te va a dar dos preguntas de otro compañero. Contéstalas por escrito en un minuto.

4■ Un rato después de leer la entrevista, has puesto la radio. Escúchala. Algunas cosas que vas a oír ya se habían dicho o nombrado en la entrevista. ¿Cuáles son? Puedes marcarlas en el texto.

5■ Vuelve a escuchar y toma notas para completar el cuadro:

	JAUME LLANSANA	JESÚS GONZÁLEZ GREEN
¿QUÉ TIENEN EN COMÚN?		

6■ ¿Te apetecería hacer un viaje o una excursión en globo? ¿Crees que tendrías vértigo? ¿Qué lugar te gustaría más ver desde el globo?

CON TEXTOS 2

1 ■ El artículo de revista con el que vamos a trabajar se titula "El turista camuflado". ¿Qué significa para ti este título? ¿Crees que los turistas deben "camuflarse"? ¿Cómo pueden hacerlo?

2 ■ El texto está dividido en varios apartados con una palabra como título. A continuación tienes los títulos; ponlos en su espacio correspondiente. Estas palabras también aparecen dentro del texto.

PROPINA	ASEOS	IDIOMA	BESOS
ENCHUFES	DISTANCIAS	VIAJE	

Vacaciones

El turista camuflado

* _____. Aunque se encuentre en una aldea remota no crea que todo el monte es orégano a la hora de hacer sus necesidades. En muchos lugares, incluida la jungla, los poblados delimitan las zonas específicas para ello, con un sector de hombres y otro de mujeres. Infórmese antes de a dónde tiene que dirigirse, aunque corre el riesgo de que le acompañen para que no se confunda de sitio.

* _____. Si desea sellar el comienzo de una buena amistad con un tradicional par de _____, corre el riesgo de dejar alguna mejilla desatendida. En algunos lugares se acostumbra a dar tres o cuatro _____. Por el contrario, en gran parte del mundo es muy conveniente abstenerse, ya que se desconoce completamente el _____ como forma de saludo.

* _____. Los mediterráneos presumimos de ser gente muy cariñosa, y para algunos pueblos hay cariños que matan. Cuando hablamos con la gente, nos van las _____ cortas, algo muy molesto para los anglosajones y asiáticos, muy recelosos de la proximidad física.

* _____. Incluso si su destino es Suramérica, no debe relajarse. Si se dirige a Argentina, borre de su vocabulario todos los usos del verbo *coger*, utilizado allí para hacer alusión a la realización del acto sexual. Y no se enfade si se viste de gala para una cena y le dicen que va hecho un churro, significa que va muy elegante.

* _____. Este asunto proporciona los mayores quebraderos de cabeza. En Japón, dar una _____ es inaceptable e incluso ofensivo, pues parten de la teoría de que el servicio por el que uno paga ha de ser bueno siempre. En otros países, como Estados Unidos, los camareros viven sólo de ella, y está institucionalizado el dejar un mínimo de un 15 %.

* _____. Todos los aparatos eléctricos que no van a pilas quedarán inutilizados al comprobar con horror que los _____ no tienen dos agujeros redondos, sino dos rendijas. Esto es muy corriente en el continente americano y, muchas veces, encontrar un simple adaptador puede constituir toda una odisea.

* _____. Para que suponga una vivencia enriquecedora con la cultura escogida, evite juzgar con sus propios baremos y desde una perspectiva de superioridad. Recuerde que es usted, y no ellos, el extraño. Sólo así podrá encontrar en su _____ algo más que una mera colección de fotos para enseñar a la hora del café.

(José Bendahan, extracto)

3 ■ Este texto está dirigido a los lectores de un país determinado. ¿Qué país? ¿Qué parte o partes del texto nos lo indican?

4 ■ Vamos a intentar deducir por el contexto el significado de algunas palabras o expresiones:

A. **Párrafo 1:** Cuando se habla de "hacer (mis/tus/sus...) necesidades", después habla de zonas específicas para hacerlas, con frecuencia una para hombres y otra para mujeres. ¿A qué clase de necesidades físicas puede referirse: comer, "ir al servicio", dormir...?

B. **Párrafo 1:** El texto nos dice que, cuando queramos hacer nuestras necesidades, no creamos que todo el monte es orégano; "no todo el monte es orégano" es una expresión completa que no puede entenderse palabra por palabra. Por lo que después nos dice el texto, ¿debemos entender que podemos ir a cualquier sitio o no? Teniendo esto en cuenta, elige cuál de los siguientes significados puede ser el de esta expresión:

1. No todo es fácil, como pueden pensar algunos.
2. Se puede hacer cualquier cosa en cualquier sitio.
3. Algunos piensan que se puede hacer lo que se quiera.

C. **Párrafo 2:** Si, como es habitual en España, damos dos besos a una persona de otra zona del mundo, corremos "el riesgo de dejar alguna mejilla desatendida". Si "desatender" es lo contrario de "atender", y ya conoces el significado de "atender a alguien o a algo", ¿con qué otras palabras podemos expresar lo mismo que la frase del texto? ¿Tiene esta frase alguna relación con la que viene justamente detrás?

D. **Párrafo 3:** Los españoles ¿nos acercamos mucho a la gente o poco, según el texto? Esto, en nuestra cultura, es signo de cariño, pero en el texto se usa la expresión "hay cariños que matan". ¿Hay algunos pueblos a los que este acercamiento les resulte muy molesto? Por lo tanto, ¿de cuál de las siguientes maneras se puede entender esta expresión?:

1. A veces cosas que se hacen con una intención cariñosa resultan muy molestas o perjudiciales.
2. Lo que aparentemente es cariño en muchas ocasiones es con mala intención.
3. El exceso de cariño puede ser malo para la salud.

E. **Párrafo 4:** Les recomiendan a los españoles que van a Argentina que no se enfaden cuando van vestidos muy elegantes y los argentinos les dicen que van hechos un churro, porque eso significa que van muy elegantes. La expresión "ir / estar hecho un churro", ¿qué significa entonces en España: lo mismo que en Argentina o lo contrario?

churros

F. **Párrafo 6:** Encontrar un adaptador para usar nuestros aparatos eléctricos, cuando el tipo de enchufe es diferente, "puede constituir toda una odisea". ¿Qué crees que significa: que seguramente será muy fácil o que puede ser muy difícil encontrarlo? Una "odisea" es un tipo de viaje o de experiencia vital en la que abundan los momentos... ¿fáciles o difíciles?

5 ■ Teniendo en cuenta el vocabulario elegido por el autor y los detalles que elige, ¿cuál dirías que es el tono general del texto: didáctico, irónico, objetivo, informativo con un toque de humor, humorístico, serio...?

6 ■ En el texto original aparecían otros consejos sobre otros temas, con los siguientes títulos: **cambio, enfermedades, hotel, fumar, fotos, modales, taxi.** Trabaja con uno o dos compañeros; cada pareja o grupo va a redactar uno de los párrafos. No olvides que los consejos están dirigidos a turistas españoles. Intenta también mantener el tono general del texto.

MATERIA PRIMA 2

1 ▪ Vamos a trabajar con algunos ejemplos de los textos de "Con textos 1" y "Con textos 2". Fíjate en las palabras que están marcadas en las frases de abajo y sustitúyelas por un verbo o expresión del recuadro. Algunos los necesitarás dos veces, y en algunos casos tendrás que transformar un poco la forma de la frase.

dejar de creer	**saber**	**temer**
arriesgarse a	**creer/pensar**	**ser posible**
estar seguro/a/os/as de	**comprobar**	

a) (Si pregunta dónde está el servicio) **corre el riesgo de** que le acompañen para que no se confunda de sitio.

Ejemplo:

Se arriesga a que le acompañen para que no se confunda de sitio.

b) (Los japoneses) **parten de la teoría de** que el servicio ha de ser bueno siempre.

c) Siempre **me había atormentado el temor de** que el avión se cayera.

d) Fue un vuelo tan perfecto que por un instante **tuve la certidumbre de** que el avión se había quedado inmóvil en la mitad del océano.

e) Pero esta vez concebí un miedo nuevo. **El miedo espantoso de** que el avión se quedara en el aire para siempre.

f) No **hay ninguna posibilidad de** que sea buena ninguna película de avión.

g) **Lo que encontré fue la triste comprobación de** que aquel mirador de la vida había sido cegado.

h) Hace muchos años **superé la ilusión generalizada de** que el alcohol es un buen remedio para el miedo al avión.

i) Tres horas después se despierta **con la conciencia cierta de** que no ha dormido más de tres minutos.

2 ■ Observando las frases anteriores, especialmente lo que va después de las palabras marcadas, completa este cuadro:

		ORACIÓN SUBORDINADA INTRODUCIDA POR "QUE" EN:
correr el riesgo de	*arriesgarse a*	*subjuntivo ("que le <u>acompañen</u>")*
tener la conciencia de	*saber*	
hacer la comprobación de		
	creer/pensar	
superar la ilusión de		
	temer	
haber posibilidad de		
	estar seguro/a/os/as de	

> *Podemos deducir que una construcción de oración subordinada que depende de un sustantivo ("ilusión, posibilidad, conciencia, certidumbre, etc.") lleva indicativo o subjuntivo siguiendo el mismo comportamiento que los verbos ("creer, temer, arriesgarse") o verbos + adjetivo ("ser posible, "estar seguro") que tienen un significado equivalente. No hay diferencias gramaticales entre una construcción y otra, pero, generalmente, las expresiones con sustantivo son un poco más formales.*

3 ■ Algunas personas nos van a hablar sobre sus experiencias, buenas y malas, en sus viajes. En la página siguiente, en la columna de la izquierda, tienes fotos con comentarios de un reportaje de una revista (lenguaje más formal); en la de la derecha, esas personas hablan directamente (lenguaje menos formal). Completa todo con los verbos y expresiones que tienes a continuación, y conjuga los infinitivos que están entre paréntesis. Casi siempre hay más de una posibilidad; usa la que te parezca más lógica.

estar totalmente seguro/a/os/as de	**estar convencido/a/os/as de**
creer	**sentir la necesidad de**
necesitar	**tener la esperanza de**
esperar	**tener la convicción de**
tener la total seguridad de	**tener la idea de**

Ana Suárez, 23 años. Le perdieron una maleta en su viaje en avión hace un mes; todavía _____ que se la (enviar) _____.

❶

Todavía _____ que me la (enviar) _____.

❷

Adelina Vaquero, 56 años. Se fueron a una playa paradisiaca porque su marido _____ que (volver) _____ a disfrutar como en su luna de miel, pero los dos se pusieron enfermos y pasaron sus vacaciones en un hospital.

❸

Fuimos allí porque mi marido _____ que lo (pasar) _____ como en nuestra luna de miel, pero acabamos en un hospital.

❹

Ángel Domínguez, 41 años. Tuvo que dormir la primera noche de su viaje en la calle; aunque no _____ de que (tener) _____ la culpa la agencia, ha puesto una demanda.

❺

No _____ de que la agencia (tener) _____ la culpa, pero por si acaso ya he puesto una demanda

❻

Míriam Acevedo, 36 años. Se fue durante tres meses a una isla totalmente desierta e incomunicada porque _____ que su familia realmente la (echar) _____ de menos.

❼

_____ que mi familia me (valorar) _____ más. Y lo he conseguido. Ahora no se despegan de mí.

❽

José Puntal, 56 años. Antes de su viaje al Caribe apenas podía mover las piernas; ahora incluso baila. _____ que el clima de aquellas tierras le (curar) _____.

❾

_____ que aquel clima me (curar) _____. Se lo recomiendo a todos los mayores.

❿

4 ■ Una misma palabra ("hacerle a alguien mucha *ilusión* que..." o "vivir alguien en la *ilusión* de que...") o dos palabras de la misma familia ("tener alguien la *impresión* de que..." o "*impresionar*le a alguien que...") pueden usarse para expresar diferentes significados. Como el uso de indicativo o subjuntivo en este tipo de oraciones depende del significado, no podemos pensar en una regla para esa palabra; tenemos que fijarnos en el sentido total de la expresión. Vamos a trabajar con algunos ejemplos de este tipo:

A. Fíjate en las respuestas a la pregunta: ¿QUÉ RECUERDA DE SU PRIMER VIAJE EN AVIÓN? Ayudándote del contexto, agrupa en el cuadro las palabras que están marcadas:

Tienen un significado similar al de los verbos "creer, pensar, opinar, notar, percibir, etc.", que introducen una información sobre una opinión o percepción del hablante	*Tienen un significado similar al de los verbos que expresan sentimientos y reacciones ("alegrar, emocionar, sorprender, apenar o dar pena...")*

¿QUÉ RECUERDA DE SU PRIMER VIAJE EN AVIÓN?

Me hizo mucha ilusión que me trajeran aquella bandeja de comida, con todas sus cositas tan pequeñas, como miniaturas.

Hasta entonces yo **vivía en la ilusión** de que los aviones eran una especie de lujosas naves, casi como el Titanic, con unos viajeros distinguidos, mujeres sofisticadas y hombres ricos. Pero la primera vez que lo cogí vi que la gente que iba conmigo era tan corriente como yo.

Aquella vez, y todas las demás que he cogido un avión, **tuve la sensación** de que entraba en un mundo irreal, y de que el tiempo se paraba.

La primera vez que monté en avión **tuve la impresión** de que todo era falso, de que realmente no estaba en el cielo, sino en una especie de realidad virtual.

Me impresionó mucho que mi ciudad resultara tan pequeña desde el cielo. Ésa es una imagen que nunca olvidaré.

Cuando el avión despegó por fin, **sentí** que mi estómago se iba hacia la tierra mientras el resto de mi cuerpo volaba. Fue horroroso, la verdad.

Sentí mucho que las azafatas no me hicieran mucho caso, porque eran guapísimas, pero, claro, yo tenía doce años la primera vez que monté en un avión.

B. Fíjate en el cuadro que has completado antes. ¿Esta división en dos grupos se corresponde con el uso de indicativo o subjuntivo?

C. Completa las siguientes frases o elige entre las opciones que tienes entre paréntesis:

1. "Tener la impresión de que..." significa más o menos_____, y lleva detrás (indicativo/subjuntivo); en cambio, "impresionar que..." significa algo parecido a _____, detrás (indicativo/subjuntivo).

2. "Hacer ilusión que..." significa aproximadamente _____, y lleva detrás (indicativo/subjuntivo); en cambio, "vivir en la ilusión de que..." es similar a _____, y lleva detrás (indicativo/subjuntivo).

3. "Tener la sensación de que..." es similar a_____, y lleva detrás (indicativo / subjuntivo); en cambio, "sentir que" puede significar 'percibir, notar', y entonces lleva detrás (indicativo/subjuntivo), o puede significar 'dar pena, lamentar', y entonces lleva detrás (indicativo/subjuntivo).

5∎ Trabaja con uno o dos compañeros más. Comparte con ellos tus experiencias sobre tipos de viaje (organizados o por libre), finalidades de los viajes (negocios, turismo, aventura), modos de viajar (solo/a, en pareja, en grupos grandes, con niños o sin ellos). Completa las siguientes afirmaciones, que podrían formar parte de un reportaje periodístico sobre modos de viajar. El primer espacio en blanco puede quedar vacío si se quiere hablar de viajes en general.

a) Cuando se viaja _____, se corre el riesgo de que

   alguien _____.

b) Cuando se hace un viaje _____, siempre existe la

   posibilidad de que _____.

c) Si se viaja _____, se puede tener la total certeza de

   que _____.

d) Cuando se viaja _____, a veces se tiene la sensación

   de que todo el mundo _____.

e) Tengo (o tenemos) la teoría de que los viajes _____

   _____.

f) Cuando viajas _____, te hace mucha ilusión que la

   gente _____.

MATERIA PRIMA 3

¿Recuerdas a estas personas? ¿Recuerdas qué les pasó?

> Si me lo llego a imaginar, me hubiera ido sin equipaje.

Ana Suárez, 23 años.

> Si lo sé, no vamos.

Adelina Vaquero, 56 años.

> Si llega a decirme alguien antes de salir de viaje que iba a dormir en la calle, le digo que está loco, pero ya ves...

Ángel Domínguez, 41 años.

> Si lo llego a saber, me habría ido antes.

Míriam Acevedo, 36 años.

> Si me entero antes de que iba a pasar esto, llevaría ya más de diez años curado.

José Puntal, 56 años.

1 ▪ Estas personas ¿están hablando del pasado, del presente o del futuro? ¿Y están hablando de acciones reales o hipotéticas?

2 ▪ ¿Cómo hubieras dicho tú estas frases, con qué tiempos verbales?

> *Las formas verbales anteriores son variantes de las que ya conoces. Todas estas formas pueden combinarse entre sí, y se usan sobre todo en la lengua oral. No necesitas usarlas, pero sí entenderlas.*

3 ■ Algo similar ocurre con lo que dicen nuestros personajes a continuación. Marca las formas verbales y di qué formas hubieras usado tú.

Ana Suárez, 23 años.

Si me hubiera imaginado lo que iba a pasar, me había ido sin equipaje.

Adelina Vaquero, 56 años.

Si lo hubiera sabido, no habíamos venido.

Ángel Domínguez, 41 años.

Si estuviera seguro de que la agencia no tiene la culpa, retiraba la demanda hoy mismo. A mí no me gustan los líos legales.

Miriam Acevedo, 36 años.

Si mi familia no me quisiera tanto, me volvía ahora mismo a mi isla. Ha sido una experiencia maravillosa.

José Puntal, 76 años.

Si me hubiera enterado antes de que iba a pasar esto, llevaba ya más de diez años curado.

PALABRA POR PALABRA 2

1 ▪ Todas las palabras que vamos a ver se usan mucho cuando se habla de viajes. Algunas son muy similares en su significado. Lee las definiciones y los ejemplos de esta página y contesta las preguntas.

escala *f* Detención o parada de una embarcación o un avión entre el punto de origen y el de destino. *El buque parte todos los lunes del puerto de Barcelona y realiza dos **itinerarios**: las **escalas** del primero son Barcelona, Niza, Florencia, Roma, Palermo y Malta; el segundo parte de Barcelona y hace **escala** en Niza, Roma, Nápoles, Malta, Túnez y Barcelona (E. Casal, 100 ideas de vacaciones).*

escapada *f* Salida corta, especialmente suspendiendo las ocupaciones habituales. *Politours ofrece realizar una breve **escapada** a Amsterdam, de dos noches, desde 378 euros (E. Casal, 100 ideas de vacaciones).*

itinerario *m* Ruta que se sigue para llegar a un lugar. | b) Serie de puntos por donde está previsto o establecido el paso de alguien o de algo. *En los viajes combinados, el organizador o la agencia tienen la obligación de facilitar un programa o folleto con las condiciones generales del viaje: pre-cio, duración e **itinerario** (I. M., Guía para viajeros insatisfechos).*

recorrido *m* Espacio que se ha recorrido, se recorre o se ha de recorrer. *Amor en el aire. Malena Alfaro y Jesús de la Herrán. Tripulantes de cabina de pasajeros de Iberia. Malena hace **trayectos** cortos: España, Europa y norte de África. Jesús cubre el largo **recorrido**, viajes intercontinentales (M. Laleva, Viajeros profesionales) | La **Ruta** del estraperlo –Granada–. Paquete de alojamiento y actividad que consiste en recorrer la antigua **ruta** que seguían los estraperlistas para el intercambio y comercio ilegal de distintos productos. A lo largo del **recorrido** podemos observar ermitas y cruces, así como un majestuoso paisaje (AireLibre, VI Concurso de Turismo Activo).*

ruta *f* Dirección o camino. | b) Serie de puntos por donde está previsto o establecido el paso de alguien o de algo. *En el globo no hay rutas. La **ruta**irrita, es un camino elegido por otro, trazado por otro (Jaume Llansana) | Tengo mis programas propios, según las **rutas** y su duración, según sea de día o de noche, y aun según la clase de avión en que se vuele. (G. García Márquez, Remedios para volar).*

travesía *f* Viaje en que se atraviesa algo. | b) Viaje por mar. *Jesús González Green, en el año 92, realizó la primera **travesía** del Atlántico, desde la isla de El Hierro, en Canarias, hasta el golfo de Paria, en Venezuela (Rodrigo de la Quadra Salcedo).*

trayecto *m* Camino o espacio que hay que recorrer para ir de un punto a otro. *En el caso de los trenes, y siempre que el retraso sea superior a una hora: con una demora del 50 % del tiempo previsto para el **trayecto** se devuelve el 25 % del precio del billete (A. Lorenzo, Reclamar en lugar de quejarse).*

a) ¿Cuál es la palabra que se parece más en el significado a "itinerario"?

b) ¿Cuál de las dos palabras se suele usar para hablar del camino de los aviones?

c) ¿Y cuando hablamos de viajes organizados por agencias?

d) ¿Y cuando se habla de caminos ya hechos por otros, o marcados, por ejemplo por un acontecimiento histórico, una costumbre antigua, una unidad cultural entre los diferentes lugares que se recorren, etc.?

_____

e) ¿Cuál es la palabra que se parece más a "recorrido"?

f) ¿Cuál de las dos palabras solemos usar cuando hablamos de la distancia que recorre un tren entre un lugar y otro?

g) ¿Cuál usamos para distinguir trenes y aviones que hacen distancias largas? ¿Cuál usamos cuando hablamos del espacio que atravesamos cuando hacemos una excursión andando, en coche, en autobús...?

_____

h) ¿Qué palabra podemos usar para hablar de un viaje muy breve, por ejemplo de un fin de semana?

i) ¿Cuáles de todas estas palabras pueden usarse para hablar de un viaje en barco?

2 ▪ Completa con alguna de las palabras anteriores. A veces podemos usar más de una:

a) José María tiene unos veinte cuadernos en total. Para cada uno de sus viajes comienza uno y en sus primeras páginas deja por escrito, con pluma y acuarelas, todos los detalles de la preparación: _____, mapas, presupuesto, equipaje... (S. Díaz, *Recuerdos sobre papel*).

b) Una buena manera de contemplar los Alpes suizos es con una _____ panorámica en el tren Glaciar Express, que cubre en ocho horas el _____ entre Zernatt y St. Moritz (E. Casal, *100 ideas de vacaciones*).

c) Si el vuelo sufre una _____ no prevista en su _____, la compañía está obligada a atender las necesidades de alojamiento y manutención del viajero hasta su destino (A. Lorenzo, *Reclamar en lugar de quejarse*).

d) Para los padres de las parejas que se casan ahora, el viaje de novios tenía dos objetivos: las playas españolas y poder estar, al fin, solos. Los jóvenes de hoy hacen _____ de fin de semana, vacaciones o incluso conviven. No necesitan casarse para tener intimidad (B. Bermúdez, *Lunas sin tanta miel*).

e) El último viaje de Carlos V. _____ senderista desde Laredo a Yuste, siguiendo el camino que realizó el Emperador Carlos V en su viaje de retiro al monasterio de Yuste. El viaje está organizado en cinco grandes etapas, cada una de ellas compuesta por distintas _____, que pueden hacerse individualmente o como un _____ completo (*AireLibre, VI Concurso de Turismo Activo*).

f) Hoy hay huelga, y no funcionan los trenes de largo _____.

g) Próxima estación: Plaza de Castilla. Correspondencia con líneas 2 y 3. Fin de _____ (Metro de Madrid, megafonía).

Usamos el verbo "hacer" con muchas palabras relacionadas con los viajes:

Hicimos escala en Berlín.
De vez en cuando hacemos una escapada a algún pueblo cercano.
Vamos a hacer un viaje muy especial.
Haremos noche en León, y luego continuaremos hacia Galicia.
Cuando vamos en coche, nos encanta hacer paradas en los pueblos que están en el camino.
Este verano vamos a hacer un crucero por el Mediterráneo.

¿Recuerdas alguna más?

PALABRA POR PALABRA 3

1 ■ Lee esta narración de una excursión. Si te fijas, verás que algunas de las cosas que se cuentan son imposibles: ¿cuáles?

UNA EXCURSIÓN IMPOSIBLE

"Primero caminamos durante cinco kilómetros a través del embalse de Valdepeñas hasta llegar a una senda muy estrecha que se adentraba en el arroyo Riopar. Anduvimos unos cuatro kilómetros y luego subimos la falda de una bahía. En la cumbre de una montaña descansamos media hora y descendimos por la otra ladera. Abajo se extendía una enorme cordillera, que atravesamos hasta llegar a nuestro destino: el valle de Carmona".

2 ■ A continuación tienes una lista de nombres que designan accidentes geográficos. Escoge cinco palabras cuyo significado desconozcas; averigua qué significan con ayuda del diccionario e inventa una narración semejante a la del apartado 1. Escríbela y dásela a un compañero: él tendrá que descubrir en tu escrito las cosas que son imposibles, y tú harás lo mismo con el suyo.

acantilado	islote	pantano
cañón	laguna	península
cima	litoral	pico
colina	macizo	precipicio
desembocadura	nevero	ribera
desfiladero	orilla	sendero

3 ■ Localiza una palabra que no forma parte del grupo y explica por qué:

a) litoral, islote, acantilado, ribera

b) pico, cima, pantano, macizo

c) laguna, orilla, precipicio, ribera

d) embalse, desfiladero, arroyo, bahía

e) nevero, arroyo, ribera, desembocadura

f) desfiladero, península, senda, sendero

g) cañón, cima, colina, cumbre

ESCRIBE A TU AIRE

1 ▪ ¿Dónde solemos encontrar narraciones de viajes, historias de gente que cuenta algún viaje? Marca todas las opciones que te parezcan verdaderas.

a) En la literatura de viajes   b) En las novelas

c) En los periódicos   d) En las cartas a amigos y familiares

e) En las revistas especializadas en viajes   f) En los libros de texto

g) En las obras de teatro   h) En las guías turísticas

2 ▪ ¿De dónde crees que está tomado este relato de un viaje? Fíjate en su aspecto.

---

6 El viajero

EL VIAJERO HABITUAL

MI AVENTURA

Disfrute pirenaico

UN GRUPO de amigos dedicamos una semana el verano pasado a recorrer un tramo leridano del conocido GR–11, sendero señalizado que discurre por el eje pirenaico desde el Cantábrico hasta el Mediterráneo. Comenzamos el viaje planificando el itinerario y confeccionando una lista con todo lo necesario para llevar en la mochila, procurando reducir el peso al máximo. A partir de ese momento, la mente se inunda de excitación imaginando cómo transcurriría el viaje.

La llegada a Benasque, auténtico Benidorm de montaña por donde campan especies diversas de montañeros y menos montañeros, espolea el deseo de echar a andar cuanto antes y desconectar del mundo cotidiano por unos días.

Un tiempo claro y soleado acompaña nuestros primeros pasos bajo macizos de los que penden neveros dormidos. Bordeamos lagos de montaña: espejos de quietud, solitarios, azules como el cielo. Paso a paso, siempre subiendo, nos adentramos en el reino de la piedra y la nieve, allí donde el colorido de las flores que nos acompañaban pasa a ser un recuerdo. Por fin, llegados al collado, la vista se deleita al recorrer el sinfín de picos que nos rodea. Estamos inmersos en una cordillera. Ahora toca bajar al refugio.

Se suceden los días, collado tras collado, con la única preocupación de qué comer y dónde dormir; el resto es disfrutar. Olores, colores, el viento que sopla en altura, amenazas de nubes que a veces se cumplen. Dormir al aire libre, abrir los ojos y encontrarse con el parpadeo de las estrellas. Cruzamos el circo de Colomers, el mayor de todo el Pirineo, salpicado de lagos excavados en la roca por el hielo. En Aigües Tortes nos adentramos por bosques donde los árboles todavía mueren de pie, la vista inundada del agua saltando en arroyos cantarines.

Ahora, de nuevo en casa, continúa el viaje. Castigado el cuerpo y oxigenada la mente, las sensaciones y los recuerdos vuelven una y otra vez, considerándome afortunado de tener amigos con los que poder compartirlos.

SEBASTIÁN BELLÓN LÓPEZ. ALBACETE

Cuéntenos su viaje a sus destinos favoritos, en 20 líneas y con alguna fotografía. EL PAÍS (El viajero). Miguel Yuste, 40. 28037 Madrid. Los autores de las cartas publicadas recibirán un lote de libros de El País–Aguilar

---

3 ▪ Lee el relato y contesta estas preguntas:

a) ¿Qué palabras, frases o expresiones nos indican el orden del relato? ¿Sigue un orden cronológico?

b) La narración de lo que hicieron y la descripción de los lugares que visitaron ¿aparecen mezcladas o separadas en distintos párrafos?

c) ¿Las descripciones son objetivas o subjetivas?

d) ¿Muestra también sensaciones, sentimientos provocados por el viaje y el lugar?

4 ▪ Como trabajo de escritura, te proponemos presentar el relato de tu viaje favorito al mismo periódico. Deberás seguir las instrucciones que tienes al pie del texto, y, si quieres, puedes tomarlo como modelo. Pueden serte útiles las secciones "Palabra por palabra" de esta unidad.

CON TEXTOS 1

1 ■ Observa estas fechas: ¿qué tienen en común?

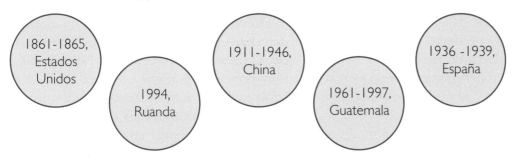

1861-1865, Estados Unidos

1994, Ruanda

1911-1946, China

1961-1997, Guatemala

1936 -1939, España

2 ■ ¿Qué sabes sobre lo que pasó entre 1936 y 1939 en España? Compártelo con tus compañeros.

3 ■ ¿Cómo cambia la vida de la gente en una guerra? En grupo con dos o tres compañeros, prepara una lista de los problemas físicos y psicológicos que suelen darse en esta situación.

4 ■ El siguiente texto es un artículo de una revista especializada en historia. ¿Hay alguna descripción de los problemas de vuestra lista en él? Búscala haciendo una lectura rápida y marcando todo lo que coincide. ¿Qué otros problemas se mencionan que no habías pensado?

LAS ÚLTIMAS HORAS

Se estaba en los últimos días del mes de febrero de 1939. El invierno había sido crudo, glacial. En aquel horizonte de carencias que azotaba a los restos de la zona leal a la República, la bús-
5 queda de calorías había sacrificado hasta esos bienes de propiedad familiar, conservados de generación en generación, como eran las colecciones del "Nuevo Mundo", las obras completas de Blasco Ibáñez y, en casos extremos, hasta
10 muebles viejos, cómodas, estanterías desiertas de volúmenes convertidos en fuego de hogar o en combustible de cocina destinado a hervir un sopicaldo. La caza de alimentos llevaba a comer gato por liebre y hasta los canes empezaban a
15 escasear. Por los jirones de las tres mil quinientas casas deterioradas del casco urbano de Madrid, el frío se colaba inmisericorde haciendo la vida imposible. El hambre y sus tristes consecuencias clínicas estaban provocando una asus-
20 tante crecida de la mortalidad. En *The Times* del 15 de febrero se daba la cifra de 400 a 500 fallecimientos entre la población civil de Madrid por

causa del frío y las privaciones. Y entretanto, la existencia discurría entre las ruinas provocadas
25 por los bombarderos, los cortes de fluido teñidos de azul. Las estaciones de Metro seguían siendo refugio nocturno para los que no tenían techo y el hacinamiento y la falta de aseo fomentaban la aparición de esas plagas como la sarna o la tiña,
30 resultantes del derrumbamiento de la arquitectura social. Los parásitos proliferaban al estímulo de la suciedad.

Eran los signos más aparentes de la vida de unas gentes debilitadas por la desnutrición y las
35 carencias de todo tipo, de las que eran buena muestra los escaparates vacíos, las tiendas deshabitadas y las largas colas para proveerse de los menguados víveres a los que había que acogerse ante el desmesurado coste que en el
40 mercado negro adquirían rarezas tales como los huevos o la carne, cualquiera que fuera su procedencia. La leche sólo se suministraba bajo receta médica para niños o enfermos. El día 19, los madrileños encajaron una nueva reducción
45 en la ración de pan que se limitó a 100 gramos

por persona. Las carnicerías del distrito de Buena Vista anunciaron aquel mismo día el reparto de "despojos congelados". La penuria llegaba a la vestimenta, el calzado, cuya falta
50 dejaba incompleto el equipo de las últimas quintas llamadas a filas. Muchos reclutas calzaban alpargatas a falta de botas, y es que las privaciones estaban afectando hasta a los combatientes, que habían de conformarse con una
55 ración de pan (lo único abundante), un caldo y un potaje de lentejas.

El estado de ánimo de la población madrileña pasaba del más indiferente abatimiento a la iracundia más colérica. Las colas eran fuentes
60 de disputas; los refugios, lugares propicios al alboroto y a la gresca. Y si la rabia se desahogaba contra los fascistas, tampoco se exoneraba del improperio a unos responsables políticos a quienes se tachaba de incompetencia en
65 el reparto de los suministros. Hecho dramático en el panorama humano era la apariencia vestimentaria de gentes con ropas raídas hasta la consunción o de personas otrora obesas, en uso de unos trajes cuya holgura les daba
70 esperpénticas apariencias.

Pese a todo, la cotidianeidad de la vida en la capital imponía unas obligaciones que forzaban a desplazamientos en tranvías atestados, a hacer acto de presencia en negociados, despachos y
75 factorías y, si quedaba tiempo, a buscar refugio cálido en algún café en busca de un aguachirle de cebada o de un caldo de enigmática sustancia. El Levante, el Comercial, el Negresco aparecían poblados por una clientela entre la que
80 había militares, funcionarios, jubilados, madrileños resistentes a todas las evacuaciones, fieles custodios de un hogar cuyo abandono sería en beneficio de algún refugiado. Aquellos momentos de finales de febrero eran propicios a todas
85 las especulaciones.

Mucha gente, ansiosa de olvidar penas y desafiando alarmas y riesgos, buscaba refugio en los cines. Tampoco los teatros estaban vacíos. El fumar las más extrañas mixturas era cosa de lujo
90 y si alguien tenía el desprendimiento de arrojar una colilla no faltaba viandante apresurado dispuesto a apoderarse del despojo.

(Rafael Abella, extracto)

5 ■ En el texto aparecen algunas palabras que proceden de otras que ya conoces o son de la misma familia que ellas. Con la ayuda del contexto, intenta averiguar el significado de estas palabras sin usar el diccionario, y después intenta deducir el significado de la frase en la que aparecen:

Ejemplos:

a) En aquel horizonte de <u>carencias</u>... la búsqueda de calorías había sacrificado hasta esos bienes de propiedad familiar...
> *Carencias → carecer*
> *Significado de carencia: el hecho de no tener algo.*
> *Significado de la frase: en aquella época la gente no tenía casi nada.*

b) el frío se colaba <u>inmisericorde</u> haciendo la vida imposible...
> *Inmisericorde → misericordia*
> *Significado de inmisericorde: que no tiene compasión.*
> *Significado de la frase: la gente pasaba muchísimo frío.*

c) escasear (l. 15)

d) asustante crecida (l. 19-20)

e) desnutrición (l. 34)

f) penuria (l. 48)

g) vestimenta (l. 49), vestimentaria (l. 66-67)

h) iracundia (l. 59)

i) desahogarse (l. 61-62)

j) cotidianeidad (l. 71)

k) clientela (l. 79)

l) viandante apresurado (l. 91)

6 ▪ Las siguientes palabras pueden tener varios significados. Elige el que corresponde a su uso en el texto:

a) **crudo** (l. 2) 1. Que no está cocinado.
2. Frío y destemplado.

b) **cómodas** (l. 10) 1. Mesas con varios cajones.
2. Confortables.

c) **encajaron** (l. 44) 1. Ajustaron una cosa dentro de otra.
2. Aceptaron con dificultad una molestia o perjuicio.

d) **quintas** (l. 51) 1. Que ocupan el quinto lugar.
2. Grupos de soldados que se incorporaban obligatoriamente al ejército en el mismo año.

e) **desprendimiento** (l. 90) 1. Generosidad.
2. Desunión.

f) **colilla** (l. 91) 1. Cola pequeña.
2. Resto que queda del cigarrillo después de fumarlo.

7 ▪ Agrupa estas palabras en los cuatro círculos:

sopicaldo, vestimenta, cebada, hacinamiento, sarna, víveres, alpargatas, tiña, aguachirle, desnutrición, parásitos, ración, potaje, refugios

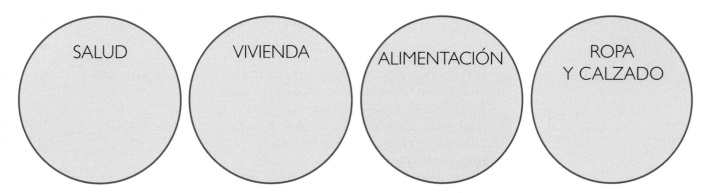

SALUD

VIVIENDA

ALIMENTACIÓN

ROPA Y CALZADO

8 ▪ Como dice al principio, el texto describe los últimos días del mes de febrero de 1939 en Madrid. ¿Sabes si estas situaciones se han repetido después en España? ¿Y en otros países que conozcas?

MATERIA PRIMA 1

1 ▪ Los textos que siguen están tomados de estas cuatro obras; relaciona cada uno con la obra a la que pertenece haciendo una lectura rápida:

– *Caribes (Cienfuegos 2)*

– *Catorce dudas sobre el periodismo en televisión*

– *Ética*

– *La soledad del mánager*

Imaginemos que fuera noticia que un niño ha desayunado en su casa sin que se produjera ninguna explosión de gas, que luego su madre lo ha acompañado al colegio sin mayores problemas y que ha pasado allá toda la mañana sin que se produjera ningún atentado terrorista. Pensémoslo bien: un mundo donde relatos así resultaran noticiables –es decir, donde la tranquilidad y la bondad fueran la excepción– sería un mundo bastante horrible. Si lo que se destaca como excepcional es lo negativo (es decir, los accidentes, la guerra o el terrorismo), eso significa que el fondo sobre el cual todo eso se perfila no es tan horroroso, es decir, que vivimos en un mundo que va medianamente bien. (Salvador Alsius)

Supón que en cierto país hay una población minoritaria que es odiada por la mayoría de la población. Algún político oportunista podría proponer medidas contra esa minoría, como negarles el derecho al voto. Imagina que la mayoría de la población apoya estas medidas y elige a ese político como gobernante. Una vez en el poder, el político en cuestión aplica sus propuestas...
¿Se trata de una decisión democrática? Desde el punto de vista de la forma de elección del político de que se habla, podría decirse que sí. Pero desde el punto de vista de los principios democráticos, que es toda una forma de entender la convivencia social, la decisión de dicho político no es democrática. (Pablo Navarro Sustaeta y Capitolina Díaz Martínez)

– Si volviera a armarse otra guerra civil, los dos se irían a Burgos.
– ¿Y tú, Pepe Carvalho, dónde coño[1] te irías?
– A Vallvidrera, a hacerme una escudella[2].
– ¿Y si no tuvieras lo indispensable para hacerte una escudella?
– Pues me haría un arroz con bacalao.
– **Imagínate que** no queda ni bacalao.
– Bajaría a pie por la carretera hacia Barcelona, hacia las Ramblas, y me dejaría ametrallar por un avión.

(De Manuel Vázquez Montalbán, extracto)

[1] Taco o palabra malsonante muy usada en España después de una palabra interrogativa (en este caso, "dónde"), normalmente para dar un sentido negativo, un tono de enfado o impaciencia, a la pregunta.

[2] Plato típico de la gastronomía catalana.

– Si pretendemos continuar manteniendo nuestro ascendiente sobre ellas, necesitamos demostrarles continuamente que somos seres superiores. Son tremendamente primitivas, y hay muchas cosas de nuestra cultura que podrían impresionarles. ¿Qué sabes de alfarería?

– Muy poco.

– Igual que yo. –Sonrió levemente–. Pero **supón que** fuéramos capaces de proporcionarles cacharros con los que cocinar. ¿No sería una especie de milagro para alguien que no ha dispuesto nunca más que de unas cuantas calabazas en las que introducir piedras calientes?

(Alberto Vázquez–Figueroa, extracto)

2■ En los cuatro textos se nos planteaba una situación imaginaria que se introduce con las palabras que están marcadas. ¿Cuál es la situación imaginaria de cada texto y qué pasaría, según los autores o los personajes, si eso ocurriera?

3■ ¿Cuáles de los siguientes verbos pueden usarse también para introducir situaciones imaginarias, ficticias, y hablar de sus consecuencias?

Imagina que	Suponte que	Pongamos que	Suponeos que
Imaginaos que	Pon que	Imaginen que	
Suponga que	Imagínense que	Supongamos que	

4■ Clasifica todas las formas anteriores que pueden cumplir esta función según la persona a la que se dirigen:

	TÚ	VOSOTROS/AS	NOSOTROS/AS	USTED	USTEDES
SUPONER	Supón que				
SUPONERSE					
IMAGINAR			Imaginemos que		

5■ Completa totalmente el cuadro anterior con todas las personas que faltan.

6■ Fíjate ahora en las frases de los textos que están detrás de las palabras marcadas; ¿el verbo está en indicativo o en subjuntivo?

7■ Plantea con tus compañeros situaciones históricas ficticias del pasado, presente o futuro, como en los ejemplos de la página siguiente, y opina sobre sus consecuencias.

Ejemplos:

a) La Tierra es invadida por millones de extraterrestres.
  - Suponeos que millones de extraterrestres invaden la Tierra. ¿Cómo reaccionarían los gobiernos del mundo?
  + Yo creo que...
b) Colón no descubrió América.
  - Imaginad que Colón no hubiera descubierto América. ¿Cómo habría cambiado la historia?
  + A mí me parece que...

c) En las próximas elecciones generales de tu país no se presenta ningún candidato.

d) No ha habido nunca guerras en el mundo.

e) Los dinosaurios no desaparecieron.

f) Los seres humanos consiguen ser inmortales

8 ▪ Imagina ahora dos situaciones ficticias sobre la historia de tu ciudad, tu país o el mundo. Plantéaselas a tus compañeros.

PALABRA POR PALABRA

1 ▪ En la siguiente sección ("Materia prima 2") vamos a trabajar con algunos fragmentos de un reportaje titulado "Cincuenta años en la vida de España", que nos cuenta una parte de la historia de este país en el siglo XX. En él se utilizan las palabras y los grupos de palabras que tienes a continuación. Forma grupos de palabras relacionadas con estas cinco ideas principales:

GUERRA	RÉGIMEN* DICTATORIAL	MONARQUÍA	DEMOCRACIA	SEGUNDA GUERRA MUNDIAL

candidatura
conflicto civil
Cortes
escenario bélico
ONU
potencias del Eje
represión

Conferencia de Postdam
Constitución
dictadura
jefatura del Estado
oposición
Presidente del Gobierno
sucesión

conflagración
Corona de España
elecciones
Naciones Unidas
perpetuarse en el poder
referéndum
sucesor

> ** La palabra "régimen" cambia su acentuación cuando se usa en plural: regímenes.*

2 ▪ Piensa en alguna otra palabra o expresión que conozcas de uno de los grupos anteriores, y que creas que algunos compañeros no conocen. Escríbela en la pizarra y explícala.

MATERIA PRIMA 2

1 ▪ El texto que sigue es un resumen de parte de la historia de España en el siglo XX. ¿Con qué tiempo verbal conjugarías los verbos que tienes en infinitivo? Completa los espacios en blanco.

En 1939, con la victoria del bando franquista sobre el ejército republicano, (comenzar) _____ (1) una larga etapa de dictadura política en España. Los duros años de la posguerra (ser) _____ (2) testigos de una cruel represión destinada a borrar el rastro de los vencidos. El general Franco (empezar) _____ (3) a sentar las bases de su régimen con el objetivo de perpetuarse en el poder y construir una España cerrada sobre sí misma.

Acabada la Guerra Civil española, el escenario bélico se (trasladar) _____ (4) a Europa. (Comenzar) _____ (5) así la Segunda Guerra Mundial. España, desangrada por su conflicto civil recién terminado, se ahorró el coste de una nueva conflagración. Sin embargo, sí que existió una colaboración activa de España con las potencias del Eje. En julio de 1945, la Conferencia de Postdam condenó al régimen de Franco calificándolo de inadmisible en las Naciones Unidas. En diciembre del año siguiente, la ONU recomendó a sus estados miembros que retirasen a sus embajadores de Madrid. España (entrar) _____ (6) en una época de aislamiento internacional que (durar) _____ (7) hasta la década de los 50.

Cuando nadie se lo esperaba, Franco y don Juan se reunieron en el verano del 48 a bordo del Azor[1], frente a las costas de San Sebastián. En esta reunión se decidió que don Juan Carlos realizara sus estudios en España, quedando así abierta la posibilidad de recibir la corona de España. El 22 de julio de 1969 (ser) _____ (8) proclamado sucesor en la jefatura del Estado, recibiendo el insólito título de Príncipe de España[2]. Don Juan (quedar) _____ (9) apartado de la sucesión.

El 20 de noviembre de 1975, a las 4 horas y 58 minutos, el teletipo de la agencia Europa Press (dar) _____ (10) la noticia: "Franco ha muerto". Tras 34 días de agonía, Franco (morir) _____ (11) a sus 82 años en la clínica de La Paz. Se (cerrar) _____ (12) así una etapa de la historia de España y (comenzar) _____ (13) el camino hacia la esperada democracia. Dos días más tarde, don Juan Carlos (ser) _____ (14) proclamado Rey de España.

El 3 de julio de 1976, el rey nombra a Adolfo Suárez presidente del Gobierno. Durante su presidencia se celebran elecciones libres y democráticas por primera vez desde 1936, con la participación de todas las opciones políticas, desde las continuadoras del anterior régimen hasta las candidaturas comunistas y socialistas.

Las Cortes Constituyentes salidas de las primeras elecciones democráticas buscan consenso para dotar a España de una nueva constitución capaz de satisfacer a todo el abanico político. Finalmente, la Constitución es aprobada en un referéndum celebrado en 1978.

(Fragmentos del vídeo *50 años en la vida de España*, Diario 16)

---

[1] El Azor era el yate del general Franco.

[2] El príncipe heredero recibe en España el título de Príncipe de Asturias. El régimen de Franco probablemente no quiso utilizar este título porque no podía haber Príncipe de Asturias sin rey.

2■ Comprueba tus respuestas con tus compañeros. Si tienes dudas, consulta al profesor.

3■ Ahora ya tienes el texto completo y correcto. Tu profesor va a leer el texto original; toma nota de las diferencias.

> Esta utilización de las formas verbales en la narración en pasado es típica del género histórico–periodístico, tanto de los textos escritos como de los medios de comunicación audiovisuales. Se trata solamente de una opción, no de algo obligatorio, y en muchísimas ocasiones en este tipo de textos se hace uso "normal" de los tiempos del pasado. Por lo tanto, no la proponemos como un modelo para que la imites; al contrario, cuando leas o escuches textos de este tipo, no te fijes mucho en cómo se usan el pretérito imperfecto de indicativo o el condicional, porque, fuera de estos contextos, resultaría extraño utilizarlos así.

4■ ¿En qué orden sucedieron los siguientes acontecimientos en España?

a) España colaboró con las potencias del Eje.

b) La Conferencia de Postdam condenó al régimen de Franco calificándolo de inadmisible en las Naciones Unidas.

c) El bando franquista venció al ejército republicano.

d) Se celebraron elecciones libres y democráticas por primera vez desde 1936.

e) La ONU recomendó a sus estados miembros que retirasen a sus embajadores de Madrid.

f) La Constitución fue aprobada en un referéndum.

g) Comenzó una larga etapa de dictadura política en España.

h) Juan Carlos de Borbón fue proclamado Rey de España.

i) Franco murió a los 82 años en la clínica de La Paz.

j) Juan Carlos de Borbón fue proclamado sucesor en la jefatura del Estado.

5■ La información que nos da el texto llega hasta 1978. ¿Qué sabes de la historia de España a partir de esa fecha?

CON TEXTOS 2

Imagina que estás en una librería. Estás hojeando esta novela porque un amigo te la ha recomendado:

1 ▪ Hojeando la novela, vas a leer fragmentos de distintas páginas para hacerte una idea de la historia y decidir si la compras o no. Con esta primera lectura, intenta contestar estas preguntas sobre el personaje central, del que se habla en todos estos fragmentos:

a) ¿Cómo se llamaba?

b) ¿Cómo gobernaba?

c) ¿En qué país gobernó?

d) ¿En qué época gobernó?

e) ¿Qué costumbres tenía?

f) ¿Qué rasgos de personalidad destacaban en él?

El teniente García Guerrero había oído hablar desde niño, en su familia –sobre todo a su abuelo, el general Hermógenes García–, en la escuela y, más tarde, de cadete y oficial, de la mirada de Trujillo. Una mirada que nadie podía resistir sin bajar los ojos, intimidado, aniquilado por la fuerza que irradiaban esas pupilas perforantes, que parecía leer los pensamientos más secretos, los deseos y apetitos ocultos, que hacía sentirse desnudas a las gentes.

Antonio, aquellos años, pese a guardar secretamente algo del rencor de todos los horacistas hacia quien había acabado con la carrera política del Presidente Horacio Vázquez, no pudo sustraerse al magnetismo que irradiaba ese hombre incansable, que podía trabajar veinte horas seguidas, y, luego de dos o tres horas de sueño, comenzar el nuevo día al amanecer, fresco como un adolescente. Ese hombre que, según la mitología popular, no sudaba, no dormía, nunca tenía una arruga en el uniforme, el chaqué o el traje de calle, y que, en esos años en que Antonio formaba parte de su guardia de hierro, había, en efecto, transformado este país. Por las carreteras, puentes e industrias que construyó, sí, pero, también, porque fue acumulando en todos los dominios –político, militar, institucional, social, económico– un poder tan desmedido que todos los dictadores que la República Dominicana había padecido en su historia republicana, incluido Ulises Heureaux, Lilís, que antes parecía tan despiadado, resultaban unos pigmeos comparados con él.

Se puso de pie, ya calzado. Un estadista no se arrepiente de sus decisiones. Él no se había arrepentido jamás de nada. A ese par de obispos los echaría vivos a los tiburones. Inició la etapa del aseo de cada mañana que hacía con verdadera delectación, recordando una novela que leyó de joven, la única que tenía siempre presente: *Quo Vadis?* Una historia de romanos y cristianos, de la que nunca olvidó la imagen del refinado y riquísimo Petronio, Árbitro de la elegancia, resucitando cada mañana gracias a los masajes y abluciones, ungüentos, esencias, perfumes y caricias de sus esclavas. Si él tuviera tiempo, hubiera hecho lo que el Árbitro: toda la mañana en manos de masajistas, pedicuristas, manicuristas, peluqueros, bañadores, luego de los ejercicios para despertar los músculos y activar el corazón. Se hacía un masaje corto al mediodía, después del almuerzo, y, con más calma, los domingos, cuando podía distraer dos o tres horas a las absorbentes obligaciones.

Te sorprenderá lo que voy a decirte, Cerebrito —exclama Manuel Alfonso, con dramatismo—. Cuando veo una belleza, una real hembra, una de esas que te viran la cabeza, yo no pienso en mí. Sino en el Jefe. Sí, en él. ¿Le gustaría apretarla en sus brazos, amarla? Esto no se lo he contado a nadie. Ni al Jefe. Pero, él lo sabe. Que, para mí, ha sido siempre el primero, incluso en eso. Y conste que a mí me gustan mucho las mujeres, Agustín. No creas que me he sacrificado cediéndole hembras bellísimas por adulación, para obtener favores, negocios. Eso creen los ruines, los puercos. ¿Sabes por qué? Por cariño, por compasión, por piedad. Tú lo puedes comprender, Cerebrito. Tú y yo sabemos lo que ha sido su vida. Trabajar desde el alba hasta la medianoche, siete días por semana, doce meses al año. Sin descansar jamás. Ocupándose de lo importante y de lo mínimo. Tomando cada momento decisiones de las que dependen la vida y la muerte de tres millones de dominicanos. Para meternos en el siglo xx.

2 ▪ Basándote en lo que has leído, busca cinco adjetivos que crees que podrían aplicarse a este gobernante.

3 ▪ ¿Te recuerda este personaje a algún otro personaje de la historia del mundo? ¿A quién? ¿En qué se parece?

4 ▪ En el texto aparecían algunas asociaciones de "verbo + adjetivo / sustantivo" que son frecuentes. Haz las combinaciones que sean posibles con las siguientes palabras:

guardar	
	parte de
tomar	
	una decisión
formar	
	presente
tener	
	poder
iniciar	
	rencor
arrepentirse de	
	una etapa
acumular	

¡LO QUE HAY QUE OÍR!

1 ▪ Vas a escuchar algunos fragmentos de una entrevista en la radio a Mario Vargas Llosa, novelista peruano autor de *La fiesta del chivo*, hecha poco tiempo después de publicar esta novela. ¿Cómo crees que empieza la entrevista? Completa cada espacio en blanco con una palabra que tú usarías en esta situación:

> **IÑAKI GABILONDO:** *Buenos días, Mario Vargas Llosa.*
>
> **MARIO VARGAS LLOSA:** *Buenos días, Iñaki, gusto verte.*
>
> **I.G:** *¿Le puedo _____ por la novela que ha escrito?*
> *Estamos muy _____ los que la hemos leído.*
>
> **M.V.L:** *Pues _____, nada le puede ser más _____*
> *a un autor que los lectores le digan que no ha _____ en*
> *vano.*
>
> **I.G:** *Ha sido un trabajo _____, nosotros lo estamos*
> *_____ a nuestros oyentes, un trabajo*
> *_____.*

2 ▪ Escucha el principio de la grabación y comprueba cuántas palabras has adivinado.

3 ▪ Ya sabes algunas cosas sobre el libro del que se va a hablar. Antes de escuchar la entrevista, vuelve a leer tus respuestas a la pregunta 1 de la sección anterior ("Con textos 2"). Escucha después la entrevista y toma nota de todo lo que es nuevo para ti sobre estos aspectos de Trujillo:

– La forma de gobernar:

– Las costumbres:

– La personalidad:

4 ▪ En una segunda audición, vamos a fijarnos en las opiniones y afirmaciones de Vargas Llosa:

a) ¿Le parece Trujillo un personaje interesante?

b) ¿Fue un dictador más o menos duro que otros dictadores que han existido y existen?

c) ¿Cuál es la opinión de Vargas Llosa sobre las dictaduras?

d) ¿Cree que Trujillo tenía realmente una mirada con un poder especial?

e) ¿Todo lo que aparece en la novela fue real?

f) ¿Todo lo que ocurrió está en la novela?

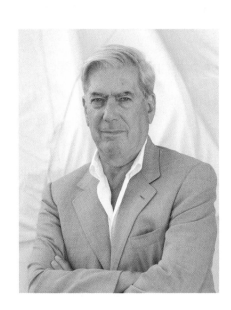

5 ▪ ¿Te han entrado ganas de leer esta novela? ¿Te gusta la novela histórica o prefieres la ficción? ¿Puedes recomendarles a tus compañeros alguna otra novela en español que trate un tema histórico?

DIMES Y DIRETES

1▪ A lo largo de la historia de la humanidad se han inventado muchas cosas. De la siguiente lista de inventos, ¿cuáles te parecen más importantes y cuáles menos? Con un compañero, ordena la lista escribiendo números del 1 (el más importante) al 10 (el menos importante).

Los adhesivos sintéticos

El ordenador personal

La máquina de escribir

La olla a presión

La cafetera

El bolígrafo

Los semáforos para invidentes

El velcro

Los botones

Los pañales desechables con adhesivo

2▪ A continuación tienes diez breves textos que hablan de los inventos anteriores. Usando tanto la lógica del texto como tu conocimiento del mundo, completa los huecos de los textos con las expresiones de tiempo (a veces vale más de una):

a) _____, las sociedades han utilizado varias recetas para conseguir unir de forma permanente distintas piezas. Para ello, empleaban pegamentos naturales, mucho menos eficaces y más lentos que los actuales. Como alternativa, surgieron los adhesivos sintéticos, cuyo uso se generalizó _____.

a principios del siglo XIX

en la segunda mitad del siglo XX

b) 1977. Primer ordenador personal. Fue el Apple II, de Macintosh, fácil de usar. _____, los ordenadores sólo eran para las empresas, pero han acabado formando parte del mobiliario de millones de hogares.

desde tiempos inmemoriales

c) Botones. No se sabe cuándo se inventó este ingenioso instrumento para cerrar la ropa, pero se han encontrado algunos en Escocia de 4.000 años de antigüedad, y _____ no ha dejado de estar presente en el atuendo del ser humano.

a mediados del siglo XX

d) _____, la máquina de escribir revolucionó la estructura de las empresas, al convertir la oficina en su centro neurálgico. Gracias a ello, _____ los oficinistas pasaron de ser un grupo ínfimo de la fuerza laboral a representar el más numeroso.

desde entonces

con el tiempo

hoy en día

e) Hasta los años cincuenta, los pañales debían lavarse una y otra vez. Los primeros pañales desechables debían sujetarse con peligrosos imperdibles o anudarse con cordones. Finalmente, _____, dos cintas laterales adhesivas simplificaron la delicada tarea.

en (la década de) los noventa

hasta esa fecha

f) _____, las prisas y la falta de tiempo impusieron nuevos hábitos. Uno de ellos fue la necesidad de cocinar los alimentos en el menor tiempo posible, sin que éstos perdieran sus valores nutritivos. La olla a presión lo hizo posible.

hasta ese momento

g) Café a presión. François Antoine Descroisilles, farmacéutico francés, inventó _____ la cafetera, que, con apenas variaciones respecto del modelo original, ha acabado por estar presente en las casas del mundo entero.

a finales del siglo XIX

h) Pluma estilográfica y bolígrafo. La historia de ambos instrumentos muestra la evolución de una tecnología de gran precisión, en una competición en la que, _____, terminó por imponerse el bolígrafo gracias a sus mayores prestaciones, pero que no ha hecho abandonar a muchos nostálgicos el uso de la pluma.

durante milenios

en aquella época

i) Semáforos para invidentes. _____, un sonido muy especial empezó a invadir las aceras de las grandes ciudades. Se trataba de un pitido que se incorporó a los semáforos para facilitar el paso a los peatones invidentes.

avanzado el siglo XX

j) Descubierto por casualidad observando una planta que se agarraba a los tejidos, _____ el velcro se ha convertido en uno de los inventos más extendidos. El empleo en su fabricación de materiales que lo hacen resistente a la luz ultravioleta y la humedad ha aumentado enormemente su capacidad de uso.

(Fragmentos adaptados de la obra *Inventos del milenio* y del artículo de Juli Capella "Cosas que han cambiado nuestra vida")

3▪ Completa estos esquemas usando expresiones de tiempo iguales o similares a las que has usado en el ejercicio anterior:

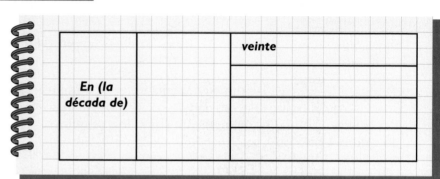

4▪ Vas a participar en un concurso sobre inventos. Escucha las instrucciones de tu profesor.

MATERIA PRIMA 3

1▪ ¿A qué objeto o persona nombrado en la sección anterior se refiere cada una de estas frases?

a) <u>Hizo posible</u> la cocción rápida sin que se perdieran los valores nutritivos de los alimentos.

b) <u>Convirtió</u> la oficina <u>en el centro</u> de las empresas.

c) <u>Terminó por imponerse</u> a la pluma.

d) <u>Pasaron de ser</u> poquísimos trabajadores <u>a ser</u> el grupo más numeroso.

e) <u>Ha acabado formando</u> parte del mobiliario de casi todas las casas.

2▪ En las frases anteriores se expresan ideas de cambio o de resultado de un proceso. ¿Con qué palabras se hace? Completa el cuadro:

PARA EXPRESAR CAMBIO, TRANSFORMACIÓN	PARA EXPRESAR EL RESULTADO FINAL DE UN PROCESO
a) .... *en + sustantivo*	d) .... *por + infinitivo (+ complementos)*
b) .... *+ adjetivo*	e) .... *+ gerundio (+ complementos)*
c) .... *de + infinitivo (+ complementos)* + ... *+ infinitivo (+ complementos)*	

3 ■ Relaciona cada hecho con un personaje y complétalo con uno de estos verbos en la forma adecuada:

ser   *convertirse*   *pasar*   *terminar*   *hacer*

Rigoberta Menchú
Guatemala

Papa Woytila
Polonia

Napoleón
Francia

Gandhi
India

Nelson Mandela
Sudáfrica

a) En pocos años, _____ de ser un simple abogado a ser uno de los activistas políticos más conocidos de todos los tiempos.

b) Después de una vida llena de poder y triunfos, _____ viviendo desterrado en una isla.

c) Tras años de cárcel por motivos políticos, acabó _____ presidente del gobierno de su país.

d) Su lucha en defensa de los pueblos indígenas la ha _____ popular, tanto que consiguió el Premio Nobel de la Paz.

e) A lo largo de su mandato, _____ en el jefe de estado más viajero de la historia.

4 ■ ¿Qué sabes de estas otras personas? Con tu compañero, intenta escribir algo sobre sus vidas usando las formas que hemos estudiado. Si no sabes muchas cosas sobre ellos, piensa en otros personajes históricos que conozcas mejor.

Eva Perón
Argentina

Che Guevara
Argentina

Luther King
Estados Unidos

Juan Carlos I
España

HABLA A TU AIRE

1■ Vamos a trabajar con los argumentos de algunas películas históricas españolas. A continuación tienes el resumen del argumento de una película, tal como podría encontrarse en una revista de cine o una página de Internet. Después hay un diálogo entre una persona que ha leído este texto y un amigo suyo. En el resumen, que es un texto escrito, y el diálogo, que es un texto oral, se dice más o menos lo mismo, pero de modo muy diferente. Busca las diferencias entre uno y otro.

> La película transcurre en una pequeña localidad castellana durante la primavera de 1931, en vísperas de declararse la II República y de que el rey Alfonso XIII abandone España, tocando la monarquía a su fin. Aunque hay confusión y desorden, un rayo de libertad va filtrándose por todo el país. Fernando deserta del ejército y conoce a Manolo, un viejo pintor que le ofrece cobijo y su amistad. Vienen de Madrid las cuatro hijas del pintor a pasar unos días con su padre. Fernando enamorará sucesivamente a Clara, Violeta, Rocío y Luz, y también se enamorará de las cuatro. Al final tendrá que decidirse...

– ¿Vamos esta tarde al cine?

+ Bueno, vale, pero ¿a ver qué?

– Podíamos ver "Belle époque".

+ ¿Y de qué va?

– Pues trata de un soldado que se escapa del ejército y conoce a un pintor que vive en un pueblo y le ayuda a esconderse. Es un poco antes de la II República, cuando Alfonso XIII estaba a punto de marcharse de España. Entonces resulta que este pintor tiene cuatro hijas que vienen al pueblo a ver a su padre, y las cuatro se enamoran del chaval, y él también se enamora de las cuatro. Puede ser divertida, ¿no?

2■ Tu profesor te va a decir a qué página del libro tienes que ir para seguir trabajando con películas históricas.

ESCRIBE A TU AIRE

1 ■ En muchas páginas de Internet dedicadas al turismo en un país, región o ciudad hay un apartado dedicado a la historia de ese lugar. Imagina que te han encargado redactar el de tu lugar de origen. Planifícalo, solo o en grupo, siguiendo estas pautas:

a) Decide qué extensión quieres que tenga (ten en cuenta que, generalmente, tendemos a leer textos no muy largos en Internet).

b) Haz un esquema de los hechos que consideres de mayor importancia.

c) Piensa que el fin último de la página es incitar al turismo. ¿Deberías omitir algún hecho que resulte claramente desfavorecedor para la imagen del lugar, o suavizarlo de alguna manera? Revisa el esquema teniendo en cuenta este punto de vista.

d) Revisa el vocabulario de las secciones "Palabra por palabra" y "Dimes y diretes". Si alguna palabra o expresión te resulta útil, anótala en el esquema.

e) Revisa las formas gramaticales de la sección "Materia prima 3". Si te sugieren alguna idea, anótala en el esquema.

2 ■ Intercambia tu esquema con un compañero o con otro grupo.

3 ■ Lee el esquema que te han dado y responde estas preguntas:

a) ¿Hay algo que necesite más explicación?

b) ¿Hay algo más que te gustaría saber?

c) ¿La selección de los hechos resulta adecuada para un texto turístico?

4 ■ Teniendo en cuenta las sugerencias recibidas, redacta, solo o en grupo, el escrito final.

1 ■ Lee las palabras que están marcadas en el siguiente cuento y contesta las preguntas:

a) ¿En qué época histórica se sitúa?

b) ¿En qué lugar?

2 ■ Lee el cuento. ¿Crees que está completo?

El eclipse

Cuando **fray Bartolomé Arrazola** se sintió perdido aceptó que ya nada podría salvarlo. **La selva poderosa de Guatemala** lo había apresado, implacable y definitiva. Ante su ignorancia topográfica se sentó con tranquilidad a esperar la muerte. Quiso morir allí, sin ninguna esperanza, aislado, con el pensamiento fijo en **la España distante**, particularmente en el convento de Los Abrojos, donde **Carlos Quinto** condescendiera una vez a bajar de su eminencia para decirle que confiaba en **el celo religioso de su labor redentora.**

Al despertar se encontró rodeado por un grupo de indígenas de rostro impasible que se disponían a sacrificarlo ante un altar, un altar que a Bartolomé le pareció como el lecho en que descansaría, al fin, de sus temores, de su destino, de sí mismo.

Tres años en el país le habían conferido un mediano dominio de las lenguas nativas. Intentó algo. Dijo algunas palabras que fueron comprendidas.

Entonces floreció en él una idea que tuvo por digna de su talento y de su cultura universal y de su arduo conocimiento de Aristóteles. Recordó que para ese día se esperaba un eclipse total de sol. Y dispuso, en lo más íntimo, valerse de aquel conocimiento para engañar a sus opresores y salvar la vida.

–Si me matáis –les dijo– puedo hacer que el sol se oscurezca en su altura.

Los indígenas lo miraron fijamente y Bartolomé sorprendió la incredulidad en sus ojos. Vio que se produjo un pequeño consejo, y esperó confiado, no sin cierto desdén.

Augusto Monterroso, *Obras completas (y otros cuentos)*

3 ■ ¿Qué crees que pasa en la parte del cuento que falta? ¿Sabes algo de la cultura maya que te ayude a imaginarlo? Quizá la imagen de la derecha te sugiera algo.

4 ■ Tu profesor te va a leer la parte que falta. Escucha y comenta con tus compañeros: ¿Qué quiere decirnos Monterroso con esta historia? ¿Crees que a muchos occidentales de hoy les pasa lo mismo cuando piensan en otras culturas?

Augusto Monterroso, escritor guatemalteco, escribió sobre todo cuentos breves. Si te ha gustado éste, ¡lee a tu aire!

Repaso II
Unidades 4-6

Las respuestas correctas pueden ser todas, algunas o una sola.

1▪ Quiero hacer un donativo con _____ a la cuenta n.° 4752.

   a) cargo   b) transferencia

   c) ingreso   d) reintegro

2▪ ¿Cuáles de estas cosas se pueden domiciliar?

   a) el saldo   b) un extracto

   c) un recibo   d) la nómina

3▪ En muchos países de América el dinero también se llama _____.

   a) pepitas   b) oro

   c) plata

4▪ Es una asociación _____. Quieren ayudar a los demás, no hacerse ricos.

   a) de andar por casa   b) sin fines lucrativos

   c) que cobra honorarios

5▪ Soy un desastre para las matemáticas. Las cuentas _____.

   a) son negadas   b) son lo mío

   c) no son lo mío   d) no tienen facilidad

6▪ –¿Te hacen falta zapatos?

   + _____.

   a) No, zapatos tengo un montón

   b) No, zapatos los tengo un montón

   c) No, los zapatos tengo un montón

7▪ –¿Quién te compra la ropa?

   + _____.

   a) La ropa me la compro yo

   b) Ropa me la compro yo

   c) La ropa me compro yo

8▪ Cuando la economía se _____, los gobiernos suelen _____ los tipos de interés.

   a) reduce / retraer   b) modera / reducir

   c) reajusta / flexibilizar d) enfría / recortar

9▪ Cuando no se logra contener la inflación, los precios se _____.

   a) moderan   b) disparan

   c) reajustan   d) flexibilizan

10▪ Completa estos extractos de una carta con las preposiciones que faltan:

   _____ respuesta a su solicitud _____ fecha 20 de octubre, nos es grato comunicarle que...

   ... _____ otro particular, le saluda atentamente...

11▪ Cuando voy en tren, me gusta llevar la mochila cerrada con un _____.

   a) parche   b) bermudas.

   c) forro polar   d) candado

12▪ Es tan guapo que _____ pasiones entre sus compañeras.

   a) despierta   b) profesa

   c) levanta   d) desarrolla

13 ▪ Al contrario de lo que opina mucha gente, el alcohol no es un buen _____ para superar el miedo al avión.

a) disparate   b) remedio

c) sosiego

14 ▪ Cuando uno está en el interior del avión _____ desvalido.

a) uno se siente   b) se siente

c) uno te sientes   d) te sientes

15 ▪ Cuanto más _____ del suelo, peor _____.

a) se aleja uno / te sientes

b) se aleja uno / se siente

c) te alejas / te sientes

d) uno se aleja / uno se siente

16 ▪ Aunque viaje usted a un país que le resulte barato, no crea que conseguirá oro al precio del hierro, porque _____. Lo caro es caro en todas partes.

a) hay cariños que matan

b) no todo el monte es orégano

c) es una odisea

12 ▪ Cuando uno va de aventura, debe estar preparado para _____ sus necesidades en cualquier parte.

a) hacer   b) atender

c) tener

18 ▪ Me gusta viajar siempre en vuelos regulares porque _____ de que haya un accidente.

a) tengo la total seguridad

b) siento la necesidad

c) hay menos posibilidades

d) tengo la conciencia

19 ▪ _____ que la gente se aburre cuando les enseño las fotos de mis viajes.

a) Me hace ilusión

b) Tengo la impresión de

c) Tengo la sensación de

d) Corro el riesgo

20 ▪ _____ que no te haya gustado tu viaje.

a) Siento   b) Noto

c) Tengo la sensación d) Estoy convencido de

21 ▪ El tren pasa por distintas aldeas en su _____.

a) trayecto   b) travesía

c) escapada   d) recorrido

22 ▪ Nuestra agencia les propone una _____ por los castillos de la provincia.

a) ruta   b) escala

c) travesía

23 ▪ El resto de la expedición los esperaba en lo alto del _____.

a) acantilado   b) pantano

c) pico   d) litoral

24 ▪ ¡Esto es _____! En cuanto volvamos a España pienso ponerles una denuncia.

a) la coronilla   b) el último pelo

c) el colmo   d) el acabose

25 ▪ ¿Qué significa "Si el avión llega a dar un salto más, me da un infarto"?

a) El avión llegó a saltos.

b) Me va a dar un infarto.

c) Casi me dio un infarto.

d) El avión ya no dio más saltos.

26 ▪ ¿Qué significa "Si sé que el avión iba a ser tan pequeño, no saco el billete"?

a) No sabía que el avión era pequeño.

b) No saqué el billete.

c) Sabía que el avión era pequeño.

d) Saqué el billete.

27 ▪ ¿Qué significa "Si supiera cuándo iban a llegar, me acercaba al aeropuerto a buscarlos"?

a) Cuando sabía la hora, iba al aeropuerto.

b) Como no sabía la hora, no iba al aeropuerto.

c) No sé la hora y no voy a ir al aeropuerto.

28 ▪ Las _____ son una especie de zapatillas.

a) cómodas   b) alpargatas

c) vestimentas   d) quintas

29 ▪ Los años de la posguerra en España fueron de gran _____.

a) hacinamiento   b) sarna

c) cotidianeidad   d) penuria

30 ▪ Imagínate que no _____ la penicilina. ¿Cuánta gente habría muerto?

a) descubrirían

b) hayan descubierto

c) hubieran descubierto

d) descubriesen

31 ▪ El nuevo líder de la oposición acaba de presentar su _____ a la presidencia para las próximas elecciones.

a) candidatura   b) oposición

c) conflagración   d) sucesión

32 ▪ El 20 de noviembre de 1975 _____, a los 82 años de edad, el general Franco.

a) moría   b) moriría

c) murió   d) muriera

33 ▪ ¿De qué otras maneras se puede referir uno a la fecha 1953? Completa las expresiones:

a) a _____ del siglo XX.

b) en la _____ de los 50.

c) en la _____ mitad del siglo XX.

34 ▪ Aunque nació en una familia muy humilde, _____ siendo la mujer más rica de su país.

a) terminó   b) pasó

c) se convirtió

35 ▪ _____ de ser un político muy popular a _____ en un dictador feroz.

a) Terminó / ser

b) Se convirtió / hacerse

c) Pasó / convertirse

¿TÚ QUÉ CREES?

1 ▪ ¿Podrías ordenar estas esculturas según su antigüedad?

2 ▪ Si te las regalaran, ¿dónde las pondrías?

CON TEXTOS 1

1 ▪ ¿Tú qué crees: los museos deben ser gratuitos o no? En los países que conoces, ¿son gratuitos o hay que pagar? ¿Hay precios diferentes para diferentes colectivos de personas (estudiantes, jubilados, etc.)?

2 ▪ Más adelante vas a leer dos textos: el primero, a favor de la gratuidad de los museos; el segundo, en contra. Antes de leerlos, trata de imaginar lo que van a decir completando las siguientes frases:

A FAVOR DE LA GRATUIDAD DE LOS MUSEOS
• La belleza no ....
• Si hay que pagar, mucha gente ....
• Que pague todo el mundo es contraproducente, porque precisamente ....

EN CONTRA DE LA GRATUIDAD DE LOS MUSEOS
• Si se paga, la gente ....
• Si es gratis, mucha gente ....
• La entrada debe ser gratuita solamente ....

3 ▪ Lee ahora los dos textos y comprueba si han utilizado los argumentos que pensabas. Marca en el texto todo aquello que te ayude a responder:

MUSEOS GRATUITOS

A FAVOR
Enriqueta Antolín

¿Hay acaso que pagar por la mirada? Mirar es un derecho. La belleza está al alcance de los ojos, la belleza de los hombres y mujeres que nos cruzamos en el camino, los rostros delicados
5 de los niños pequeños, la gracia infinitamente variada del reino animal. Es gratis el atardecer, la línea del horizonte, el brillo de los peces en la pescadería, el material con el que los artistas crean un mundo.
10 ¿Y qué pasa cuando hay que pagar para mirar un cuadro, una escultura? Pasa que se despejan las salas de los museos y se aligeran las interminables colas de las exposiciones. Pasa que la familia tentada por la oferta en el paseo domi-
15 nical mira de reojo la puerta que esconde más que guarda la belleza y sigue su camino; que quienes no vieron nunca siguen con los ojos cerrados.

En un mundo ideal ¿o hay que decir utópico? la
20 cultura tendría que manar como las fuentes manaban en la Arcadia, como dicen que corrían en el Olimpo: con agua fresca y limpia, con leche y con miel.

La cultura debería ser pan nuestro de cada día
25 y el Estado ser capaz de dárnoslo hoy. De dárselo sobre todo a los más desnutridos, a los que

de tanta hambre atrasada como tienen ni siquiera sienten ya ningún remusguillo* dentro del
estómago. Aunque no sean capaces de degustar
30 cumplidamente tan exquisito alimento; aunque
las primeras veces que se sienten a la mesa no
sean capaces de digerirlo. Aunque a algunos
gourmets les moleste compartir con ellos los
manteles.

* Palabra poco utilizada: significa 'inquietud'.

EN CONTRA
Masha Prieto

35 La economía no está reñida con el arte, pero
sus relaciones son más sutiles. No cabe aplicar a
una obra de arte o a una exposición las reglas
del mercado puro y duro. Quiero decir que no
es directamente proporcional el interés que
40 tiene el público por el arte y la baratura con que
se ofrece.

Dice el refrán que el que algo quiere algo le
cuesta, y el precio del arte puede servir para una
mayor valoración del mismo por parte de los ciu-
45 dadanos con sensibilidad para disfrutarlo.

Si los museos son totalmente gratis, se convierten
en una obligación para quienes, al margen de sus
apetencias artísticas, aprovechan la ocasión para
ahorrar, del mismo modo que cuando las amas de
50 casa compran productos que no necesitan para
nada, pero que les ofrecen de oferta en el super-
mercado. Para entrar en todos los museos del
Estado hay que pagar, o al menos, es conveniente que no sean gratis.

55 Ahora bien, hay que salvar el derecho de las
personas carentes de recursos e interesadas por
el arte, que no deben resultar discriminadas por
su falta de medios económicos. Debe haber
días, domingos y lunes, por ejemplo, que sean
60 gratuitos.

Del mismo modo debe facilitarse la entrada
gratuita a los museos a todos los pintores,
escultores y profesionales del arte, quienes
también deben tener acceso a adquirir catálo-
65 gos o cualquier tipo de información adicional a
precio de costo.

En resumen, que el arte no esté nunca en oferta y que, en cambio, sea accesible para quienes
más lo aman o saben gustarlo.

4 Contesta las siguientes preguntas analizando los dos textos anteriores:

a) ¿Cuál está escrito en un tono más objetivo y cuál en un tono más poético?

b) ¿En cuál abundan más las palabras relacionadas con la economía?

c) ¿En cuál se da la idea de que el arte es tan necesario para el ser humano como los alimentos?

d) ¿Cuál te parece más elitista y cuál más populista?

5 Vas a trabajar con un compañero. Uno de los dos va a leer en voz alta el primer texto al otro; el que escucha tiene que apuntar, sin mirar el libro, todas las palabras relacionadas con la alimentación y el acto de comer. Después, se hará al revés con el segundo texto; el que escucha tendrá que apuntar todas las palabras relacionadas con la economía.

Cuando terminéis ambos textos, comprobad si habéis escrito bien todas las palabras, y si falta alguna.

6 ¿Cuál de los dos artículos te convence más? ¿Cuál crees que está mejor escrito?

MATERIA PRIMA 1

1 ▪ Dos amigos están viendo una exposición titulada "Curiosidades del mundo del arte". Están en la sección "Detalles biográficos curiosos" y van haciendo comentarios sobre lo que les llama la atención. ¿De quién crees que hablan en cada uno de estos comentarios?

a) ¡Es increíble lo que trabajó! Vivía para el arte, eso está claro.

b) ¡Hay que ver lo descuidado que era!

c) La verdad es que fue muy valiente. ¿Te imaginas el miedo que debió de pasar?

d) ¡Qué barbaridad! ¡Fíjate lo deprisa que escribía! ¿Lo has leído? ¡Y la de trabajos diferentes que hizo! A algunos la vida les da para mucho, ¿eh?

MANUEL DE FALLA
MÚSICO ESPAÑOL
1876-1946

Fue una de las pocas personas que, en 1936, a comienzos de la Guerra Civil, se atrevió a ir a la comisaría a protestar por la detención del poeta Federico García Lorca, que después fue asesinado.

ANTONIO GAUDÍ
ARQUITECTO ESPAÑOL 1852-1926

Su aspecto era tan desastroso que, cuando murió atropellado por un tranvía, durante las primeras horas se pensó que era un mendigo.

JACK LONDON
ESCRITOR ESTADOUNIDENSE
1876-1916

Trabajador de una fábrica, marinero, revolucionario, corresponsal de guerra, granjero. Escribió 51 libros en 16 años.

PABLO PICASSO
PINTOR ESPAÑOL
1881-1973

Además de pintar, esculpió, ilustró libros, dibujó, etc. En total, terminó unas 20.000 obras.

2■ Observa de nuevo los comentarios de los dos amigos y escribe un ejemplo de cada una de las estructuras en el cuadro:

	lo (mucho) que + oración **EJEMPLO: lo que trabajó**
	lo + adjetivo + que + oración **EJEMPLO:**
Fíjate... *Hay que ver...* *¿Te imaginas...?* *¡Es increíble...!* *¡Madre mía! ¡...!* *¡Qué barbaridad! ¡...!*	**lo + adverbio + que + oración** **EJEMPLO:**
	el/la/los/las + sustantivo + que + oración **EJEMPLO:**
	la (cantidad) de + sustantivo + que + oración **EJEMPLO:**

3■ Vamos a comparar las construcciones anteriores con sus equivalentes en significado, que serían estas:

¡Cuánto trabajó!

¡Qué descuidado era!

¡Qué deprisa escribía!

¡Qué miedo debió de pasar!

¡Qué de / Cuántos trabajos diferentes tuvo!

Piensa en la situación de la primera actividad, la de dos amigos que están leyendo al mismo tiempo los paneles de la exposición. ¿Qué crees que distingue a las construcciones de la actividad 2 de sus equivalentes más "simples" de esta actividad?

Las construcciones de la actividad 2... (elige la opción correcta):

a) Son mucho más enfáticas; quieren decir: pasó mucho más miedo, era mucho más descuidado, escribía mucho más deprisa, etc.

b) Las usa el hablante cuando su intención no es dar una información, sino reaccionar (con sorpresa, admiración, desagrado, etc.) ante algo ya constatado, expresado o pensado previamente.

c) Las usa el hablante cuando quiere llamar la atención de su interlocutor; como son mucho más largas y contienen más palabras, resultan mucho más atractivas para el oyente.

4■ Completa estos otros comentarios sobre la exposición "Curiosidades del mundo del arte". Escribe una sola palabra en cada espacio en blanco:

Bela Bartók, músico húngaro, 1881–1945
Compuso su primera obra con 8 años y apareció en público como pianista a los 10.

a)
¡Qué barbaridad!
¡_____ precoz que fue!

b) ¡Fíjate _____ años _____ se pasó con una sola obra! ¡Así le salió de bien! Porque hay que ver _____ bien que escribe este hombre, ¿eh?

Gabriel García Márquez, escritor colombiano, 1928
Trabajó 22 años en su novela *Cien años de soledad*.

c)
¿_____ imaginas _____ se debió de enfadar cuando las vio?

Eduardo Chillida, escultor español, 1924–2002
Pasó parte de la posguerra en París. Cuando volvió a España, la mayoría de sus escayolas llegaron rotas.

d)
– ¡Hay que ver _____ _____ sombrillas que se tirarían a la basura! ¡Ya podía habérselas regalado a los japoneses, que las usan mucho!
+ Pues sí. ¿Y te imaginas _____ _____ tela que debió de necesitar para tapar dos kilómetros? ¡Con esa tela se hubieran podido vestir cincuenta familias por lo menos!

Christo, artista estadounidense nacido en Bulgaria, 1935
Todas sus obras son efímeras: las monta, están un tiempo y desaparecen. Hizo una exposición de 3.100 sombrillas gigantes en Japón. En 1969 envolvió con tela más de dos kilómetros de costa en Australia.

5 ¿Conoces a la mujer de la fotografía?

Lee el resumen de su vida que tienes a continuación. Cuando algo te llame la atención, hazle un comentario a tu compañero utilizando las formas que has practicado antes, como en el ejemplo que te damos. Tomad nota de vuestros comentarios para luego comprobar si habéis usado correctamente las formas.

Frida Kahlo, pintora mexicana, nació en 1907 y murió en 1954, una semana después de cumplir los 47 años. Su producción, apenas 200 cuadros en toda su vida, consiste en su mayoría en autorretratos; ya a los 16 años pintó el primero, aunque ella decía que había empezado a pintar por aburrimiento a los 18 años, a raíz de un terrible accidente que la mantuvo mucho tiempo en cama. Su madre colocó un espejo en la cama, y ella se usó a sí misma de modelo, como seguiría haciendo durante casi toda su vida.

EJEMPLO: "¡Pobrecilla! ¡Lo joven que se murió!"

Su vida abundó en terribles dolores. A los seis años de edad enfermó de poliomielitis y estuvo en cama durante nueve meses. Le quedó la pierna derecha más delgada y una cojera leve. A los 18 iba a la escuela y un tranvía embistió el autobús en el que viajaba: el tranvía trituró el costado del autobús, y Frida apareció desnuda entre los hierros, con una barra atravesándole el cuerpo y recubierta de una pintura dorada procedente de un bote que alguien llevaba en el autobús. La colisión le partió la columna por tres sitios, le rompió el fémur y las costillas, le fracturó la pelvis y las piernas, y le aplastó por completo el pie derecho. Tenía, sin embargo, una fuerza de voluntad tremenda que hizo que, dos años después, consiguiera llevar una vida prácticamente normal, aunque siempre con dolores.

Su vida sentimental también estuvo llena de sobresaltos: cuando tenía 22 años, conoció a Diego Rivera, importante pintor mexicano, que tenía 42. La noche en que fueron presentados, Rivera se lió a tiros aunque no le hizo daño a nadie. A Frida le encantó desde el primer momento, aunque la asustaba. Se casaron enseguida, y en la fiesta de la boda, Rivera volvió a utilizar la pistola e hirió a uno de los invitados.

Su relación fue intensa y extraña, con una alternancia de dulzura y crueldad: Diego Rivera la atormentó psíquicamente, la engañó con multitud de mujeres y la abandonó en momentos de gran necesidad, pero en otros momentos fue una gran ayuda para ella, y siempre fue el más apasionado defensor de su arte. Se separaron, después de que Frida se enterara de que la había engañado con su propia hermana, y se volvieron a casar dos años más tarde, con la condición, puesta por Frida, de que no habría sexo entre ellos. Durante este segundo matrimonio, también Frida tuvo numerosos amantes.

Poco a poco, el cuerpo de Frida se fue deshaciendo: la espalda se le torcía, tuvo varios abortos en su vano intento de tener hijos, se bebía una botella de coñac al día contra el dolor (y en los últimos años, dos botellas), sufrió al menos 32 operaciones, y en 1953 tuvieron que amputarle una pierna desde la rodilla. Poco antes de la amputación se había inaugurado su primera gran exposición en México; ella estaba ya tan mal que los organizadores creyeron que no podría acudir, pero a Diego Rivera se le ocurrió la idea de mandar su cama e instalarla en medio de la sala de exposiciones, y luego llevar a Frida en ambulancia. Así asistió a su fiesta de inauguración, muy maquillada y muy elegante, tumbada sobre su lecho.

Su último cuadro fue un bodegón de sandías en el que, sobre la carne roja de la fruta, escribió: "Viva la vida".

(Basado en el artículo "Frida Kahlo. El mundo es una cama", de Rosa Montero)

PALABRA POR PALABRA 1

1 ■ Vamos a repasar y aprender palabras relacionadas con algunas artes. Marca todas las
que ya conoces.

cincel

acuarela

alféizar

buhardilla

bóveda

azotea

cornisa

columna

cúpula

grabado

esculpir

pilar

mármol

lienzo

pincelada

pincel

paleta

óleo

"Arte" es una palabra masculina cuando se usa en singular, y femenina cuando se usa en plural: "En general, no me gusta mucho <u>el</u> arte abstract<u>o</u>", "Mi hijo va a estudiar Bell<u>as</u> Artes"

tabique

2 ■ Trabaja con un compañero. Explícale el significado de las palabras que él no conozca y tú sí. Organiza después todas las palabras conocidas en este cuadro:

	COSAS	LUGARES	ACCIONES
PINTURA			
ESCULTURA			
ARQUITECTURA			

3 ■ Junto con tu compañero, pregunta el significado de las palabras que no conoces a otras parejas hasta tener completo el cuadro.

4 ■ Contesta estas preguntas con el máximo de palabras posible del ejercicio 1, como en el ejemplo:

EJEMPLO:

¿A dónde puedes subirte? A una azotea, a una buhardilla, a un pilar, a una columna.

a) ¿En qué te puedes apoyar?

b) ¿Dónde podrías vivir?

c) ¿Qué puedes aprender?

d) ¿Qué puedes pintar?

e) ¿Con qué puedes pintar?

f) ¿Con qué puedes esculpir?

PALABRA POR PALABRA 2

1 ■ ¿Qué palabra falta en la última viñeta?

2■ Cuando hablamos de pintura, usamos algunas palabras "objetivas" para describir y otras "subjetivas" para valorar las obras de arte. Escribe en este cuadro las expresiones que utiliza Goomer en la columna que te parezca apropiada:

HABLAR DE OBRAS DE ARTE	
LÉXICO DESCRIPTIVO	**LÉXICO VALORATIVO**
	· *Esos maravillosos contrastes tan llenos de matices* · *Es una (auténtica) obra de arte*

3■ A lo largo de esta unidad vas a necesitar conocer otras expresiones, palabras y frases que usamos habitualmente para hablar de arte. A continuación tienes algunas; inclúyelas en el cuadro de la actividad 2 en la columna que creas conveniente.

- es la joya del museo
- está en la colección permanente del museo
- clasicismo
- (es una obra) llena de sensibilidad
- un recorrido por la vida artística de (un pintor)
- figuras llenas de movimiento

- (es una obra) entrañable
- cubismo
- perspectiva
- (es una obra) de una gran delicadeza
- pincelada gruesa / suelta
- es una preciosidad
- luz
- técnica

¡LO QUE HAY QUE OÍR! 1

1 ▪ ¿Conoces este cuadro? Responde las preguntas:

   a) ¿Sabes en qué museo está?

   b) ¿Qué figuras puedes distinguir? Descríbelas.

   c) ¿Qué crees que representa en conjunto?

   d) ¿Sabes algo sobre su historia?

2 ▪ Vamos a escuchar una retransmisión radiofónica grabada el día de la inauguración del Museo Picasso de Málaga. En el programa se está haciendo un recorrido por los diferentes museos donde hay obras importantes de Picasso. Escucha el primer fragmento y comprueba tus respuestas a la actividad 1.

3 ▪ Escucha el siguiente fragmento del programa: ¿cuáles de estos cuadros se mencionan y cuáles no?

4 ▪ Vuelve a escuchar los dos fragmentos y fíjate en los siguientes detalles:

   a) ¿Cuál de los dos museos tiene más obras de Pablo Picasso?

   b) ¿Qué otras artes cultivó además de la pintura?

   c) Picasso tuvo numerosas relaciones sentimentales a lo largo de su vida. ¿A cuántas de esas mujeres se menciona en la grabación?

   d) ¿Cuál es "la joya" de cada uno de estos museos?

5 ▪ ¿Te gustan las obras de Picasso? ¿Qué te sugieren a ti personalmente?

DIMES Y DIRETES 1

1 ▪ La revista *Artes múltiples* ha dedicado un número especial a las versiones de obras artísticas famosas. En una de sus secciones hay una encuesta a los lectores. Vamos a leer algunas respuestas a la pregunta: "¿Cuál de estos dos cuadros le parece mejor: el original o su versión?".

"Los fusilamientos del 3 de mayo", por Francisco de Goya, español, siglo XVIII

"Los fusilamientos del 3 de mayo", por Enrique Sánchez Martínez, colombiano, siglo XX

Lee las respuestas de los lectores y contesta estas preguntas:

a) ¿Quién o quiénes opinan que uno de los cuadros es mejor que el otro?

b) ¿Quién o quiénes opinan que los dos cuadros tienen la misma calidad?

c) ¿Quién o quiénes piensan que son tan diferentes que no es posible hacer una comparación?

ANTONIO BUENO, 67 AÑOS, JUBILADO

"Bueno, es que **no hay comparación**: la de Goya es muchísimo mejor, la otra son cuatro pinceladas mal dadas".

MARINA ARRIBAS, 42 AÑOS, PROFESORA

"Yo creo que simplemente **no se pueden comparar**. Cada obra es de su tiempo, y hay dos siglos de diferencia entre una y otra".

IÑAKI GARMENDIA, 22 AÑOS, ESTUDIANTE

"A mí los dos cuadros me parecen fantásticos, **a cuál mejor**".

ELENA RODRÍGUEZ, 35 AÑOS, ADMINISTRATIVA

"A mí me parece que **no hay color**. La versión de Sánchez me parece muy pobre, me parece que es un cuadro que no dice nada por sí mismo".

ABEL LLACH, 45 AÑOS, ENFERMERO

"La verdad, no sé qué decir, porque realmente **no tienen nada que ver**. Son estilos completamente diferentes y difíciles de comparar".

CATALINA FONTÁN, 60 AÑOS, AMA DE CASA

"Yo lo siento, pero no me gusta ninguno de los dos. Son **a cuál más feo**. Desde luego, yo no pondría ninguno de los dos en el salón de mi casa".

2 ■ ¿Qué expresiones han utilizado los lectores para decir las siguientes cosas? Escríbelas en cada grupo.

a) Uno de los cuadros es muchísimo mejor que el otro:

b) Los dos son igual de buenos:

c) Los dos son igual de feos:

d) Son obras demasiado diferentes como para poder comparar:

3 ■ Completa la siguiente encuesta sobre otros dos cuadros escribiendo una palabra en cada espacio en blanco (a veces hay más de una posibilidad):

"Las Meninas", Diego de Velázquez,
español

"Las Meninas", Pablo Picasso,
español

NUESTROS LECTORES OPINAN:

- "Realmente son obras tan diferentes que no se _____ (a) comparar".
- "Para mí es infinitamente mejor el cuadro de Picasso. Yo creo que no hay _____ (b)".
- "Los dos son inmejorables. Son dos obras _____ (c) cuál _____ (d) genial".
- "Es que no tienen _____ (e) que _____ (f). Una es realista, la otra cubista; una es un encargo de la Corte, la otra es una obra de expresión libre. En fin, hay demasiadas diferencias como para poder decir si una es mejor o peor que otra".

4 ■ Junto con otros compañeros, vas a hacer una encuesta similar a la de la actividad I comparando la obra "Las Meninas" de Diego de Velázquez con algunas de las muchas versiones que se han hecho de este cuadro. Escucha las instrucciones de tu profesor.

PALABRA POR PALABRA 3

1 ■ Vamos a repasar y aprender palabras relacionadas con otras artes de las que no hemos tratado hasta ahora. De la siguiente lista, marca todas las palabras que ya conoces.

acomodador

afinar

batuta

butaca

cuerda

escenografía

foco

escenario

repertorio

palco

solfeo

partitura

escena

rima

tramoyista

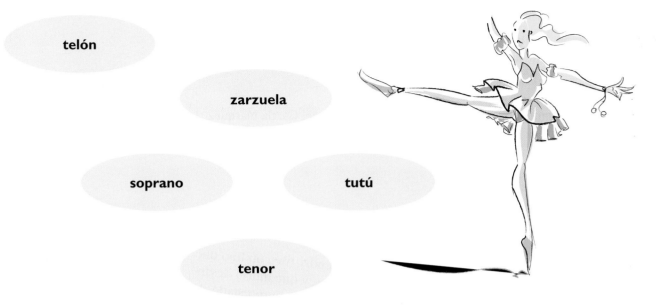

telón

zarzuela

soprano

tutú

tenor

2 ▪ Trabaja con un compañero. Explícale el significado de las palabras que él no conozca y tú sí. Organiza después todas las palabras conocidas en este cuadro (algunas palabras pueden aparecer más de una vez):

	PERSONAS	OBJETOS	LUGARES	ACCIONES	OTROS
LITERATURA Y TEATRO					
MÚSICA Y CANTO					
DANZA					

3 ▪ Junto con tu compañero, pregunta el significado de las palabras que no conoces a otras parejas hasta tener completo el cuadro.

4 ▪ Contesta estas preguntas con el máximo de palabras posible del ejercicio 1:

   a) ¿Qué puedes leer?

   b) ¿Qué te puede deslumbrar?

   c) ¿Qué puedes aprender?

   d) ¿A quién podrías conocer?

   e) ¿Qué puedes cantar?

   f) ¿Con qué te podrías vestir si hubieras perdido tu ropa?

   g) ¿Dónde te podrías sentar?

CON TEXTOS 2

1 ■ Los textos siguientes son fragmentos de novelas de Gabriel García Márquez. Lee cada uno y di si te parece un episodio:

– real o imaginario

– fantástico o realista

– verosímil o inverosímil

"Una tía de Úrsula, casada con un tío de José Arcadio Buendía, tuvo un hijo que pasó toda la vida con unos pantalones englobados y flojos, y que murió desangrado después de haber vivido cuarenta y dos años en el más puro estado de virginidad, porque nació y creció con una cola cartilaginosa en forma de tirabuzón y con una escobilla de pelos en la punta. Una cola de cerdo que no se dejó ver nunca de ninguna mujer, y que le costó la vida cuando un carnicero amigo le hizo el favor de cortársela..." *(Cien años de soledad)*

"(el general) ordenó establecer en cada provincia una escuela gratuita para enseñar a barrer cuyas alumnas fanatizadas por el estímulo presidencial siguieron barriendo las calles después de haber barrido las casas y luego las carreteras y los caminos vecinales, de manera que los montones de basura eran llevados y traídos de una provincia a la otra sin saber qué hacer con ellos en procesiones oficiales con banderas de la patria y grandes letreros de Dios guarde al purísimo que vela por la limpieza de la nación" *(El otoño del patriarca)*

"... ni siquiera un hombre de la escolta había escapado vivo de la encerrona sangrienta, nadie mi general, salvo el general Saturno Santos que estaba acorazado con sus ristras de escapularios y conocía secretos de indios para cambiar de naturaleza según su voluntad, maldita sea, podía volverse armadillo o estanque mi general, podía volverse trueno, y él supo que era cierto porque sus baquianos[1] más astutos le habían perdido el rastro desde la última Navidad, los perros tigreros mejor entrenados lo buscaban en sentido contrario" *(El otoño del patriarca)*

[1] (Palabra muy poco usada) Conocedor de los caminos y atajos.

2 ■ Lee las tres primeras frases del artículo de Gabriel García Márquez que tienes más adelante. ¿A quién crees que se refiere con las palabras "nuestra" y "nosotros"?

3 ■ Las palabras siguientes aparecen en el texto. ¿Sabes qué significan? Si no, puedes utilizar el diccionario para averiguarlo. A continuación, haz una primera lectura del artículo y escribe cada palabra en su lugar (en la forma adecuada).

delirio	**estigma**	**péndulo**	**sacudida**	**invulnerable**
prófugo	**reja**	**estampido**	**profuso**	**escabullirse**
sincretismo	**lava**	**aguacero**	**encrucijada**	**recorte**
forrar				

ALGO MÁS SOBRE LITERATURA Y REALIDAD

Un problema muy serio que nuestra realidad desmesurada plantea a la literatura es el de la insuficiencia de las palabras. Cuando nosotros hablamos de un río, lo más lejos que puede lle-
5 gar un lector europeo es a imaginarse algo tan grande como el Danubio, que tiene 2.790 kilómetros. Es difícil que se imagine, si no se le describe, la realidad del Amazonas, que tiene 5.500 kilómetros de longitud. Frente a Belén
10 del Pará no se alcanza a ver la otra orilla, y es más ancho que el mar Báltico. Cuando nosotros escribimos la palabra "tempestad", los europeos piensan en relámpagos y truenos, pero no es fácil que estén concibiendo el mismo fenóme-
15 no que nosotros queremos representar. Lo mismo ocurre, por ejemplo, con la palabra "lluvia". En la cordillera de los Andes, según la descripción que hizo para los franceses otro francés llamado Javier Marimier, hay tempestades
20 que pueden durar hasta cinco meses. "Quienes no hayan visto esas tormentas", dice, "no podrán formarse una idea de la violencia con que se desarrollan. Durante horas enteras los relámpagos se suceden rápidamente a manera
25 de cascadas de sangre y la atmósfera tiembla bajo la _____ (1) continua de los truenos, cuyos _____ (2) repercuten en la inmensidad de la montaña". La descripción está muy lejos de ser una obra maestra, pero bastaría
30 para estremecer de horror al europeo menos crédulo.

De modo que sería necesario crear todo un sistema de palabras nuevas para el tamaño de nuestra realidad. Los ejemplos de esa necesi-
35 dad son interminables. F. W. Up de Graff, un explorador holandés que recorrió el alto Amazonas a principios de siglo, dice que encontró un arroyo de agua hirviendo donde se hacían huevos duros en cinco minutos, y
40 que había pasado por una región donde no se podía hablar en voz alta porque se desataban _____ (3) torrenciales. En algún lugar de la costa caribe de Colombia, yo vi a un hombre rezar una oración secreta frente a una vaca que
45 tenía gusanos en la oreja, y vi caer los gusanos muertos mientras transcurría la oración. Aquel hombre aseguraba que podía hacer la misma cura a distancia, siempre que le hicieran la descripción del animal y le indicaran el lugar en
50 que se encontraba. El 8 de mayo de 1902, el volcán Mont Pelé, en la isla Martinica, destruyó en pocos minutos el puerto de Saint-Pierre y mató y sepultó en _____ (4) a la totalidad de sus 30.000 habitantes. Salvo uno: Ludger
55 Sylvaris, el único preso de la población, que fue protegido por la estructura _____ (5) de la celda individual que le habían construido para que no pudiera escapar.

Esa realidad increíble alcanza su densidad máxi-
60 ma en el Caribe, que, en rigor, se extiende (por el norte) hasta el sur de Estados Unidos, y por el sur, hasta Brasil. No se piense que es un _____ (6) expansionista. No: es que el Caribe no es sólo un área geográfica, como por
65 supuesto lo creen los geógrafos, sino un área cultural muy homogénea.

En el Caribe, a los elementos originales de las creencias primarias y concepciones mágicas anteriores al descubrimiento, se sumó la
70 _____ (7) variedad de culturas que confluyeron en los años siguientes en un

_____ (8) mágico cuyo interés artístico y cuya propia fecundidad artística son inagotables. La contribución africana fue forzosa e indignante, pero afortunada. En esa _____ (9) del mundo se forjó un sentido de libertad sin término, una realidad sin Dios ni ley, donde cada quien sintió que le era posible hacer lo que quería sin límites de ninguna clase: y los bandoleros amanecían convertidos en reyes, los _____ (10) en almirantes, las prostitutas en gobernadoras. Y también lo contrario.

Yo nací y crecí en el Caribe. Lo conozco país por país, isla por isla, y tal vez de allí provenga mi frustración de que nunca se me ha ocurrido nada ni he podido hacer nada que sea más asombroso que la realidad. Lo más lejos que he podido llegar es a trasponerla con recursos poéticos, pero no hay una sola línea en ninguno de mis libros que no tenga su origen en un hecho real. Una de esas trasposiciones es el _____ (11) de la cola de cerdo que tanto inquietaba a la estirpe de los Buendía en *Cien años de soledad.* Yo hubiera podido recurrir a otra imagen cualquiera, pero pensé que el temor al nacimiento de un hijo con cola de cerdo era la que menos probabilidades tenía de coincidir con la realidad. Sin embargo, tan pronto como la novela empezó a ser conocida, surgieron en distintos lugares de las Américas las confesiones de hombres y mujeres que tenían algo semejante a una cola de cerdo. En Barranquilla, un joven se mostró en los periódicos: había nacido y crecido con aquella cola, pero nunca lo había revelado, hasta que leyó *Cien años de soledad.* Su explicación era más asombrosa que su cola. "Nunca quise decir que la tenía porque me daba vergüenza", dijo, "pero ahora, leyendo la novela y oyendo a la gente que la ha leído, me he dado cuenta de que es una cosa natural". Poco después, un lector me mandó el _____ (12) de la foto de una niña de Seúl, capital de Corea del Sur, que nació con una cola de cerdo. Al contrario de lo que yo pensaba cuando escribí la novela, a la niña de Seúl le cortaron la cola y sobrevivió.

Sin embargo, mi experiencia de escritor más difícil fue la preparación de *El otoño del patriarca.* Durante casi diez años leí todo lo que me fue posible sobre los dictadores de América Latina, y en especial del Caribe, con el propósito de que el libro que pensaba escribir se pareciera lo menos posible a la realidad. Cada paso era una desilusión. La intuición de Juan Vicente Gómez era mucho más penetrante que una verdadera facultad adivinatoria. El doctor Duvalier, en Haití, había hecho exterminar los perros negros en el país, porque uno de sus enemigos, tratando de escapar de la persecución del tirano, se _____ (13) de su condición humana y se había convertido en perro negro. El doctor Francia, cuyo prestigio de filósofo era tan extenso que mereció un estudio de Carlyle, cerró a la República del Paraguay como si fuera una casa, y sólo dejó abierta una ventana para que entrara el correo. Antonio López de Santana enterró su propia pierna en funerales espléndidos. La mano cortada de Lope de Aguirre navegó río abajo durante varios días, y quienes la veían pasar se estremecían de horror, pensando que aun en aquel estado aquella mano asesina podía blandir un puñal. Anastasio Somoza García, en Nicaragua, tenía en el patio de su casa un jardín zoológico con jaulas de dos compartimientos: en uno, estaban las fieras, y en el otro, separado apenas por una _____ (14) de hierro, estaban encerrados sus enemigos políticos. Martines, el dictador teósofo de El Salvador, hizo _____ (15) con papel rojo todo el alumbrado público del país, para combatir una epidemia de sarampión, y había inventado un _____ (16) que ponía sobre los alimentos antes de comer, para averiguar si no estaban envenenados. La estatua de Morazán que aún existe en Tegucigalpa es en realidad del mariscal Ney: la comisión oficial que viajó a Londres a buscarla resolvió que era más barato comprar esa estatua olvidada en un depósito, que mandar hacer una auténtica de Morazán.

En síntesis, los escritores de América Latina y el Caribe tenemos que reconocer, con la mano en el corazón, que la realidad es mejor escritor que nosotros. Nuestro destino, y tal vez nuestra gloria, es tratar de imitarla con humildad, y lo mejor que nos sea posible.

4▪ ¿Qué te parece más increíble: las anécdotas que cuenta en el artículo o las historias que cuenta en los fragmentos de sus novelas de la actividad 1? ¿Encuentras alguna semejanza entre ellos?

5▪ La literatura de G. García Márquez entra dentro del movimiento llamado "realismo mágico" o "lo real maravilloso". ¿Puedes explicar ahora por qué se le llama así?

6▪ **a)** Algunas de estas palabras aparecían en el texto anterior; agrúpalas en familias, y, con ayuda del diccionario y de otros compañeros, clasifícalas de acuerdo con la clase de palabras (recuerda que algunas palabras pueden usarse como sustantivos y como adjetivos):

adivinanza

adivinatoria (l. 126)

credibilidad

crédito

crédulo (l. 31)

creencia (l. 68)

creíble

creyente

desmedido

desmesura

envenenado (l. 155)

envenenar

fortalecer

fortaleza

forzar

forzudo

fuerza

gobernadora (l. 82)

gobierno

incredulidad

incrédulo

increíble (l. 59)

medida

medir

mesura

mesurado

veneno

venenoso

SUSTANTIVOS	ADJETIVOS	VERBOS
credulidad		
envenenamiento		
adivino		
	desmesurada (l. 2)	
gobernante	gobernante	
	forzosa (l. 74)	

b) Fíjate ahora en las celdas en las que has escrito más de una palabra. ¿Conoces la diferencia de significado o de uso entre esas palabras?

7 ■ En el texto aparecían algunas combinaciones de "verbo + complemento" que se usan con frecuencia juntos. Sin volver a mirar el texto, relaciona las palabras de las dos columnas:

· navegar	· una epidemia
· blandir	· un río
· combatir	· una idea
· plantear	· río abajo/arriba
· formarse	· un problema
· recorrer	· una oración
· rezar	· un puñal

MATERIA PRIMA 2

1 ■ Observa los siguientes fragmentos del texto de Gabriel García Márquez que has leído en "Con textos 2". ¿Qué construcción que expresa posesión se usa en los tres?

• Durante horas enteras los relámpagos se suceden rápidamente a manera de cascadas de sangre y la atmósfera tiembla bajo la sacudida continua de los truenos, cuyos estampidos repercuten en la inmensidad de la montaña.

• En el Caribe, a los elementos originales de las creencias primarias y concepciones mágicas anteriores al descubrimiento, se sumó la profusa variedad de culturas que confluyeron en los años siguientes en un sincretismo mágico cuyo interés artístico y cuya propia fecundidad artística son inagotables.

• El doctor Francia, cuyo prestigio de filósofo era tan extenso que mereció un estudio de Carlyle, cerró a la República del Paraguay como si fuera una casa.

2 ■ Completa las siguientes afirmaciones con la información de los fragmentos anteriores:

a) Los estampidos de _____ repercuten en la inmensidad de la montaña.

b) El interés artístico y la propia fecundidad artística de _____ son inagotables.

c) El prestigio de filósofo de _____ era tan extenso que mereció un estudio de Carlyle.

3 ■ El pronombre relativo "cuyo/a/os/as", ¿con qué concuerda? ¿De qué depende que lo usemos en singular o plural, en femenino o en masculino? Relaciona los elementos de las tres columnas teniendo en cuenta el texto original:

los truenos	cuyo	interés artístico
el sincretismo	cuya	estampidos
el doctor Francia	cuyos	prestigio
	cuyas	fecundidad artística

4 ■ Saca conclusiones de las actividades anteriores y elige en los paréntesis la opción correcta:

> *El pronombre relativo "cuyo/a/os/as", de uso formal, relaciona dos sustantivos que mantienen una relación de (condición / posesión / causa). El género y el número de este pronombre dependen de (la palabra anterior a la que se refiere / la palabra a la que acompaña).*

5 ■ Vamos a trabajar con otros fragmentos del texto de Gabriel García Márquez, reformulándolos y utilizando el pronombre "cuyo/a/os/as". En primer lugar tienes la frase original, y después la frase reformulada, con huecos que debes completar con una palabra:

a) *Cuando nosotros hablamos de un río, lo más lejos que puede llegar un lector europeo es a imaginarse algo tan grande como el Danubio, que tiene 2.790 kilómetros.*

Cuando nosotros hablamos de un río, lo más lejos que puede llegar un lector europeo es a imaginarse algo tan grande como el Danubio, _____ longitud es _____ 2.790 kilómetros.

b) *En la cordillera de los Andes hay tempestades que pueden durar hasta cinco meses.*

En la cordillera de los Andes hay tempestades _____ duración puede ser _____ hasta cinco meses.

c) *No hay una sola línea en ninguno de mis libros que no tenga su origen en un hecho real.*

No hay una sola línea en ninguno de mis libros _____ _____ no esté en un hecho real.

d) *La estatua de Morazán que aún existe en Tegucigalpa es en realidad del mariscal Ney.*

Aún existe en Tegucigalpa una estatua de Morazán _____ imagen _____ en realidad del mariscal Ney.

¡LO QUE HAY QUE OÍR! 2

1 ▪ Escucha la presentación de una sección del programa de radio "Calor humano":

– ¿Cuál es el tono del programa: informativo, humorístico, informal, cultural...?

– ¿De qué va a tratar la sección hoy?

– ¿Qué relación se percibe entre los tres hombres que participan?

– ¿Quién de los tres no es hablante nativo de español?

2 ▪ Vas a escuchar las preguntas del examen una por una. Rellena el apartado correspondiente de la columna "Tu respuesta", y anota la respuesta o respuestas de Toni y Tom. Después, escucha la respuesta correcta; como se trata de un examen, todo el mundo obtiene un punto por respuesta correcta. Anota los puntos que obtienen Toni y Tom, y los tuyos. ¡A ver quién gana! (El primer locutor que habla es Toni; el otro locutor es Tom).

PREGUNTAS	RESPUESTAS		PUNTOS		
	Tu respuesta	Respuesta(s) de Toni y Tom	Toni	Tom	Tú
PRIMERA					
SEGUNDA					
TERCERA					
CUARTA					
QUINTA					

3 ▪ Escucha los comentarios posteriores al examen. ¿A tu grupo le pasa lo mismo que a los locutores?

MATERIA PRIMA 3

1 ▪ En español algunos verbos tienen diferente significado según aparezcan con una pre-
posición determinada o no. ¿Conoces la diferencia entre estas parejas?

> **tender de / tender a**
>
> **brindarse a / brindar por**
>
> **hacerse / hacerse a**
>
> **prestarse a / prestar**
>
> **aprovechar / aprovecharse de**

> A veces, la preposición no es la única diferencia: uno de los verbos necesita un pronombre reflexivo y el otro no.

2 ▪ Teniendo en cuenta el significado de los verbos, piensa si las siguientes afirmaciones
son verdaderas o falsas.

a) El mural del pintor mexicano Diego Rivera "Sueño de una tarde de domingo en la ala-
meda" tuvo que estar **tendido de** una cuerda durante tres meses hasta que se secó.

b) El director español de cine Luis Buñuel siempre **tendió a** un cierto surrealismo en
todas sus películas.

c) Pablo Picasso **se brindó a** realizar gratis el "Guernica" para apoyar la causa republicana
en la Guerra Civil española.

d) El pintor español Salvador Dalí siempre se negó a **brindar por** Franco.

e) Muchos artistas españoles tuvieron que **hacerse a** una nueva vida lejos de España tras
la Guerra Civil.

f) El poeta español Rafael Alberti al principio no pensaba en **hacerse** escritor, y se dedi-
caba sobre todo a la pintura y el dibujo.

g) El novelista español y premio Nobel Camilo José Cela nunca **se prestó a** trabajar en la
censura durante el régimen de Franco.

h) Durante muchos años se **prestó** más atención al cine español en el exterior, en los fes-
tivales internacionales, que en el interior.

i) La pintora mexicana Frida Kahlo, **aprovechando** que pasaba la mayor parte de su tiempo en la cama debido a sus enfermedades, puso un espejo en la cama y empezó a pin-
tarse a sí misma. Quizá por eso la mayoría de sus cuadros son autorretratos.

j) Fernande Olivier, el primer gran amor de Pablo Picasso, cincuenta años después de su
ruptura, **se aprovechó de** él exigiéndole un millón de francos a cambio de no publicar
un libro de memorias donde contaba episodios íntimos.

3 ▪ Completa las columnas con los verbos del ejercicio anterior:

A	DE	POR
- *brindarse a hacer algo*	- *aprovecharse de alguien*	

DIMES Y DIRETES 2

1 ▪ ¿Qué sabes de la personalidad de Don Quijote? ¿Y de Don Juan Tenorio? Si a un hombre le gusta enamorar y conquistar a muchas mujeres, ¿dirías que él que es un donjuán, un tenorio o un quijote? Si hablas de alguien que lucha por ideales imposibles, ¿dirías que es un donjuán, un tenorio o un quijote?

2 ▪ Las expresiones que tienes debajo en negrita tienen relación en su origen con alguna de las artes. Decide si en cada una de las siguientes frases está bien usada o no la expresión marcada.

EJEMPLO:

a. A Pedro se le dan muy bien las mujeres. Siempre tiene tres o cuatro novias a la vez. Es un donjuán. (Sí)

b. Pedro siempre ayuda a la gente y cree que todo el mundo es bueno. Es un donjuán. (No)

1	a. Marta, con un poco de harina y un huevo, hace unos pasteles perfectos y, además, bonitos. **Es una artista** de la cocina. _____
	b. No te creas nada de lo que haga o diga Marta. Si la ves llorar, que no te dé pena porque está fingiendo. **Es una artista.** _____

a. Juan es muy gracioso, siempre está contando chistes. **Es un comediante.** _____	2
b. No te creas nada de lo que haga o diga Juan. Si lo ves llorar, que no te dé pena porque está fingiendo. **Es un comediante.** _____	

3

a. El decorador me ha dejado el piso precioso. **Es un auténtico pinta-monas.** _____

b. El pintor no tenía ni idea. Me ha dejado todo hecho un desastre. **Es un auténtico pintamonas.** _____

4

a. Pasamos unas vacaciones **de película.** Todo nos salió perfecto. _____

b. Me parece que lo que me contaron de sus vacaciones fue **de pelícu-la.** Se lo inventaron todo. _____

5

a. Me parece que **estás haciendo un drama** de una tontería. No es tan grave. _____

b. **Estás haciendo un drama** de lo que ha pasado. Te lo estás inventan-do mientras me lo cuentas. No me lo creo. _____

6

a. David se parece muchísimo a su padre. **Es su vivo retrato.** _____

b. Nos contó **el vivo retrato** de sus vacaciones, con todos los detalles. _____

7

a. Esto es justo lo que necesitaba. **Me viene que ni pintado.** _____

b. No puedo ver a Teresa **que ni pintada.** La odio. _____

8

a. **No puedo ver a** Teresa **ni en pintura.** La odio. _____

b. Esto es justo lo que necesitaba. **Me viene que ni en pintura.** _____

9 a. **¡Tú aquí no pintas nada!** No nos molestas en absoluto. _____

b. **¡Tú aquí no pintas nada!** No puedes hacer nada y encima estás molestando a los demás. _____

a. ¡No te preocupes, hombre! **Eso le pasa al más pintado.** Le puede pasar a cualquiera. _____ | 10

b. **Eso le pasa al más pintado.** Lo que te ha pasado solo le pasa a la gente importante. _____

HABLA A TU AIRE

1 ■ Cada persona de la clase va a ser guía de un museo y va a hacer una exposición explicativa de un cuadro para un grupo de turistas (en este caso, los compañeros de clase). ¿En qué orden expondrías lo siguiente?

– Descripción de la escena

– Nombre del pintor

– Datos biográficos del pintor

– Interpretación de la escena

– Título del cuadro

– Comentario personal

– Significado de los símbolos (si los hay)

– Información sobre la técnica utilizada

2 ■ Durante la exposición de tus compañeros, toma notas de todo lo que te sea desconocido. Te servirán en la sección siguiente.

ESCRIBE A TU AIRE

1 ■ Este pasatiempo está tomado de una página web sobre arte, donde hay muchos más.
¿Cuántas preguntas sabes contestar?

ARTQUIZZ

1. ¿En qué año pintó Velázquez este cuadro?
a 1656   b 1666   c 1712

2. ¿Qué quiere decir *"menina"*?
a princesita   b enana   c dama de compañía

3. ¿Quién es el pintor representado a la izquierda?
a Pedro Pablo Rubens
b el propio Velázquez
c un pintor anónimo de la Corte

4. La cruz que el pintor tiene sobre el pecho es la de los caballeros de:
a la Orden de la Jarretera
b la Orden de Malta
c la Orden de Santiago

5. ¿Qué pinta el pintor del cuadro?
a las infantas
b un bodegón
c un retrato de la pareja real

6. ¿Quiénes son los personajes reflejados en el espejo del fondo?
a dos criados
b el rey Felipe IV y Doña Mariana de Austria
c se trata de una ventana y no de un espejo

7. ¿Quién es la niñita rubia a quien otra joven le ofrece una jarra?
a la infanta Maribárbola
b la infanta María Teresa
c la infanta Margarita

8. ¿A qué hacen referencia los críticos cuando califican este cuadro de *"juego de espejos"*?
a Hay un espejo que representa la imagen reflejada y otro en el cual se refleja todo el cuadro, de modo que el espectador puede incluirse como un personaje de más del cuadro.
b El cuadro es una metáfora de lo que hay del otro lado del espejo.
c El punto de fuga del cuadro converge en el espejo del fondo.

9. Aparte del cuadro que se encuentra en el Museo del Prado, existe una segunda versión (pintada por el propio Velázquez según la hipótesis más verosímil) en el:
a British Museum, Londres
b Museo del Hermitage, San Petersburgo
c Kingston House, Dorset

10. ¿Qué artista del siglo XX se interesó en especial en la geometría de la composición y pintó numerosas versiones de este cuadro?
a Georges Braque
b Andy Warhol
c Pablo Picasso

(artequizz.free.fr)

2 ■ Con tu grupo, vas a diseñar un pasatiempo como el anterior utilizando:

– Preguntas sobre arte cuya respuesta está en esta unidad 7.
– Preguntas sobre las exposiciones de los "guías turísticos" de la sección "Habla a tu aire".

3 ■ Y ahora, el concurso final. Escucha las instrucciones de tu profesor.

¿TÚ QUÉ CREES?

¿Para qué crees que sirven los objetos de las fotografías? ¿Sabes cómo se llaman?

¡LO QUE HAY QUE OÍR! 1

1 ■ ¿Qué clase de lugar es el de la fotografía? ¿Cuál es su función y qué hay en él?

2 ■ Estas palabras tienen relación con los objetos que hay en el lugar de la fotografía y aparecen en la entrevista radiofónica que vas a escuchar. ¿Las conoces?

alfarería   **alfarero**   **arcilla**
rezumar   **objeto ornamental**   **transpiración**

3 ■ Escucha la entrevista de la radio y fíjate en la información necesaria para elegir la opción correcta:

a) Jesús Gil Gibernau es (*el director del museo / el que ha coleccionado los botijos / un botijero o fabricante de botijos*).

b) El museo está en (*La Rioja / León*).

c) Además de en España, hay botijos en (*África Austral / Hispanoamérica*).

d) Hoy en día, el botijo (*es solamente un objeto de adorno / sigue usándose en algunas zonas*).

e) El botijo más antiguo de la colección tiene (*2.000 / 1.600 / 400*) años.

f) La colección tiene un poco (*más / menos*) de 3.000 botijos.

4 ■ Vuelve a escuchar la grabación para resolver tus dudas sobre la pregunta anterior y contesta también las dos preguntas siguientes:

a) ¿Cuál de estos botijos crees que es de la zona mediterránea y cuál de la zona de Castilla?

b) ¿Por qué el agua se conserva fresca en el botijo?

5 ■ ¿Conoces algún lugar similar a este museo, que tenga objetos peculiares o típicos de una zona, o que sea distinto por alguna causa de los demás museos? Cuéntaselo a tus compañeros.

CON TEXTOS 1

1 ¿Sabes qué es el mezcal? Las siguientes frases componen un texto que habla sobre él. Ordénalo para saber qué es y cómo se hace. Las palabras que están marcadas te ayudarán. La frase A es la primera del texto.

A. Tres son los licores originarios y definitorios de México: el tequila, el pulque y el mezcal, y los tres tienen un mismo origen:

B. *Hemos llegado al mezcal puro*, en bruto. El proceso de embotellado es tan colorido como la misma bebida, y la tierra que la alberga.

C. *Ya los aztecas la cultivaban* y aprovechaban, no sólo para el mezcal –que también– sino para obtener hilos y cuerdas de sus fibras, papel de su pulpa y agujas y ganchos de sus espinas.

D. Cada botella de mezcal incorpora en su interior *el correspondiente gusano*, que presta al licor su jugo y su esencia al tiempo que sirve como símbolo de autenticidad.

E. El mezcal destinado al comercio y exportación es envasado en botellas de cristal, con su etiqueta correspondiente, para ser distribuidas dentro y fuera del país.

F. *Para extraerlo*, se divide en cuatro partes y se entierra en un horno excavado en el suelo, alosado con piedras refractarias. Las piñas se cubren con las hojas del maguey, más piedras, tierra, y permanecen allí *cociéndose, durante dos o tres días*.

G. El maguey *se sigue cultivando actualmente* en Oaxaca, y su periodo de crecimiento oscila *entre ocho y doce años*.

H. *Esta* tiene un cierto aspecto de piña tropical, aunque con un peso que varía entre 50 y 100 kilos; *en la sangre de sus entrañas está el mezcal*.

I. *la planta del maguey*, de aspecto gigantesco y amedrentador, con frecuencia asociada erróneamente a la familia de los cactus, por sus espinas y color verde oscuro.

J. *Estos* se recolectan también de la planta, pues tienen una función imprescindible. *El gusano* que entre las raíces del maguey creció encuentra su tumba en el néctar que del maguey sale.

K. *El último proceso* es la destilación por alambique.

L. *Pasado ese tiempo*, la enorme planta es seccionada a machetazos y desenterrada *su raíz*.

M. *Falta, empero, el último detalle*, lo que da al mezcal su personalidad. Durante el proceso de extracción de las raíces de maguey, no es infrecuente encontrar viviendo en las mismas una respetable cantidad de *pequeños gusanos rojos*.

N. *Terminada la cocción*, las piñas son maceradas en un molino de piedra, y de allí se pasa a la fermentación, que *dura varios días*.

(Fragmento del artículo "Mezcal", de V. Fernández de Bobadilla)

2 Lee otra vez el texto completo en orden y comprueba que todo tiene sentido para ti.

3 ■ Reflexiona sobre el proceso que has seguido para ordenar el texto. Haz una lista de las características gramaticales, de vocabulario, de significado, del texto, del conocimiento que tienes del mundo, que te han ayudado.

Ejemplo:

Cuando he visto que la frase H empezaba con la palabra "Esta", he buscado otra frase en la que se hablaba de algo femenino singular porque sabía que la frase H tenía que ir detrás.

4 ■ ¿Utilizas estos recursos cuando escribes tus propios textos para darles coherencia y facilitar la lectura?

PALABRA POR PALABRA 1

1 ■ Las palabras que designan alimentos típicos de cada país o región son muchísimas, y es imposible conocer todas las que se usan en las diferentes zonas hispanohablantes. Como muestra, después tienes dos textos que hablan sobre la comida típica andaluza y la comida típica colombiana. Averigua (consultando a tus compañeros, mirando diccionarios, o bien simplemente por eliminación) de cuál de los dos lugares son las siguientes comidas y escríbelas en los huecos de los textos sin repetir ninguna:

yuca

migas

gachas

aceite de oliva

chanquetes

mazamorra

calderetas

fríjoles

arepa

ajiaco

La cocina andaluza es una mezcla de ligereza y gracia y aceite y fritos. Zuloaga[1] llegó a decir que "los andaluces han llegado a freír la espuma del mar", refiriéndose a los _____ (a). Julio Camba[2] escribió: "Los fritos andaluces son una cosa perfecta, y no hay, no ha habido y no habrá en el mundo cocina que les iguale". Pero no todo se refiere a fritos y gazpachos. Hay que recordar las tradiciones de los conventos andaluces, donde durante generaciones han conservado el legado árabe de exquisitas tradiciones de la dulcería. A ello sumemos el vino de Jerez. Finos. Moriles. Montilla. Brandis. Y, por último, el _____ (b), aportado originariamente por las legiones romanas y desconocido por los celtas, que empleaban grasas animales. El panorama de la cocina andaluza se completa con un sinnúmero de platos de primerísima calidad, entre los que se encuentran _____, guisados de toro, cocidos, cazuelas, _____ y _____ (c).

(*Ya*, suplemento dominical)

[1] Ignacio Zuloaga (1870-1945), pintor español que dedicó muchas de sus obras a temas típicamente andaluces.
[2] Escritor español (1882-1962) cuya obra tuvo un marcado carácter humorístico.

En la zona costera caribeña, se come mucho arroz y pescado. También se consume mucho lo que llamamos "_____" (d), que es una harina de maíz que, una vez hecha la masa, se fríe y se come con huevos o carne picada; es típico de Cartagena.

Otro plato popular es el que se hace a base de patagón, un tipo de plátano muy grande que también se come frito. O los platos preparados con _____ (e), que es una batata larga. En Bogotá, son típicos la sopa de _____ (f) o la _____ (g) de maíz. Otra

cosa que se consume mucho son los _____ (h) o judías rojas con garra, lo que aquí llaman panceta. Es un plato de la zona de Antioquía.

(Lecturas, Especial Recetas Cocina)

2 ■ Aquí tienes las recetas del gazpacho andaluz y la sopa de ajiaco bogotana, pero, antes de experimentarlas, tendrás que separar y ordenar las instrucciones que están a continuación de las listas de ingredientes, mezcladas y desordenadas:

INGREDIENTES (PARA CUATRO PERSONAS)

GAZPACHO ANDALUZ	AJIACO BOGOTANO
– 3/4 de tomates maduros	– Un pollo
– Un pepino	– 4 cebollas
– Un pimiento mediano	– 4 mazorcas de maíz verde
– Un poco de cebolla	– 4 patatas
– Un diente de ajo	– Huesos de ternera
– 100 g de miga de pan	– Hierbas para aderezar
– 6 cucharadas de aceite de oliva	– Un poco de comino
– 3 cucharadas soperas de vinagre	– Pimienta blanca
– Agua	– Crema de leche
– Sal	– Alcaparras
	– Aguacates

MODO DE PREPARACIÓN:

• Mezclar el pan mojado con todos los demás ingredientes, una vez troceados, así como con el aceite, vinagre y sal.

• Añadir agua fría; la cantidad depende de si gusta más o menos espeso.

• Pelar las patatas y cortarlas en rodajas. Añadirlas poco a poco a la olla, cuidando de que no se deshagan.

• Poner a hervir, en agua fría, el pollo y los huesos de ternera.

• Poner el pan en remojo.

• Servirlo acompañado de crema de leche, alcaparras y aguacates cortados en dados, en recipientes aparte.

• Servirlo con pimiento, pepino, cebolla, tomate y pan, todo en recipientes por separado y cortado en cuadraditos pequeños.

• Cortar las cebollas en trocitos e incorporarlas a la cocción junto con las especias.

• Cuando el pollo esté blando, sacarlo y deshuesarlo. La carne se agrega al ajiaco o caldo. En los últimos hervores añadir las mazorcas de maíz cortadas en rodajas.

• Batirlo todo bien.

MATERIA PRIMA 1

1 ■ Las creencias sobre la salud, remedios para solucionar problemas, situaciones propicias para pedir deseos, etc., también forman parte del folclore de los pueblos. En la actividad 2 leeremos algunos consejos populares en toda España o en algunas zonas para conseguir determinadas cosas. Los consejos están formulados utilizando los verbos en imperativo y dirigiéndose a la persona "usted". Antes de pasar a los textos, completa la columna B, como en el ejemplo:

A	B	C
INFINITIVO	IMPERATIVO EN LA FORMA "USTED"	FORMAS CON PRONOMBRES QUE APARECEN EN LOS TEXTOS
untar	*unte*	
recitar		
deshojar		
arrancar		
arrojar		
liar		
dar		
estar		
colocar		
mantener		
volver		
poner		
coger		
abrir		
seguir		
añadir		

2 ■ Busca en los consejos siguientes los imperativos de esos mismos verbos, pero sólo los que tienen un pronombre detrás (por ejemplo, "manténgalo") y escribe las formas exactas en la columna C del ejercicio anterior.

- **Para atraerse la buena suerte:** Cuando vea una mariposa blanca, diga: "Mariposita blanca, buena suerte". Cierre el puño y manténgalo cerrado hasta que encuentre a alguien a quien pedirle que le dé una palmada en el puño. Cuando la reciba, ábralo.

- **Para curar la irritación del culito de los niños:** prepare un tazón con agua, úntese el dedo en aceite y vaya dejando caer gotas sobre el agua al tiempo que recita lo siguiente: "La luna de Dios / por aquí pasó, / el color de ____ (nombre del niño) / se lo llevó, / el suyo quedó". Siga echando aceite y añada: "La luna de Dios / volverá a pasar, / y el color de _____ (nombre del niño) dejará / y el suyo llevará".

- **Para curar una herida:** cuando un niño se cae y se hace un daño o una pequeña herida, recítele el siguiente ensalmo, pasando suavemente la mano sobre la parte dañada: "Sana, sana, / culito de rana, / si no sana hoy / sanará mañana".

- **Para que se le quite el hipo (y para comprobar si su amor es correspondido):** cuando le dé hipo, recite muy, muy deprisa: "Hipo tengo, / a mi amor se lo encomiendo. / Si me quiere bien / que se quede con él. / Si me quiere mal, que me lo vuelva a dar". Si el hipo no se va, vuélvalo a intentar hasta que se le pase.

- **Para saber si su amor es correspondido:** deshoje una margarita mientras piensa en la persona amada. Arranque los pétalos uno a uno; después de arrancar cada pétalo, alterne la fórmula "Me quiere" con la fórmula "No me quiere". El pétalo final le dará la respuesta.

- **Contra las verrugas:** arroje tantos garbanzos como verrugas tenga a un pozo; nunca jamás vuelva a pasar por delante de ese pozo. Otro remedio: Líe un trozo de tocino en un trozo de tela y póngalo bajo una piedra. Nunca vuelva a pasar por allí. A medida que se va secando el tocino, se van secando también las verrugas. En el momento de abandonar los garbanzos o el tocino, recite: "Verrugas traigo, / verrugas vendo. / Aquí las dejo / y salgo corriendo".

- **Para conseguir un deseo:** cuando se le caiga una pestaña, estese quieto para que no se le pierda. Cójala, piense un deseo y sople. Si la pestaña se va con el soplo, el deseo se cumplirá.

- **Para que los niños crezcan:** si es usted madrina o padrino de un niño, cójalos en brazos todo el tiempo que pueda, porque, cuanto más tiempo permanezca en brazos de sus padrinos, más crecerá. Dele también muchos besos.

- **Para los niños con el sueño cambiado:** si su hijo llora por la noche y no le deja dormir, colóquele la camiseta al revés; así volverá a dormir de noche y a estar despierto de día.

(Fragmentos e información de www.augustobriga.net)

3 ▪ Observa las formas de la actividad 1 y compara las de la columna B y las de la columna C. Intenta deducir una regla sobre la escritura o no de la tilde (o acento gráfico)
en este tipo de palabras completando el cuadro:

*1) Cuando un verbo normalmente no lleva tilde, pero al usarse con un pronombre detrás se convierte
en una palabra esdrújula (acentuada en la antepenúltima sílaba),* _____ .

Ejemplos:

_____

_____

*2) Cuando un verbo lleva tilde, pero al usarse con un pronombre detrás se convierte en una palabra
llana (acentuada en la penúltima sílaba),* _____ .

Ejemplos:

_____

_____

4 ▪ Las recetas del gazpacho y el ajiaco con las que trabajaste en "Palabra por palabra 1"
(página 198) estaban redactadas en infinitivo. Otra forma muy frecuentemente usada en
las recetas es el imperativo; cambia todos los infinitivos por imperativos, fijándote especialmente en los acentos que debes o no escribir.

CON TEXTOS 2

1 ▪ ¿Qué sabes de la fiesta llamada "Sanfermines"? Con algún compañero, rellena este cuadro con la información que tengas antes de leer el texto. Tienes medio minuto.

Procedencia del nombre:

Lugar donde se celebra:

Fechas de comienzo y final:

Escritor internacionalmente conocido que
hizo famosas estas fiestas:

2 ■ A continuación tienes tres textos extractados de la página www.navarra.com/sanfermin, donde puedes encontrar mucha más información. En el primer texto, comprueba o completa tus respuestas a la pregunta 1.

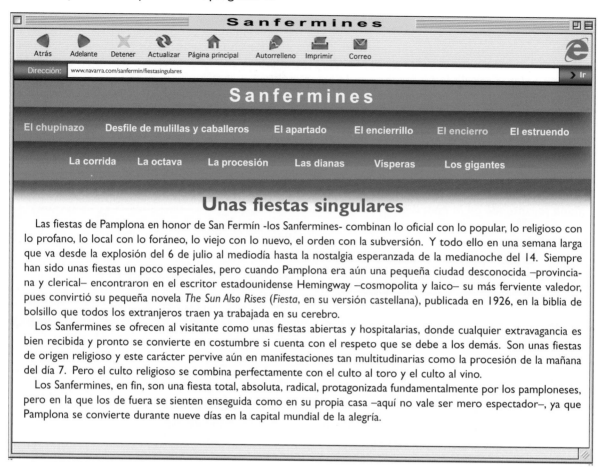

Sanfermines

El chupinazo   Desfile de mulillas y caballeros   El apartado   El encierrillo   El encierro   El estruendo

La corrida   La octava   La procesión   Las dianas   Vísperas   Los gigantes

Unas fiestas singulares

Las fiestas de Pamplona en honor de San Fermín -los Sanfermines- combinan lo oficial con lo popular, lo religioso con lo profano, lo local con lo foráneo, lo viejo con lo nuevo, el orden con la subversión. Y todo ello en una semana larga que va desde la explosión del 6 de julio al mediodía hasta la nostalgia esperanzada de la medianoche del 14. Siempre han sido unas fiestas un poco especiales, pero cuando Pamplona era aún una pequeña ciudad desconocida —provinciana y clerical— encontraron en el escritor estadounidense Hemingway —cosmopolita y laico— su más ferviente valedor, pues convirtió su pequeña novela *The Sun Also Rises* (*Fiesta*, en su versión castellana), publicada en 1926, en la biblia de bolsillo que todos los extranjeros traen ya trabajada en su cerebro.

Los Sanfermines se ofrecen al visitante como unas fiestas abiertas y hospitalarias, donde cualquier extravagancia es bien recibida y pronto se convierte en costumbre si cuenta con el respeto que se debe a los demás. Son unas fiestas de origen religioso y este carácter pervive aún en manifestaciones tan multitudinarias como la procesión de la mañana del día 7. Pero el culto religioso se combina perfectamente con el culto al toro y el culto al vino.

Los Sanfermines, en fin, son una fiesta total, absoluta, radical, protagonizada fundamentalmente por los pamploneses, pero en la que los de fuera se sienten enseguida como en su propia casa —aquí no vale ser mero espectador—, ya que Pamplona se convierte durante nueve días en la capital mundial de la alegría.

3 ■ En el texto anterior se presentan muchas palabras en contraste con otras. Relaciona cada elemento de la primera columna con su contrario en el texto de la segunda columna, como en el ejemplo:

oficial	laico
religioso	costumbre
local	de fuera
orden	popular
provinciano	foráneo
clerical	profano
extravagancia	subversión
pamplonés	cosmopolita

4 ■ En el enlace <u>El chupinazo</u>, te encuentras este otro texto. Busca la información principal
para rellenar el cuadro:

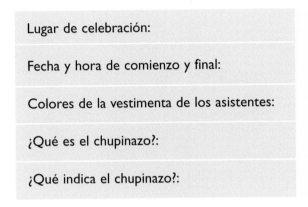

Lugar de celebración:

Fecha y hora de comienzo y final:

Colores de la vestimenta de los asistentes:

¿Qué es el chupinazo?:

¿Qué indica el chupinazo?:

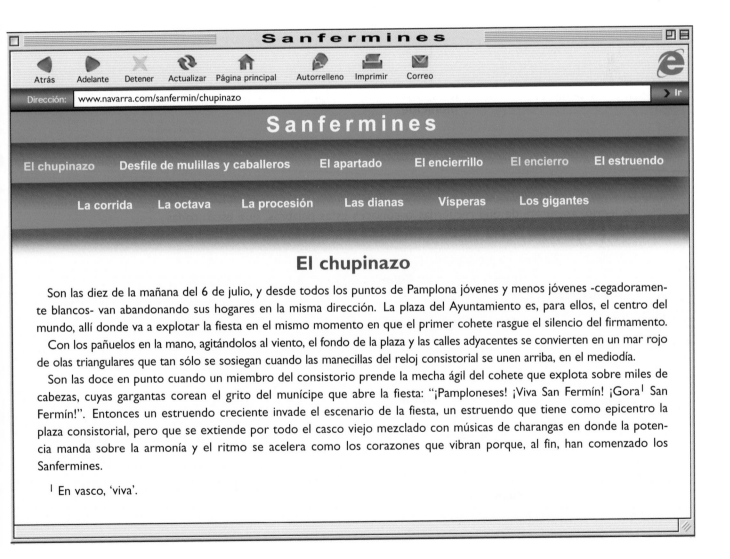

Sanfermines

Dirección: www.navarra.com/sanfermin/chupinazo

Sanfermines

El chupinazo　　Desfile de mulillas y caballeros　　El apartado　　El encierrillo　　El encierro　　El estruendo

La corrida　　La octava　　La procesión　　Las dianas　　Vísperas　　Los gigantes

El chupinazo

Son las diez de la mañana del 6 de julio, y desde todos los puntos de Pamplona jóvenes y menos jóvenes -cegadoramente blancos- van abandonando sus hogares en la misma dirección. La plaza del Ayuntamiento es, para ellos, el centro del mundo, allí donde va a explotar la fiesta en el mismo momento en que el primer cohete rasgue el silencio del firmamento.

Con los pañuelos en la mano, agitándolos al viento, el fondo de la plaza y las calles adyacentes se convierten en un mar rojo de olas triangulares que tan sólo se sosiegan cuando las manecillas del reloj consistorial se unen arriba, en el mediodía.

Son las doce en punto cuando un miembro del consistorio prende la mecha ágil del cohete que explota sobre miles de cabezas, cuyas gargantas corean el grito del munícipe que abre la fiesta: "¡Pamploneses! ¡Viva San Fermín! ¡Gora[1] San Fermín!". Entonces un estruendo creciente invade el escenario de la fiesta, un estruendo que tiene como epicentro la plaza consistorial, pero que se extiende por todo el casco viejo mezclado con músicas de charangas en donde la potencia manda sobre la armonía y el ritmo se acelera como los corazones que vibran porque, al fin, han comenzado los Sanfermines.

[1] En vasco, 'viva'.

5 ■ ¿Qué relación crees que existe entre estas palabras del texto anterior?

plaza del Ayuntamiento

↕

plaza consistorial

↕

reloj consistorial

↕

miembro del consistorio

↕

munícipe

¿Quién lanza entonces el chupinazo y grita "¡Viva San Fermín!"?

6 ■ **a)** En el enlace <u>El encierro</u>, aparece el texto que tienes en la página siguiente. Antes de leerlo, asegúrate de que recuerdas o conoces estas palabras, que están todas relacionadas con el mismo tema.

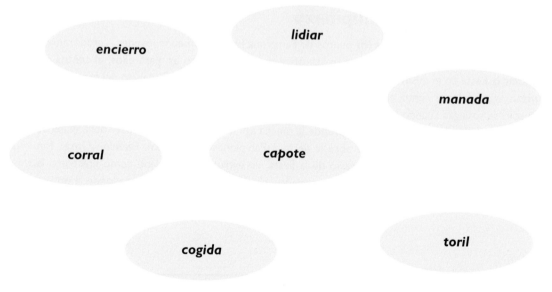

encierro

lidiar

manada

corral

capote

cogida

toril

b) Lee el primer párrafo: ¿Por qué son tan peligrosos los encierros de Pamplona?

c) Lee el resto del texto siguiendo el recorrido en el mapa:

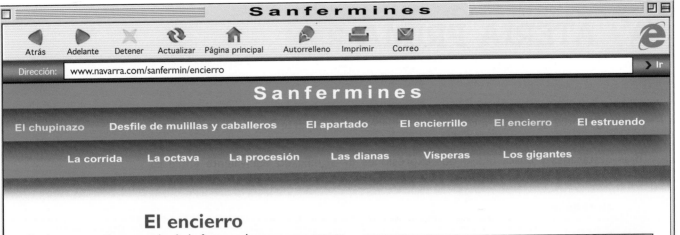

Dirección: www.navarra.com/sanfermin/encierro

Sanfermines

El chupinazo   Desfile de mulillas y caballeros   El apartado   El encierrillo   El encierro   El estruendo

La corrida   La octava   La procesión   Las dianas   Vísperas   Los gigantes

El encierro

Es el aspecto más conocido de la fiesta y el que mayor renombre ha proporcionado a los Sanfermines más allá de nuestras fronteras. Consiste básicamente en correr un tramo –más o menos largo, según la zona– delante de los toros que se han de lidiar esa misma tarde en la corrida. La carrera, de unos 800 metros, parte de los corralillos donde los toros han pasado la noche, en las afueras de la ciudad vieja, y, tras atravesarla, llega hasta la plaza de toros, en cuyos corrales aguardarán su destino.

A las 8, un primer cohete indica la apertura de la puerta de los corralillos; un segundo cohete anuncia que todos los toros han abandonado aquellos y se hallan corriendo Cuesta de Santo Domingo arriba, camino de la plaza del Ayuntamiento. Traspasada ésta, los toros enfilan la calle Mercaderes, para entrar en la de Estafeta, la mayor parte de las veces chocando contra el lado izquierdo por la velocidad de la carrera y la curva tan cerrada que deben tomar. A partir de aquí es normal que algún toro se separe de la manada, acrecentando el peligro de cogida. Al final, el tramo denominado de la Telefónica da paso a la cuesta abajo que lleva al callejón de la plaza de toros. Es éste un tramo peligroso, protegido por un doble vallado. Finalmente, tras el embudo del callejón, la carrera explota en mil pedazos que escapan en abanico de la manada que enfila hacia la puerta de corrales ayudada por los llamados dobladores que los atraen con sus capotes.

Cuando los toros entran en la plaza suena un tercer cohete y, una vez que han traspasado la puerta de toriles, un cuarto que sirve para anunciar que el encierro ha terminado.

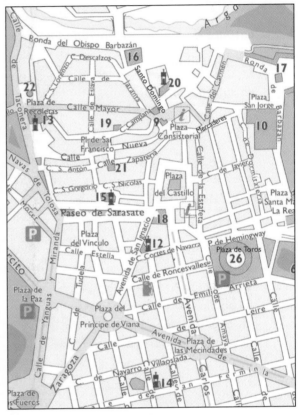

7 ■ ¿Te gustaría asistir a estas fiestas? ¿Serías capaz de participar en el encierro? ¿Conoces alguna otra fiesta en la que la gente corra tanto riesgo?

MATERIA PRIMA 2

1 ■ Los fragmentos que tienes a continuación aparecían en la parte final de los tres textos que has leído en "Con textos 2". Vuelve a leerlos fijándote especialmente en las palabras destacadas y busca una o dos expresiones de significado equivalente entre las siguientes:

en resumen

por último

después de la espera, afortunadamente

en conclusión

en su espacio final

Unas fiestas singulares

Los Sanfermines, **en fin (a)**, son una fiesta total, absoluta, radical, protagonizada fundamentalmente por los pamploneses, pero en la que los de fuera se sienten enseguida como en su propia casa.

El chupinazo

La potencia manda sobre la armonía y el ritmo se acelera como los corazones que vibran porque, **al fin (b)**, han comenzado los Sanfermines.

El encierro

Los toros enfilan la calle Mercaderes, para entrar en la de Estafeta, la mayor parte de las veces chocando contra el lado izquierdo por la velocidad de la carrera y la curva tan cerrada que deben tomar. A partir de aquí es normal que algún toro se separe de la manada, acrecentando el peligro de cogida. **Al final (c)**, el tramo denominado de la Telefónica da paso a la cuesta abajo que lleva al callejón de la plaza de toros. Es éste un tramo peligroso, protegido por un doble vallado. **Finalmente (d)**, tras el embudo del callejón, la carrera explota en mil pedazos que escapan en abanico de la manada

2 ■ Analizando el ejercicio anterior, y con ayuda de los ejemplos que tienes más adelante (que tratan temas relacionados con esta unidad: gastronomía, fiestas populares, corridas de toros, etc.), intenta sacar una conclusión y completar el cuadro con las formas "en fin", "al fin", "al final" y "finalmente":

_____: *indica que una acción que era deseada se ha realizado después de una espera o de superar obstáculos. En este sentido también se usa "por fin".*

_____: *señala que la acción o el argumento son los últimos de una serie de acciones o argumentos. En ocasiones, cuando acompaña a acciones, marca que la acción ha sucedido después de diversos cambios, contratiempos, etc.*

_____: *introduce una propuesta de cerrar un tema, con frecuencia resumiendo lo anterior o sacando una conclusión de lo anterior.*

_____: *si se refiere al espacio, nos habla del último tramo de un recorrido; en una narración, indica que la acción ha sucedido después de otras, muchas veces como conclusión de todo lo hablado, ocurrido, etc.*

EJEMPLOS

Haga un recorrido por la cocina argentina, protagonizada por la carne de vaca (churrasco, matambre o carbonada); la brasileña, acaso la más refinada de Suramérica; la colombiana, centrada en tamales de maíz, empanadas, potajes y ollas; la cubana, gastronomía del cerdo, del arroz y de los frijoles; la chilena, sobre todo con carnes y empanadas; la mexicana, con los tacos, el maíz y las salsas picantes; la peruana, con el ceviche, los chupes... **En fin**, un mundo apasionante de colores, aromas y sabores. ("Las cocinas americanas en Madrid", revista *Tiempo*, España).

El camino, encharcado, resbaladizo, peligroso, sube y sube rodeado de álamos, de chopos, de encinas canijas, en un paisaje espléndido de montañas grises y verdes, abundantes en vegetación. Nadie demuestra fatiga, nadie da la mínima señal de cansancio. Los vecinos de Anguiano, viejos y jóvenes, van turnándose como un honor el peso de las andas que transportan a la santina. Dulzaineros, tamborileros y danzantes no parecen conocer punto de reposo.

Al fin se ha llegado hasta lo alto de la ermita, un lugar recogido, soleado, adornado por los chopos, arces, olmos y robles. (Luis Agromayor, *España en fiestas*, extracto).

La persistente lluvia y el impracticable estado del ruedo decidieron la suspensión del festejo programado ayer en Albacete, cuya celebración, **finalmente**, podrá tener lugar el próximo domingo después del acuerdo al que llegaron ayer los toreros y la empresa. (*El Mundo*, España).

Santurce (Vizcaya): El popular muñeco vasco "Olentzero" es paseado por las calles y caseríos de Santurce por las cuadrillas de los mozos, que se divierten cantando y bailando, hasta que **al final** acuden a un lugar público para cumplir con la tradición de quemarlo. La gran panza del muñeco y sus pantalones remendados se extinguen entre las llamas, ante la mirada complacida de los vecinos, a la espera de un nuevo año. (Luis Agromayor, *España en fiestas*, extracto).

3 ■ Completa estos textos, similares a los ejemplos del ejercicio anterior, con las expresiones que estás estudiando:

a) Ha salido a un espacio abierto, al tramo conocido como "Telefónica", próximo a la plaza. Siente la garganta seca y el corazón palpitando estremecido. Son los últimos metros, pero en la entrada de la plaza han caído varios mozos y un ciego impulso de conservación les empuja los unos sobre los otros. En unos instantes llegan los toros, intentando saltar por encima de la barrera humana. Unos mozos se incorporan, otros consiguen superar el obstáculo y ya entra el encierro en la plaza, abriéndose en abanico en el redondel dorado de la arena. Se oye el estampido del tercer cohete. Con ayuda de cabestros y dobladores, tras algunas carreras, gritos y revolcones, entran, _____, los toros en los corrales. Y el cielo se rasga con la flecha del cuarto y último cohete que señala el fin del rito (Luis Agromayor, *España en fiestas*, extracto).

b) Requena (Valencia): Requena festeja por todo lo alto la Fiesta de la Vendimia con diversiones de todo tipo. Se construye un monumento recordatorio de la vendimia, que _____ será pasto de las llamas, y se instala una fuente "natural" de vino para que todos puedan comprobar sus calidades y sacien su sed (Luis Agromayor, *España en fiestas*, extracto).

c) Pese a las dificultades surgidas, las fraternidades organizan y encaran la celebración de la Segunda Promesa a llevarse a cabo el próximo domingo 29 de julio. Para ello han decidido modificar su recorrido en un par de calles. El nuevo punto de partida será la calle 14 de Septiembre esquina Soruco; luego continuará por la calle Fructuosa Mercado hasta dar con la Avenida de la Integración y seguir su paso hacia el lado norte de Quillacollo para _____ retornar hacia la iglesia de la Virgen (*Los Tiempos*, Bolivia).

d) Los usos de la guayaba en la culinaria son muy variados: jaleas, mermeladas, helados, salsas, relleno para empanadas (con quesito, claro está), en ensaladas, compotas, en forma de pasta, de gelatina, _____, es versátil (*El Nuevo Herald*, Estados Unidos).

4 ■ ¿Qué expresión preferirías usar en cada situación? Elige la opción u opciones más adecuadas.

a) La única soltera de tu grupo de amigos te dice que se casa el mes que viene. ¿Qué le respondes?

      1. ¡Al final!   2. ¡Al fin!   3. ¡Por fin!

b) Estás escribiendo un trabajo sobre las ventajas que ofrecen los ordenadores en la educación de los niños. Has expuesto varios argumentos a favor de su uso, y quieres introducir un último argumento. ¿Con qué expresión empezarías esta oración?

      1. Finalmente, ...   2. Al final, ...   3. En fin, ...

c) Estás contándole a un compañero todo lo que has hecho esta semana en el trabajo. Has enumerado ya varias tareas y consideras que ya es suficiente, así que vas a terminar diciendo: "_____, un montón de cosas".

      1. Al final   2. En fin   3. Por fin

d) Un amigo te está contando el argumento de un capítulo de tu serie de televisión favorita, porque no pudiste verlo la semana pasada. Cuando te iba a contar el final, han llamado por teléfono. Tu amigo vuelve a hablar contigo. ¿Qué le preguntas? "Bueno, y _____ ¿qué pasó?"

      1. En fin   2. Finalmente   3. Al final

DIMES Y DIRETES

1 ■ ¿Qué tienen en común todas estas palabras? ¿Sabes qué significan en la jerga (lenguaje especializado) a la que pertenecen?

capote   arrastre   barrera

coleta   puntilla

2 ■ Aquí tienes una serie de frases hechas o modismos en los que aparecen algunas de las palabras anteriores y otras relacionadas con el mismo tema. Antes de consultar el diccionario para ver cómo se usan en la lengua informal, subraya la palabra donde crees que vas a encontrar la información en el diccionario.

a) cortarse la coleta

b) echar un capote a alguien

c) saltarse algo a la torera

d) estar para el arrastre

e) ver/mirar los toros desde la barrera

f) dar la puntilla a algo o a alguien

g) torear a alguien

3 ■ A continuación puedes leer una carta de dimisión escrita por el jefe de un equipo de investigación y dirigida al director de la empresa para la que trabaja. Las palabras destacadas son equivalentes, más formales, de los modismos de la actividad 2; busca las equivalencias:

Sr. Director:

Por la presente le comunico mi decisión de dimitir de mi cargo de jefe del equipo de investigación de esta empresa debido a los hechos que a continuación expongo.

Varios de los integrantes del equipo, **haciendo caso omiso de (a)** nuestras normas, se han ausentado reiteradamente de su trabajo. Informado el jefe de personal, éste prefirió **delegar en mí la responsabilidad en lugar de enfrentarse con mis subordinados (b)**. Cuando tomé la decisión de sancionarles económicamente, **burlándose de mí, persistieron en su conducta (c)**, y para colmo, el resto del equipo, en vez de **apoyarme en esos duros momentos (d)**, me amenazó con una huelga. Finalmente, mi ayudante **arruinó definitivamente (e)** el proyecto cuando hace unos días abandonó la empresa sin haberme avisado previamente.

Por todo ello, y **habiendo llegado al agotamiento físico y mental (f)**, he tomado la decisión irrevocable de **dimitir de mi cargo (g)**.

Atentamente,
Juan Carlos García Morales

4 ■ Y ahora, imagínate que eres Juan Carlos García Morales. Estás con un amigo tomando unas tapas en un bar. ¿Cómo se lo contarías? (Ahora sí sería normal utilizar alguno de los modismos).

¡LO QUE HAY QUE OÍR! 2

1 ■ ¿Sabes qué son los diez mandamientos? Lee el texto en español y comprueba si entiendes todo (es un lenguaje religioso y antiguo, y quizá no esté claro el sentido en que se usan algunas expresiones; con tus compañeros y con la ayuda del profesor, intenta "traducirlo" a un lenguaje más sencillo y actual).

Primero. Amarás a Dios sobre todas las cosas.

Segundo. No tomarás el nombre de Dios en vano.

Tercero. Santificarás las fiestas.

Cuarto. Honrarás a tu padre y a tu madre.

Quinto. No matarás.

Sexto. No cometerás actos impuros.

Séptimo. No hurtarás.

Octavo. No dirás falso testimonio ni mentirás.

Noveno. No consentirás pensamientos ni deseos impuros.

Décimo. No codiciarás los bienes ajenos.

Estos diez mandamientos se cierran en dos: Amarás a Dios sobre todas las cosas y al prójimo como a ti mismo.

2 ■ Vas a oír una canción popular española llamada "Los diez mandamientos", original de la provincia de Ávila y cantada por el grupo "Nuevo Mester de Juglaría". Trata de averiguar con qué mandamientos ha cumplido el hombre que canta y con cuáles no.

PALABRA POR PALABRA 2

En esta sopa de letras puedes encontrar los nombres de diez músicas populares de
España o Latinoamérica:

A	F	V	A	L	L	E	N	A	T	O	S
H	A	I	A	P	E	R	A	U	N	A	A
I	N	D	O	R	C	E	T	A	N	M	R
C	D	N	J	E	H	M	I	A	S	B	D
P	A	S	O	D	O	B	L	E	U	U	A
O	N	U	T	O	T	L	O	T	R	C	N
J	G	Ñ	A	R	I	T	A	N	G	O	A
E	O	O	G	V	S	C	A	B	E	T	U
N	S	U	E	C	A	A	R	E	S	O	N
P	O	S	M	U	Ñ	E	I	R	A	U	M

ESCRIBE A TU AIRE

Las fotos de la página siguiente reflejan momentos de celebraciones populares en
Latinoamérica y en España. Debajo de cada una tienes el nombre de la fiesta y el lugar
donde se celebra. Elige la que más te interese.

1 ■ Imagina que estabas haciendo un viaje y tomaste esa foto. Mándasela a un amigo que
   también hable español junto con una carta que siga estas pautas:

   – Utiliza un estilo informal.

   – Cuenta parte de tu viaje y cómo llegaste a encontrarte con esa escena que has cap-
     tado en tu foto. Explica por qué te llamó la atención.

   – Describe tu interpretación de la escena: lo que tú crees que representa, lo que pue-
     des imaginar sobre lo que está pasando.

Carnavales (Bolivia)

Toros en el mar (España)

Noche de San Juan (España)

Gigantes y cabezudos (España)

Tamborrada (España)

Tomatina (España)

2 ▪ Busca qué otras personas de la clase han elegido la misma foto que tú. Intercambiad las cartas y leed todas las cartas de vuestro grupo fijándoos en las siguientes cosas:

– ¿Se entiende todo?

– ¿La interpretación que se da de la foto es creíble?

– ¿El texto está bien ordenado?

– ¿Contiene errores léxicos, gramaticales u ortográficos?

HABLA A TU AIRE

1 ▪ Rellena este cuadro con palabras que te recuerden lo que has aprendido en esta unidad sobre el folclore español y latinoamericano, como en el ejemplo que te damos.

OBJETOS TÍPICOS	*BOTIJO (museo, agua fría)*
GASTRONOMÍA	
FIESTAS POPULARES	
CREENCIAS	
MÚSICAS	

2 ▪ Con ayuda del cuadro anterior, prepara una charla breve para tus compañeros sobre tus conocimientos de este folclore.

3 ▪ El profesor va a proponer una actividad. Para hacerla necesitas tener claro el significado de estas expresiones:

A propósito, ...
Por cierto, ...
Eso me recuerda que...
(Y) hablando de..., ...

Unidad
En martes...

¿TÚ QUÉ CREES?

Mira la historia y comenta con tu compañero el final: ¿lo habéis entendido igual?

¿Alguna vez te han leído el futuro con cartas? ¿Has usado algún otro modo de leer el futuro? ¿Se ha cumplido lo que te predijeron?

PALABRA POR PALABRA 1

1 ■ En los siguientes anuncios vas a encontrar muchas palabras y expresiones relacionadas con la adivinación y otros asuntos "sobrenaturales". Marca esas palabras en los textos y después agrúpalas en el cuadro, donde tienes ya algunas palabras que no están en los textos.

Hechizos para el amor

MAGIA EFECTIVA,
aplicada a los asuntos del corazón

Asombrosa eficacia. Ahora puede solucionar sus problemas amorosos recurriendo a los hechizos más efectivos de la magia. No es necesario experiencia. Los trabajos de Magia Blanca seleccionados por un auténtico experto pueden ser realizados por cualquier persona, sea hombre o mujer.

- Magia para conseguir a la persona más adecuada
- Cómo provocar o suprimir el deseo
- Magia sexual. Cómo ser una persona deseada por todos o por una persona en concreto
- Cómo lograr que nunca se olvide de usted
- Hechizos para romper uniones
- Conviértase en una persona magnética
- Conozca los talismanes del amor más efectivos y apreciados
- Los elixires de pasión y cómo elaborarlos
- Conozca todos los secretos

Los materiales necesarios son fáciles de encontrar y sencillos de combinar. Los resultados son visibles en muy poco tiempo. ¿Quiere que vuelva con usted? ¿Desea una fidelidad completa? ¿Busca una pasión desbordante? Ahora puede conseguir todo esto y mucho más.
Incluye un frasco de "Agua del Amor", un preparado ideado y concebido para incrementar su atractivo personal y su capacidad para atraer vibraciones positivas relacionadas con asuntos amorosos. Libro con instrucciones y Agua del amor por solo 26,98 euros. Envío en un paquete cerrado sin marcas externas. Nadie conocerá su secreto. Pídalo hoy mismo.

Cómo utilizar la bola de cristal

El apasionante mundo de la videncia mediante la utilización de una bola de cristal. ¿Puede obtenerse información? ¿Es fiable? ¿Cómo lograr ver a distancia a través del cristal? Una auténtica especialista con años de experiencia muestra en este manual todo lo necesario para utilizar con soltura este sistema de percepción extrasensorial. Cómo adivinar el futuro. Cómo ver lo que otras personas hacen a distancia. Cómo sanar. Cómo encontrar a gente desaparecida. Conjuros y hechizos para obtener deseos. Técnicas para evitar la negatividad y anular males de ojo. Además de un largo etc. Interesante y práctico. 117 pgs.

Bola de Cristal

Una preciosa bola de cristal para la práctica de la clarividencia. Se trata de una bola de tamaño medio (60 mm de diámetro) de gran calidad y pureza, para una perfecta utilización. Se emplea habitualmente como medio para la visión del futuro, presente o pasado. En cualquier caso es una pieza decorativa de gran belleza, ideal para colocar cerca de una fuente de luz. Perfecta para principiantes y para iniciados.

ELENA MENÉNDEZ imparte cursos asistenciales y por correspondencia de tarot, astrología, magia de velas, magia de amor, desembrujamiento y alta magia. Meditación. También consultas. Información: 91 518 73 07.

LÍNEA MÁGICA DE ELENA ALEXANDRE. La bruja auténtica de TV5. Maestra, embajadora verdadera del ocultismo, número uno en España en predicciones y aciertos, conocedora de artes mágicas. Tarot, runas, videncia (amor, trabajo, salud, suerte). Los mejores profesionales. Llamada en directo. 806 41 48 10.

ANTARES TAROT. Vidente. 806 31 79 28

MAESTRO GUIRASSY INTERNACIONAL
No hay problemas sin solución. Muy potente para su futuro y presente, especialista en recuperar parejas, a un amor perdido, buscar un amor fiel. Suerte en el futuro, negocios, trabajo, atracción de clientela. Curandero. Resuelvo vuestros problemas. 100% éxito. Resultado inmediato.
TRABAJOS A DISTANCIA 93 431 38 04 - 653 495 279
TEF. 93

NOMBRES REFERIDOS A PERSONAS	OBJETOS	MÉTODOS	FENÓMENOS	OTRAS
mago astrólogo hechicero	cartas	brujería	maleficio encantamiento	

2 ■ ¿Puedes añadir otras palabras que conoces relacionadas con el tema?

DIMES Y DIRETES

1 ▪ Con frecuencia usamos algunas palabras referentes al mundo de lo sobrenatural con un sentido menos literal, más figurado. ¿Qué crees que pueden significar estas expresiones si las oyes en una conversación que no tiene ninguna relación con nada sobrenatural?

> tener embrujo
> el embrujo de...
> embrujar a alguien
> estar / caer / quedar embrujado por ...

> tener hechizo
> el hechizo de...
> hechizar a alguien
> estar / caer / quedar hechizado por...

> tener (buena) estrella
> la buena estrella de...
> nacer con (buena) estrella
> unos nacen con estrella, y otros nacen estrellados

> parecer / ser cosa de magia / de brujas

2 ▪ Lee los ejemplos de esta página y las dos siguientes para confirmar tus respuestas a la actividad anterior. Fíjate en el tema del que se habla, y toma nota en la columna derecha (como en el ejemplo) para contestar estas preguntas:

a) ¿De qué tipo de cosas, lugares, personas o hechos se puede decir que tienen "embrujo" o "hechizo"? ¿Qué cosas pueden embrujarnos o hechizarnos?

b) ¿A qué se aplican normalmente las expresiones con las palabras "buena estrella": a cosas, lugares, personas...?

c) Busca una situación en la que podrías usar la expresión "[unos / los hay que] nacen con estrella, y [otros / los hay que] nacen estrellados".

Existe un suficiente número de personas que son atraídas por el **hechizo** de Brasil. Su música, su culinaria, costumbres esotéricas, su lucido carnaval, el mestizaje de su gente, su inspirada literatura, su acento portugués, las telenovelas, el fútbol –Pelé– y ese vasto territorio que surca miles de kilómetros y que propicia el encuentro entre la selva ignota y el mundo industrializado parece fascinar. (*El Universal*, Venezuela)	*el hechizo de un país*
Ya suenan los primeros compases. ¿Reconoce usted la preciosa melodía? Es el Danubio Azul, el más hermoso vals de Strauss. Y es que el río Danubio siempre ha sido motivo de inspiración para grandes maestros. Los incomparables destellos de sus aguas, su color azul profundo... Algo tiene que lo hace especial, mágico. Un **hechizo** capaz de inspirar obras de arte tan armoniosas como un vals. De la misma forma, el **hechizo** que emana del Danubio ha sido el principal motivo de inspiración de Jean-Claude a la hora de diseñar su última colección de joyas. El conjunto Danubio Azul. (Publicidad del diseñador de joyas Jean-Claude, España, extracto)	

En su anterior álbum "Sol da libertade", Daniela Mercury incluyó algunos temas en español como "Santa Elena", canción que tuvo muy buena aceptación en toda la República Mexicana y que mostró cómo el ritmo y la magia de la música brasileña puede **hechizar** a cualquiera.

(*Excelsior*, México, extracto)

Entré atraído por la música y con ganas de quedarme por un rato, pero el rato se prolongó por horas tras **caer hechizado** por la presencia de la mujer más bella que he visto.

(*El Salvador Hoy*, El Salvador)

Sudoroso y acorralado, el director del Penal manifestó que un grupo terrorista había realizado el asalto con helicópteros, con bazookas y metralletas, mientras en el interior del recinto los delincuentes redujeron a los vigilantes con bombas. No pudo explicar cómo consiguieron las armas burlando las máquinas detectoras de metales, **parecía cosa de magia**, las granadas simplemente brotaron en sus manos.

(Isabel Allende, *Eva Luna*, Chile, extracto)

Era un fraude maestro, pues los billetes tenían las marcas de agua del papel original: habían borrado billetes de un dólar por un procedimiento químico que **parecía cosa de magia**, y habían impreso en su lugar billetes de a cien.

(Gabriel García Márquez, *El amor en los tiempos del cólera*, Colombia)

A los 25 años, este joven cantante brasileño **ha embrujado** el corazón de millones de latinoamericanos con temas lacrimógenos y llenos de nostalgia.

(Artículo sobre Alexandre Pires, *La Prensa de Nicaragua*)

Durante diez horas inolvidables, Vargas Llosa, con la pasión por la literatura que lo caracteriza, comparte con nosotros el proceso de creación de una novela. Todos **quedamos embrujados** por la magia de su palabra, por su increíble modestia después de tantos logros, por la amabilidad con que escucha los comentarios y responde las preguntas.

He tenido muchos profesores buenos en mi vida; pero ninguno se compara a Vargas Llosa. Fue mi profesor por primera vez en la primavera de 1994 en la Universidad Georgetown; en realidad sólo por eso me matriculé ahí, para disfrutar del lujo de tener a Vargas Llosa de profesor. Por supuesto que el curso fue excelente. Ahora en Santander **mi buena estrella** me acompaña y nuevamente puedo disfrutar de la dicha de tener frente a mí a un escritor de tan tremenda talla como profesor.

(Entrevista a Mario Vargas Llosa, *Espéculo*, España, extracto)

Resulta insólito que alguien circule arriba y abajo, entre asesinos y víctimas, con tanta suerte que ni siquiera recibe un rasguño. A eso lo llamo tener **buena estrella**, señor mío; **muy buena estrella**.

(Arturo Pérez-Reverte, *El maestro de esgrima*, España, extracto)

Julio vino, cantó y encandiló. Sobre el escenario de Mestalla, en Valencia, con el público a sus pies, regaló una mágica noche bajo el **embrujo** de la luna llena.

("Mágica noche de Julio Iglesias en Valencia", *ABC*, España, extracto)

Se calcula que en los seis meses de vida de la Expo 92, fue visitada por cerca de 30 millones de personas que sin duda descubrieron, además de la historia, cultura y tecnología de la Isla de la Cartuja, el **embrujo** de una de las ciudades más bonitas del mundo: Sevilla, ciudad abierta, puerta del mundo y cruce de culturas.

(Amado Juan de Andrés, *Mecenazgo y patrocinio*, España)

El Teatro Lírico **no nació con muy buena estrella**. Ya fuera por lo defectuoso de la construcción o por el sitio poco céntrico en que se encontraba, pero todas las empresas que intentaron levantarlo, fracasaron.

(Daniel Leyva, *Una piñata llena de memoria*, México)

– ¿Sabe que da la sensación de que todo le sale bien en esta vida, que tiene mucha suerte y es consciente de ello?

– Es verdad. No seré estrella, pero **he nacido con estrella**. Estoy seguro que **he nacido con estrella** y que he tenido mucha suerte.

(Entrevista al actor José Coronado, *Tiempo*, España, extracto)

– ¿Tú no te vas de vacaciones?

– No lo sé. Igual me voy este fin de semana a Santander, pero todavía no lo tengo decidido.

– ¿Qué tienes, un apartamento allí?

– Sí. Un chalé.

– Qué bien vivís. Mientras los demás curramos para pagarnos el verano, vosotros ya tenéis el chaletito esperando que os dignéis aparecer. Ya me gustaría a mí poder coger mañana para irme a mi chaletito de no sé dónde...

– Es la vida, Manolo. **Los hay que nacen con estrella y los hay que nacen estrellados**.

(José Ángel Mañas, *Historias del Kronen*, España, extracto)

3 ■ Háblales a tus compañeros sobre:

– algo o alguien que para ti tiene embrujo

– alguna cosa o persona que consiguió hechizarte

– algo que te pasó y parecía cosa de magia

– alguien que para ti tiene buena estrella o ha nacido con estrella

CON TEXTOS 1

1 ■ ¿Qué sabes de la caza de brujas? ¿Cómo se las castigaba? ¿Qué era la Inquisición y cómo actuaba?

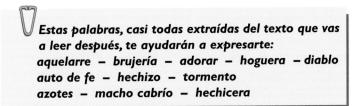

> Estas palabras, casi todas extraídas del texto que vas a leer después, te ayudarán a expresarte:
> aquelarre – brujería – adorar – hoguera – diablo
> auto de fe – hechizo – tormento
> azotes – macho cabrío – hechicera

2 ■ Lee por encima el artículo "El retorno de las brujas" y señala si los siguientes temas se tratan o no:

a) Descripción de lo que hacían las brujas.

b) Ejemplos de hechizos.

c) Métodos para protegerse de las brujas.

d) Asesinatos.

e) Juicios.

f) La caza de brujas en el siglo XVII.

g) Las brujas de Salem.

h) Las brujas en Madrid.

EL RETORNO DE LAS BRUJAS

El último auto de fe al que asistió Felipe II tuvo lugar el 9 de junio de 1591, en la plaza toledana de Zocodover. En él abjuraron de sus delitos de brujería Olalla Sobrino y Juana la
5 Izquierda, junto a otras hechiceras castellanas. A su compañera Catalina Mateo le valió su confesión 200 azotes y ser instruida en la fe.

Estas tres ancianas de El Casar de Talamanca protagonizaron uno de los pocos casos de bruje-
10 ría en que la Inquisición toledana utilizó el tormento para obtener las confesiones. Los habitantes de este pueblo de Guadalajara, próximo a Madrid, las acusaron de la muerte de unos niños. Fueron primero interrogadas en el vicariato de
15 Alcalá de Henares, y luego conducidas al tribunal inquisitorial de Toledo. En el transcurso de los terribles interrogato-
rios, la Izquierda afirmó que una noche salió a la
20 calle al oír pasar a unas brujas, que la untaron[1] y la llevaron a un campo cercano, donde cantaban y bailaban una docena de brujas y algu-
25 nos brujos.

Fue la primera de muchas correrías, en el transcurso de las cuales se emborrachaban en las bodegas. La Mateo explicó que sus amigas quisieron enseñarle el oficio de bruja, y le hicieron
30 muchas promesas. "Serlo habéis, aunque no queráis", le dijo la Olalla, frotándole manos y pies con cierto ungüento; luego, apareció un macho cabrío y abrazó a su compañera, bailando todos alegremente y entregándose a un desenfreno
35 sexual con aquel ser. En otras ocasiones, tras

untarse, salían de casa volando; se reunían a medianoche cerca de la iglesia o en la plaza del pueblo, e iban luego cantando y alborotando por las callejas circundantes. A veces se introducían en las casas por las ranuras de las ventanas, chupando a los niños hasta matarles, según sospechaban algunos padres.

En pleno Siglo de Oro, Madrid, como las restantes ciudades europeas, estaba plagada de hechizos y brujerías. Casi todos creían en ellos, desde el Rey hasta el más humilde mendigo. Creían en el diablo y en sus terribles acechos como creían en Dios.

Aunque la capital española fue una de las ciudades más ajenas al fenómeno brujeril, la hemos escogido como leve y cercano reflejo de la auténtica plaga psíquica que durante tres siglos asoló Europa: resulta imposible precisar una cifra, porque hay muchas lagunas en los archivos y en los inventarios judiciales, pero los eruditos estiman que, entre 1450 y 1750, 300.000 personas –la mayoría mujeres– fueron ejecutadas durante la "caza de brujas".

Contrastando con las innumerables hogueras que en el resto del continente consumían a los acusados de adorar al diablo, y con las implacables persecuciones religiosas de la Inquisición española, ésta aplicó muy pocas veces la pena de muerte a las brujas, hechiceras y magos locales.

Quizá por ello, en contra de lo que la "leyenda negra"[2] ha dado a entender, esta patología no resultó tan alarmante; pese a lo cual, ningún rincón del país quedó a salvo del fenómeno.

Si bien debilitadas con el transcurso del tiempo, estas creencias subsistieron. Así, en 1744 Manuela María García contaba que, mientras servía en una casa madrileña, en compañía de unas brujas, fue y volvió en una sola noche hasta la frontera portuguesa, y que otra noche estuvo en Valencia, de donde regresó dando noticias exactas, ante el asombro de sus señores, que no habían advertido su ausencia. Especial fama tuvo, a comienzos de este siglo[3], la bruja de la Ribera de Curtidores, en pleno Rastro[4] madrileño.

Hoy Madrid es una ciudad atareada y moderna como el resto de las capitales europeas... Pero no por ello menos repleta de magia y misterio. Junto a más de un millar de adivinos y astrólogos profesionales, en esta capital sigue vigente la magia, que cuenta con tiendas especializadas, incluso en el Rastro.

(Enrique de Vicente, extracto)

[1] Extender sobre una superficie una materia grasa.
[2] Conjunto de relatos sobre la España de los siglos XVI y XVII que se extendieron por Europa, ofreciendo una visión extremadamente negativa de la monarquía y la Iglesia católica españolas.
[3] Se refiere al siglo XX.
[4] El mercadillo más popular de Madrid.

3 ■ Comprueba si, según el texto, las siguientes afirmaciones son verdaderas o falsas:

a) Los juicios contra las brujas terminaron en 1591.

b) En España era normal torturar a los acusados de brujería.

c) Los aquelarres eran fiestas en las que, según se cree, a veces se mataba a niños.

d) Madrid fue una de las ciudades europeas con menos brujas.

e) En comparación con los demás países europeos, la Inquisición española no mató a muchos acusados de brujería.

f) Aún hay brujería hoy en Madrid.

4 ■ ¿Has oído hablar de casos de brujería en tu ciudad, región, país...? ¿Crees en ella?

MATERIA PRIMA 1

1 ■ Busca cómo se expresaban en el texto de "Con textos 1" estas ideas y toma nota de con qué palabras se hacía:

a) Fue la primera de muchas correrías. En el transcurso de éstas se emborrachaban en las bodegas.

b) En contra de lo que la "leyenda negra" ha dado a entender, esta patología no resultó tan alarmante. Pese a ello, ningún rincón del país quedó a salvo del fenómeno.

2 ■ Los siguientes fragmentos expresan ideas tomadas también del texto de "Con textos 1". Haz los cambios necesarios en ellos para enlazar las oraciones usando el pronombre relativo "el/la/lo/los/las cual/cuales":

a) El 9 de junio de 1591 tuvo lugar en la plaza toledana de Zocodover el último auto de fe al que asistió Felipe II. Durante él abjuraron de sus delitos de brujería Olalla Sobrino y Juana la Izquierda.

b) Durante tres siglos Europa fue asolada por una auténtica plaga psíquica. A consecuencia de ella se estima que fueron ejecutadas, entre 1450 y 1750, 300.000 personas –la mayoría mujeres–.

c) En el transcurso de los terribles interrogatorios confesó Juana la Izquierda. Según ella las brujas y brujos se reunían en un campo cercano para adorar al diablo.

d) La Inquisición española persiguió implacablemente a las brujas, hechiceras y magos. Pocos de ellos, sin embargo, terminaron en la hoguera.

e) En el Madrid de hoy en día sigue vigente la magia. Alrededor de ella se mueve un gran negocio de tiendas especializadas y más de mil adivinos y astrólogos profesionales.

3 ■ ¿Qué forma te parece más correcta: la de las frases tal como aparecen en este ejercicio, o la de las frases que has construido usando el pronombre relativo?

4 ■ **a)** Fíjate ahora en las palabras que introducen el relativo. Anótalas en el cuadro de la derecha.

b) Fíjate en las palabras marcadas: ¿cuál de ellas tiene acento fónico, es decir, suena un acento en ellas, se escriba o no se escriba?

en el aquelarre	**durante** el aquelarre
por la Inquisición	**según** la Inquisición
para la magia	**en contra de** la magia

Las palabras o grupos de palabras que has anotado en la actividad 4-a, ¿tienen acento fónico?

c) En estas oraciones, ¿el antecedente (es decir, el objeto, persona o acción a la que se refiere el pronombre relativo) está expreso en la oración anterior?

– en el transcurso de
–
–
–
–
–
–

d) Lee esta descripción y corrige todas las palabras que te parezca que no responden a la realidad:

> *En las oraciones de relativo con un antecedente expreso, cuando queremos comenzar con preposiciones o grupos de palabras que tienen acento fónico ("según...", "tres de...", "la mayoría de...", "dentro de...", "a favor de...", "gracias a..."), usamos normalmente el pronombre "el/la/lo/los/las que", y no "el/la/lo/los/las que". Estas construcciones son de uso informal.*

5 a) Relaciona los elementos de las dos columnas para tener información sobre algunas creencias de diferentes partes del mundo:

En algunas casas se puede ver, colgada sobre la puerta, una herradura.

Se cree que los ajos alejan a los vampiros.

En la tradición popular de Asturias (España) existe un animal mitológico llamado el "cuélebre". Era una gran serpiente con crines, alas de murciélago y orejas, que devoró a gran cantidad de mujeres vírgenes.

El pueblo zandé del Sudán balancea suavemente a los recién nacidos en una cortina de humo.

En la antigua mitología egipcia se explica que la vida comenzó en el agua, de donde surgió la primera tierra, un montículo.

En algunas zonas de Argentina está muy difundida la leyenda del "familiar". Es un perro negro que lanza fuego por la boca y los ojos, y que es capaz de desgarrar a su víctima en un santiamén si ésta no le muestra un puñal con su mango en forma de cruz.

A la vista de ésta, retrocede, cediendo ante el poder del signo, no del arma.

Ninguna de ellas tenía a mano una espada para clavársela en el cuello, que es una de las pocas formas de darle muerte.

Gracias a ello, consiguen protegerlos de las brujerías.

Gracias a ella, todos los habitantes de la casa tienen buena suerte.

Por ello, algunas personas los colgaban encima de su cama.

Encima de él se posó una gran ave y puso el huevo del mundo, que fue el origen de la vida.

b) Une las dos partes que has relacionado usando pronombres relativos.

c) ¿En alguna de las frases que has creado, además de usar el pronombre "el/la/lo/los/las cual/cuales", se puede usar "el/la/lo/los/las que"?

d) ¿En qué tipo de texto sería normal que se usaran las frases que hemos creado con los pronombres relativos?

– En una página de Internet sobre tradiciones y leyendas.

– En una enciclopedia.

– En una conversación en la que alguien le cuenta a un conocido una creencia de su país.

– En una conferencia sobre las supersticiones en el mundo.

– En una carta a un amigo contándole cosas que hemos conocido en nuestros últimos viajes.

¡LO QUE HAY QUE OÍR! 1

1 ▪ En un programa de radio que vas a escuchar cuentan una historia sorprendente en la que aparecen todos los elementos que se nombran a continuación. Con varios compañeros, imagina cuál es el argumento de la historia antes de escuchar la grabación.

bilocación	**Nuevo México**
Felipe IV	**evangelizar**
misioneros franciscanos	**teleportación**
siglo XVII	**indios**
Inquisición	**Soria**
monja	

2 ▪ Cada grupo va a compartir con la clase la historia que ha imaginado. A continuación, escucha una primera vez la grabación: ¿cuál es el grupo que se ha acercado más a la historia?

3 ▪ Escucharemos una segunda vez para fijarnos en información más específica. Toma notas para completar el esquema:

- Fechas: – Comienzo del fenómeno: _____
  – Final del fenómeno: _____

- Lugar: _____

- ¿Quién era la protagonista del fenómeno? _____

- ¿Cómo la describían? _____

- ¿A qué hora aparecía? _____

- ¿Qué hacía? _____

- Pruebas de que el hecho era real:

  - _____
  - _____
  - _____
  - _____
  - _____
  - _____

4 ▪ ¿Qué diferencia hay entre "bilocación" y "teleportación"? ¿Cuál de estos fenómenos realizaba esta persona?

5 ▪ En la grabación se menciona que estos fenómenos también ocurren en la actualidad. ¿Conoces alguna historia que cuente algo parecido?

CON TEXTOS 2

1 ■ En la lista tienes una serie de hechos o cosas alrededor de las cuales se han creado supersticiones bastante extendidas, algunas solamente por España y Latinoamérica, otras por muchas otras partes del mundo. Con otros compañeros, completa las frases diciendo si crees que ese hecho trae mala suerte, si da buena suerte o si te libra de la mala suerte.

a) Romper un espejo...

b) Abrir un paraguas en un lugar techado...

c) Derramar sal en la mesa...

d) Pasar debajo de una escalera...

e) Que se cruce un gato negro en nuestro camino...

f) Encontrar un trébol de cuatro hojas...

g) Ponerse la ropa del revés...

h) Ponerse un calcetín de cada color...

i) Levantarse de la cama con el pie izquierdo...

j) El color amarillo (sobre todo para los artistas y toreros)...

k) Tocar madera...

l) El día martes 13...

2 ■ De algunas de estas supersticiones se habla en el siguiente artículo extractado. Comprueba las respuestas del ejercicio anterior que aparecen en él:

TOCAR MADERA
TRADICIONES

Explicaciones de sentido común para las supersticiones más famosas

Levantarse con el pie izquierdo. El antropólogo Manuel Mandianes explica que esta creencia popular proviene en realidad de la mitología celta que identifica el movimiento del Sol con la derecha, por
5 tanto, con el día y con el bien, y a la izquierda con la noche, con la oscuridad y con el mal. "Los toreros frotan un pie, el que ellos consideran bueno, contra la arena antes de entrar al ruedo", apunta el crítico taurino Juan Soto Vinyolas.

10 **Un espejo roto.** Los magos y las brujas realizaban toda clase de **maleficios** y **encantamientos** a través de los espejos, a los que se les atribuyen poderes mágicos. En el espejo nos vemos reflejados y al romperse algo puede quedar dañado o
15 roto en nuestro interior. Además, la superstición asegura que trae siete años de mala suerte. Para romper este **maleficio** las personas supersticiosas deben deshacerse inmediatamente de él. Dicen que la manera más eficaz es enterrándolo.

20 **El gato negro.** Según las leyendas, suelen ser los compañeros de brujas y curanderas, que se convierten en uno de estos animales para colarse en

las casas y hacer enfermar a personas o animales. Pero esta superstición no es general, ya que en algunos pueblos de Aragón, Navarra y el País Vasco existe la creencia de que los gatos negros traen buena suerte y riquezas.

Derramar la sal. La sal es el símbolo de la amistad. Si se derrama, la amistad se rompe. Para neutralizar este mal **augurio** basta con echar un poco de la sal derramada sobre el hombro izquierdo tres veces.

Pasar por debajo de una escalera. Las personas supersticiosas creen que este acto corta la línea del crecimiento. Por esta razón consideran que puede afectar a las embarazadas. Margarita Candón y Elena Bonet, en su diccionario de las supersticiones titulado *Toquemos madera*, explican que la tradición popular identifica con la Santísima Trinidad el triángulo que forma la escalera cuando se apoya a la pared. Y éste se consideraba un espacio sagrado por el que estaba prohibido pasar. Si esta regla se incumple, es aconsejable cruzar los dedos índice y corazón o bien escupir tres veces después de haber pasado.

El viernes y el martes. El viernes es un día con mala reputación en todo el mundo anglosajón. En España, sin embargo, la fecha fatídica se traslada al martes, sobre todo si es 13. Según M. Candón y E. Bonet, su origen se encuentra en la terrible derrota que sufrió un martes, en Játiva, Jaime I el Conquistador. El martes, además, está asociado al dios de la guerra, Marte. "En martes, ni te cases ni te embarques", dice el refrán. Ese día tampoco es aconsejable cambiarse de casa o cortarse el pelo y las uñas.

Tocar madera. Es una forma de conjurar los **maleficios**. Siempre que nos jactemos de nuestra buena suerte es recomendable tocar madera, y también cuando queramos que un deseo se realice. Los árboles eran dioses para los paganos; por tanto, con el gesto de tocar madera nos ponemos bajo su protección. Otra explicación relaciona esta creencia con la veneración de las reliquias de la cruz de Cristo.

CHARO CANAL

3 ■ En el texto aparecen las tres palabras siguientes. Vuelve a leer las frases en las que aparecen para responder esta pregunta: ¿esas cosas son malas o buenas, producen efectos positivos o negativos en las personas?

augurio (l. 30)   **maleficio** (líneas 11, 17 y 56)   **encantamiento** (l. 11)

4 ■ Relaciona los verbos con los complementos. Algunas de las combinaciones aparecen en el texto anterior.

conjurar

romper

realizar

neutralizar

traer

hacer

dar

(buena) suerte

un maleficio

un encantamiento

un mal augurio

mala suerte

5 ▪ Imagina que crees todo lo que dice el texto anterior. ¿Qué debes hacer para conjurar la mala suerte o para atraer la buena suerte en estas situaciones? Busca la información en el texto.

a) Si se te cae la sal a la mesa o al suelo:

b) Al levantarte de la cama, si quieres tener un buen día:

c) Si por necesidad o por despiste pasas debajo de una escalera:

d) Si dices que todo te va bien, pero temes que pueda pasarte algo malo:

6 ▪ ¿Cuál es el tono del texto: irónico, humorístico, informativo, didáctico, con un toque de humor...?

7 ▪ Seguramente en la zona de donde provienes hay también supersticiones locales, creencias irracionales pero que permanecen de alguna manera hoy en día. ¿Puedes añadir al texto un párrafo explicando alguna de ellas? Mantén el tono del texto.

MATERIA PRIMA 2

1 ▪ ¿Qué crees que son estos textos breves? ¿Para qué sirven? ¿Existen textos similares en tu cultura? ¿Dicen cosas parecidas?

Duerme, niño, duerme,

duerme, que viene el coco,

y se lleva a los niños

que duermen poco.

¡A dormir! ¡A callar!

Mira, que viene el coco

y te va a llevar.

Calla, niño; calla, niño,

mira que viene el Papón,

y que viene preguntando

dónde está el niño llorón...

El "coco" y el "papón" son dos de los muchos personajes tradicionales "asustaniños", normalmente fantasmas, brujas, animales y personajes conocidos, de una forma u otra, en todos los países hispánicos. En España era muy popular también el "sacamantecas". El "papón" era popular en Asturias y Galicia. Existe una infinidad de personajes imaginarios que eran utilizados por los mayores con la misma función: en España, el tío Camuñas, la Bruja Piruja; en México y Colombia, la Mano Peluda, etc.

2 ▪ **a)** En lugar de usar los textos de la actividad 1, los padres podrían haber usado sus propias palabras, por ejemplo las siguientes:

Como no te duermas, va a venir el coco y te va a llevar

Si no te duermes, va a venir el coco y te va a llevar.

Como no dejes de llorar, va a venir el Papón y te va a llevar.

Si no dejas de llorar, va a venir el Papón y te va a llevar.

¿Significan lo mismo las frases con "si" que las frases con "como"? ¿Existe alguna diferencia gramatical?

b) Si los padres, en lugar de asustar a los niños, les intentaran convencer ofreciéndoles cosas agradables, podrían decir:

Si te comes todo, puedes ver la tele un rato.

Si dejas de llorar, mañana vamos al parque de atracciones.

En estos casos, no sería adecuado utilizar "como + subjuntivo".

c) Fíjate en las frases de la actividad (a) y las de (b), y después elige las opciones correctas de las que aparecen entre paréntesis:

La construcción condicional con "como", característica del español (oral / escrito), expresa condiciones que nunca son neutras, sino que informan de que la consecuencia va a ser algo casi siempre inesperadamente (agradable / desagradable) para el propio hablante, para el oyente o para una tercera persona. Por eso, esta construcción se utiliza muy a menudo para expresar (amenazas / condiciones poco probables). Y también por eso no se utiliza cuando se considera la consecuencia normal y proporcionada respecto de la condición.

3 ▪ Utiliza la información de la página de Internet "Cocoweb", que tienes debajo, para "amenazar" a tus hijos, que son:

a) Un niño que no quiere comer y vive en una casa con chimenea.

b) Una niña que todo el tiempo está rompiendo cosas y vive en una casa con chimenea.

c) Un adolescente que está empezando a fumar.

d) Un niño travieso que vive en una casa con desván.

e) Un niño que no quiere portarse bien y vive en una casa con sótano.

El Tío Camuñas: En Asturias (España) se dice que vive en los tejados o desvanes, de los que baja para llevarse consigo críos y crías.

El Sombrerón: Mito mayor de Antioquia (Colombia), también conocido en México y Guatemala. Se le conoce como una figura humana siempre vestida de negro y con un gran sombrero que llega a cubrirlo casi por completo. A veces se le ve llevando enormes perros también negros, amarrados con cadenas, que producen terror con sus aullidos. Lo acompañan fuertes vientos y huracanes que apagan las velas a su paso. Aparece al amanecer y persigue a los jovencitos que empiezan a fumar y en especial a los borrachos diciéndoles: «Si te alcanzo, te lo pongo (el sombrero)».

El Caragot: Asustaniños popular en Cataluña (España), un hombrón alto y agigantado que baja por la chimenea con un enorme saco a la espalda repleto de niños traviesos, con los cuales hace unas sopas en la lumbre del hogar, siendo los chicos malos de las casas que visita los primeros que mete dentro del enorme puchero.

La Bruja Piruja: Popular en muchos pueblos españoles, entraba por la chimenea y se llevaba a los niños que no dormían a su casa, donde se los comía. Los padres amenazaban con llamarla.

La Tía Tragantía: Es un mito de Úbeda, Jaén (España). Para asustar a los niños se les decía que vendría por ellos. Anunciaba su llegada con una canción: "Yo soy la Tía Tragantía, / hija del rey Baltasar, / y quien me oiga cantar / no vivirá más de un día / y la noche de San Juan".

La Mano Peluda: Localizada en México y Colombia. Común en los subterráneos de las casas. Es una mano grande y velluda de uñas grandes que se asoma por las ventanas o los huecos de los muros. Sirve para infundir temor a los niños traviesos, malcriados y callejeros. En México se cree que llega por las noches y te toca mientras duermes.

(pntic.mec.es/~ agonza59)

---

4 ▪ ¿Quién crees que podría decir estas frases y a quién? ¿Cómo podrían terminar?

a) Como no hagas los deberes, …

b) Como no hagamos los deberes, …

c) Como llegues tarde, …

d) Como vuelva usted a llegar tarde, …

e) Como cojas mis juguetes, …

f) Como no recojáis los juguetes, …

5 ▪ Imagina que eres muy supersticioso. ¿Qué dirías o pensarías en estas situaciones para conjurar el maleficio? Fíjate en el ejemplo.

a) Un compañero de clase ha sacado un espejo de su cartera, se le ha caído y se le ha roto.

Ejemplo:

¿No piensas hacer nada? Pues como no lo recojas y lo entierres, vas a tener siete años de mala suerte.

b) Estás comiendo con un amigo. Se le abre el salero y toda la sal cae sobre la mesa. Te das cuenta de que la piensa dejar ahí.

c) Vas caminando por la calle con una amiga embarazada, que, sin darse cuenta, pasa debajo de una escalera.

d) Eres un torero. Estás pensando que no debes olvidarte de frotar tu pie de la suerte o las consecuencias serán fatales.

PALABRA POR PALABRA 2

1 ■ ¿Crees en la existencia del aura? ¿Sabes de qué color es tu aura?

2 ■ Busca un compañero con el que trabajar. Vas a hacerle unas preguntas para intentar averiguar los colores de su aura. Toma nota de las respuestas para después interpretarlas.

¿Cuál es el color que predomina en su ropa?	
Aparte de su color favorito, ¿qué otros dos o tres colores predominan en su ropa, en las paredes de su casa, en la ropa que compra para su familia?	
¿ Qué colores no le gustan nada? ¿De qué color no se vestiría nunca? ¿De qué color no pintaría nunca las paredes de su casa?	

3 ■ Busca qué significan los colores del aura de tu compañero. Fíjate también en el significado de los colores que no le gustan nada a tu compañero, porque eso te servirá para saber qué características de personalidad no tiene.

LO QUE DICEN LOS COLORES DEL AURA

Negro: Indica odio, malicia, venganza, maldad, ira, emociones negativas y formas de pensamiento muy pesimistas, que incluso crean una especie de humo denso alrededor de la persona.

Gris: Egoísmo, temor, terror, depresión y melancolía.

Verde musgo: Celos, envidia.

Verde brillante: Tolerancia para las opiniones y creencias de otros; fácil adaptación a los cambios de condiciones, tacto, urbanidad, sabiduría mundana y también refinada falsedad.

Rojo: Sensualidad, pasión.

Rosa: El amor en su forma más elevada, la tranquilidad emocional.

Marrón: Avaricia y voracidad.

Naranja: Orgullo y ambición.

Amarillo: Poder intelectual, razonamiento.

Azul: Naturaleza mística y sentimientos religiosos.

Violeta: El sentimiento religioso más elevado.

Nota: Ningún ser humano tiene en su aura un solo y único color. Lo que es normal es la innumerable combinación de tonos en manchas de distinto brillo, tamaño e intensidad. Tales mezclas, aunque dominadas por uno o dos tonos básicos, se encuentran sujetas a cambios a través de la vida, y también a situaciones diarias.

(De la revista *Perfil,* extracto)

4 ■ En el texto predominan los sustantivos referidos a cualidades y defectos. Muchos tienen un adjetivo de la misma familia que también sirve para referirse al carácter. Con ayuda de tu compañero, y el diccionario si es necesario, busca los adjetivos que corresponden a estos sustantivos:

Ejemplo: *malicia*   *malicioso*

venganza

ira

melancolía

adaptación

sensualidad

avaricia

voracidad*

> *La palabra "voracidad" tiene un sentido metafórico, figurado en el texto. No se suele usar para hablar del carácter de una persona.

Así pues, si tienes como característica la malicia, se puede decir que "eres malicioso". Lo mismo ocurre con todas las demás.

5 ■ Hay otros sustantivos usados en el texto que tienen también adjetivos de la misma familia; con ayuda de tus compañeros y de un buen diccionario (preferiblemente con ejemplos), contesta estas preguntas:

a) De alguien que siente mucho odio, ¿se puede decir que "es odioso"?

b) Hay dos adjetivos de la misma familia que el sustantivo "depresión": "deprimido" y "depresivo"? ¿Cuál usamos en "está _____" y cuál en "es _____"?

c) De la misma familia que "temor" es "atemorizado", y lo mismo pasa con "terror" y "aterrorizado". ¿Qué usamos con estos adjetivos: "ser" o "estar"?

d) De "terror" también procede el adjetivo "terrorífico". ¿Suele usarse para hablar del carácter de las personas?

e) "Urbanidad" es de la misma familia que el adjetivo "urbano". Aunque "urbano" tiene el significado de 'educado, cortés', se usa poquísimo. ¿Con qué otro significado se suele usar? ¿Qué otros adjetivos más usuales podríamos utilizar para hablar de alguien que tiene como cualidad la urbanidad?

f) "Razonable" y "racional" son de la misma familia que "razonamiento". ¿Es lo mismo "tener gran capacidad de razonamiento" que "ser razonable" o "ser racional"?

g) De "pasión" proceden "pasional" y "apasionado". ¿Cuál de los dos es equivalente a "ser una persona que siente una gran pasión o grandes pasiones"? ¿Cuál de ellos solamente se usa para hablar de personas?

h) "Tacto" tiene dos significados, uno referido a la personalidad y otro a los sentidos. ¿Cuáles son? ¿En cuál de los dos significados se corresponde con el adjetivo "táctil"? ¿Qué verbo usamos delante de "tacto" cuando hablamos de las cualidades de una persona?

6 ■ Escribe una descripción del carácter de tu compañero basada en lo que sabes sobre su aura. Como con él utilizas normalmente un lenguaje informal, intenta usar muchos adjetivos y solamente los sustantivos imprescindibles (cuando no tengas otra forma de decirlo). Cuéntale cómo es y cómo no es, qué tiene y qué no tiene.

7 ■ Lee la descripción que tu compañero ha hecho de ti. ¿Crees ahora en la existencia del aura?

¡LO QUE HAY QUE OÍR! 2

1 ■ ¿Sabes qué es un fenómeno "poltergeist"? Has visto o has oído hablar de algún caso? ¿Sabes qué relación tiene el poeta Federico García Lorca con este fenómeno?

2 ■ Vamos a escuchar un fragmento del programa de radio "Milenio 3". Resume la información básica de lo que vas a oír completando este cuadro:

Ciudad en la que se produjo el fenómeno	
Peculiaridad de esta ciudad respecto del resto de España	
Lugar concreto de los hechos	
Testimonios previos que había recogido el investigador	
Testimonios directos del investigador	
Otros testigos del fenómeno	
¿Qué tuvo de especial esta experiencia para el investigador?	

3 ■ Vamos a escuchar otra vez la entrevista. Toma notas sobre la descripción y las pruebas de la investigación de Juan Jesús y analízalas teniendo en cuenta los siguientes aspectos:

– La descripción que da de lo ocurrido, ¿es detallada y rigurosa?

– ¿Qué hipótesis que podrían explicar lo ocurrido descarta y por qué?

– ¿El método de investigación responde a las condiciones de una investigación científica?

– Teniendo todo esto en cuenta, ¿te crees o no te crees lo que cuenta Juan Jesús?

MATERIA PRIMA 3

1 ▪ ¿Por qué crees que ocurrieron los sucesos que se cuentan en "¡Lo que hay que oír! 2"?
Completa las siguientes hipótesis con los misterios que se contaban:

- se movió la mecedora

- las vigas crujían

- la brújula se volvió loca

- los guardias creían oír pasos

- la temperatura cambiaba bruscamente

a) Ellos mismos producirían una corriente de aire al bajar la escalera , y por eso...

b) A lo mejor alguno de los que estaban llevaba un imán, y por eso...

c) Quizás hubiera grietas en alguna pared o en el techo, y por eso...

d) Tal vez sonaran las cañerías, y como a veces las cañerías viejas suenan muy raro, ...

e) Serían viejas, porque seguramente es una casa antigua, y por eso...

f) Puede que la casa no estuviera bien aislada contra el frío, y por eso...

g) Lo mismo, como era vieja, estaba desequilibrada, y por eso...

¿Se te ocurren otras posibles explicaciones?

2 ▪ ¿Con qué palabras y formas verbales se expresan las conjeturas sobre el pasado en el
apartado anterior? Completa el cuadro:

ALGUNAS FORMAS DE EXPRESAR CONJETURAS SOBRE SUCESOS PASADOS

Podemos usar simplemente el tiempo verbal _____ *(a), sin usar ninguna otra
palabra que exprese conjetura.*

Podemos usar también "puede que, probablemente, posiblemente, _____ *(b),* _____ *(c)"
+ una oración con el verbo en* _____. *(d)*

Además, en situaciones informales, podemos usar "igual, _____ *(e),* _____ *(f)" + una oración con el verbo en uno de los tiempos pasados del indicativo.*

---

3 ▪ Tu profesor te va a contar historias misteriosas. Tienes que formular hipótesis sobre
la historia hasta descubrir el misterio. Tu profesor te dirá si la hipótesis es acertada o
no. Escucha las hipótesis de tus compañeros para no repetirlas.

HABLA A TU AIRE

El antiguo pueblo de Belchite (Zaragoza, España) quedó en ruinas como consecuencia de la Guerra Civil. En él se libraron dos batallas y hubo unos seis mil muertos. Por orden del general Franco, el pueblo no se reconstruyó. Hoy es un lugar triste y tétrico que nos muestra y hace sentir, al pasear por sus calles devastadas, los horrores de la guerra. Su ambiente espectral ha atraído la curiosidad de muchas personas, que dicen haber grabado voces de los muertos en la guerra y haber experimentado diversos sucesos.

1 ■ Hoy vas a participar en un programa de radio sobre algunas experiencias paranormales en Belchite. Harás una entrevista a tu compañero y tú también serás entrevistado.

Busca un compañero para trabajar. Decidid quién va a ser el alumno A (que consultará la página 252) y el alumno B (que utilizará la página 254).

2 ■ ¿Podéis dar alguna explicación o hacer alguna conjetura sobre los sucesos de Belchite?

ESCRIBE A TU AIRE

Hasta el momento has aprendido muchas cosas sobre las creencias de los hablantes de español. ¿Te gustaría dar a conocer a los hispanohablantes las creencias populares de tu país, región, pueblo...? Invitamos a toda la clase a realizar un proyecto para publicarlo (en Internet, en alguna revista) o bien para difundirlo entre la comunidad educativa, según cuál sea vuestra situación de aprendizaje; se trata de recopilar de diversas fuentes (recuerdos, lecturas, entrevistas a gente conocida o familiares) información sobre:

- Animales y personas que se usaban o se usan para asustar.

- Remedios populares para problemas de salud, relaciones, trabajo, etc.

- Fechas y fiestas relacionadas con creencias.

- Creencias sobre la influencia de determinados factores en la personalidad (las estrellas, la luna, etc.).

- Cosas que dan buena o mala suerte.

- Leyendas misteriosas.

Para hacerte una idea, échales un vistazo a los siguientes fragmentos de la página web "La memoria sumergida". Esta página es el resultado de un proyecto llevado a cabo en el Instituto de Enseñanza Secundaria "Augustóbriga", de Navalmoral de la Mata (Cáceres, España).

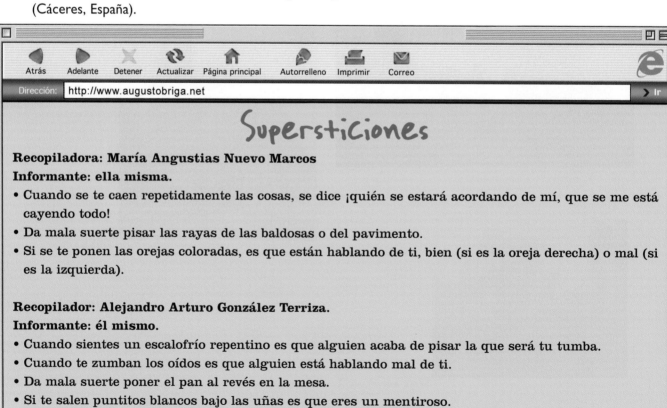

Supersticiones

Recopiladora: María Angustias Nuevo Marcos
Informante: ella misma.
- Cuando se te caen repetidamente las cosas, se dice ¡quién se estará acordando de mí, que se me está cayendo todo!
- Da mala suerte pisar las rayas de las baldosas o del pavimento.
- Si se te ponen las orejas coloradas, es que están hablando de ti, bien (si es la oreja derecha) o mal (si es la izquierda).

Recopilador: Alejandro Arturo González Terriza.
Informante: él mismo.
- Cuando sientes un escalofrío repentino es que alguien acaba de pisar la que será tu tumba.
- Cuando te zumban los oídos es que alguien está hablando mal de ti.
- Da mala suerte poner el pan al revés en la mesa.
- Si te salen puntitos blancos bajo las uñas es que eres un mentiroso.
- Si te zumban los oídos es que te están espiando desde un satélite de la NASA.
- Se pide un deseo cuando se ve una estrella fugaz y al soplar las velas de la tarta de cumpleaños.
- Un juramento no tiene valor si mientras lo haces cruzas los dedos.

Leyendas locales

LEYENDA DE MAJADAS DE TIÉTAR

Recopilador e informante: Adrián Medina García, de Majadas de Tiétar.

Cuenta la leyenda que, cuando iba a casarse, una pareja se dirigía a la iglesia, y cuando pasaban por el pinar tuvieron un accidente y murieron los dos. Desde entonces se dice que si vas al pinar después de las 12:00 ves a la novia correr con el traje de novia.

LEYENDA DE ROBLEDOLLANO

Recopiladora: Patricia Martín Muñoz.

Informante: su madre Mª Luz Muñoz, quien lo aprendió en su infancia en Robledollano (Cáceres).

Cuenta la leyenda que hace mucho tiempo, en el pueblo, se perdió una niña de unos siete años, en una noche de intensa nevada. Todo el pueblo se movilizó pero nadie la encontró. A la mañana siguiente, la niña apareció en el pueblo y dijo que se había encontrado con un hombre con un bastón y dos perros. El hombre mandó a los animales para que dieran calor a la muchacha y así no murió. Muchas personas comentan que fue San Antón el que la salvó, pero nadie lo sabe...

1 ▪ Vamos a leer el principio de una novela española cuya historia se desarrolla en Madrid, en algún año que no se especifica entre el final del siglo XVI y la primera mitad del siglo XVII, época caracterizada, entre otras cosas, por la abundancia de creencias supersticiosas entre la población. Éstas son las primeras palabras del libro:

La madrugada de aquel domingo, tantos de octubre, fue de milagros, maravillas y sorpresas, si bien hubiera, como siempre, desacuerdo entre testigos y testimonios. Más exacto sería, seguramente, decir que todo el mundo habló de ellos, aunque nadie los viera; ...

¿Te parece que el novelista cree en los milagros, maravillas y sorpresas que ocurrieron durante la madrugada de aquel domingo de octubre?

2 ▪ Haz una lectura rápida del resto del texto y busca los cuatro "milagros o maravillas" que nos cuenta:

...pero como la exactitud es imposible, más vale dejar las cosas como las cuentan y contaron: si no fue el socavón de la calle del Pez, que quedó a la vista del mundo durante todo el día, y la gente acudió a verlo y a olerlo como si fuera la abada[1]. El percance, según se relata, fue, *por ejemplo*, así: una vieja, de madrugada, vio salir una víbora de debajo de una piedra: la víbora *echó a correr hacia abajo como pudo haber echado a correr hacia arriba*; pero lo que vio el talabartero[2] de la calle de San Roque ya no fue una víbora, sino una culebra de regular tamaño, que también echó a correr, *hacia arriba o hacia abajo, la dirección no figura*. La beata que salía de San Ginés, de oír la misa de alba, vio un verdadero culebrón que, *ése sí*, llevaba camino del alcázar, más o menos, y, finalmente, alguien de la Guardia Valona[3] que iba al servicio o salía de él *(esto no queda muy preciso)*, lo que pudo contemplar, atónito o desorbitado, fue una gigantesca boa que rodeaba al alcázar, por la parte que se apoya en la tierra o coincide con ella, y parecía apretar el edificio con ánimo de derribarlo, o al menos de estrujarlo, lo que parece más verosímil, al menos desde un punto de vista de la semántica. El guardia valón empezó a pegar gritos en su lengua, pero, como nadie lo entendía, dio tiempo a que la gigantesca serpiente desistiese de su empeño, al menos en apariencia, y se deslizase con suavidad pasmosa hacia el Campo del Moro, donde fue rastreada en vano durante toda la mañana por *equipos de expertos* que se turnaban cada hora. (...)

Las campanas de Santa Águeda tocando solas *las oyó todo el mundo; pero, ¿quién es todo el mundo?* Lo de las voces angustiosas saliendo de una casa en ruinas vino del barrio de Las Vistillas: unas voces tremendas y doloridas, de condenados al fuego eterno *o cosa así*, aunque también pudieran corresponder a penitentes del Purgatorio[4]: eran, *miren qué cosas*, voces pestilentes. Lo que se pudo comprobar por quien quisiera hacerlo fue lo de la calle del Pez: en efecto, había un socavón que atravesaba la calle en línea quebrada, de sur a norte; en un principio, *al parecer*, salían de la grieta (de la sima, *según los primeros testigos, desconocidos*) gases sulfurosos, por lo que todo el mundo pensó, y con razón, que en el fondo de la grieta empezaba el infierno, sobre todo si se tiene en cuenta que, con los gases, salían rugidos de dolor y blasfemias espantosas; pero cuando la gente empezó a juntarse (...), la sima ya no lo era, y no olía peor que la misma calle. *Se conoce que los* gases se habían agotado.

Gonzalo Torrente Ballester, *Crónica del rey pasmado*

[1] Se llamó "abada" al primer rinoceronte que llegó a Madrid, en 1581, procedente de la isla de Java, como regalo al rey Felipe II. La calle donde se le exhibió al público sigue llamándose hoy en día calle de la Abada.
[2] Persona que hacía los cinturones de los que se colgaban las espadas.
[3] En 1526 se creó un grupo de guardias procedentes de las zonas de los Países Bajos conquistadas por España, al que se llamó "Guardia Valona". Un tiempo más tarde se convirtió en la guardia personal del Rey, hasta 1815, año en que se suprimió.
[4] la Iglesia católica española decía que, con excepción de unas pocas, todas las almas de los muertos debían pasar un periodo en el purgatorio, lugar donde sufrían enormemente por los pecados cometidos en su vida, es decir, hacían penitencia (por eso se habla de "penitentes", que son las almas de estas personas).

3 ■ Del primer "milagro" se nos cuentan más detalles. ¿Era todo el tiempo el mismo animal o se habla de varios animales?

4 ■ En el texto tienes algunas palabras o frases marcadas. ¿Cuál es el tono que le dan a la narración: neutro, admirativo, irónico, crítico, humorístico...?

La novela nos cuenta la historia de un rey de España que quería ver desnuda a su mujer, a lo cual se oponía gran parte de la Iglesia y de la corte porque creían que, si el Rey cometía ese pecado, traería la desgracia a su pueblo. Si el tema te parece interesante, ¡lee a tu aire!

Repaso III
Unidades 7-9

Las respuestas correctas pueden ser todas, algunas o una sola.

1 ▪ Dejar que todo el mundo entre gratis en los museos podría ser _____ y hacer que baje el número de visitantes.

a) reñido
b) contraproducente
c) indigesto

2 ▪ ¡Hay que ver _____ cuadros que pintó Picasso en su vida!

a) cuántos de   b) cómo de
c) la cantidad de   d) la de

3 ▪ En cambio yo, es increíble _____ vaga que soy.

a) lo de   b) la
c) la muy   d) lo

4 ▪ Pusieron unas plantas en el _____ de la ventana para que les diera el sol.

a) alféizar   b) cincel
c) pincel   d) tabique

5 ▪ El artista creó esta escultura esculpiendo el mármol con un _____.

a) cincel   b) pincel
c) lienzo   d) grabado

6 ▪ Este cuadro es la _____ de nuestro museo.

a) colección   b) obra
c) joya   d) figura

7 ▪ Entre estos dos cuadros no hay _____.

a) comparación   b) color
c) nada que ver   d) cuál mejor

8 ▪ Trabaja de _____ en un teatro.

a) acomodador   b) escenario
c) palco   d) tramoyista

9 ▪ Es un tenor muy completo, con un gran _____.

a) solfeo   b) soprano
c) telón   d) repertorio

10 ▪ Estábamos asustados por el _____ de los truenos.

a) aguacero   b) estampido
c) recorte

11 ▪ Me puedes llamar _____, pero a mí sí que me han convencido con su historia.

a) crédulo   b) creyente
c) crédito

12 ▪ Es una famosa pintora por _____ obras se pagan millones.

a) quien   b) cuales
c) cuyas

13 ▪ Podrán presentarse a este concurso obras originales _____ extensión no sobrepase los cincuenta folios manuscritos.

a) la cual   b) cuya
c) cuyas   d) de las cuales

14 _____ a ayudarnos en cuanto supo que lo necesitábamos.

    a) Prestó   b) Nos prestó

    c) Se prestó

15 Estas obras están a unos precios que habría que _____ .

    a) aprovechar   b) aprovecharse

    c) aprovecharnos

16 Este Pedro es un _____ . Siempre se está metiendo a defender causas perdidas.

    a) pintamonas   b) quijote

    c) comediante   d) pintado

17 No quiero volver a ver a esa gente ni _____ .

    a) en pintura   b) que pintada

    c) en retrato   d) de película

18 Estoy montando un museo de instrumentos musicales populares, y estoy buscando _____ .

    a) botas   b) zambombas

    c) mates   d) castañuelas

19 En muchas zonas de América se comen _____ , que son unas tortas hechas de harina de maíz.

    a) yucas   b) gachas

    c) migas   d) arepas

20 Pon tildes donde sean necesarias:

    a) cortalo   b) sujetaselas

    c) dele   d) deselos

    e) ponla   f) lialo

    g) estense   h) añadele

21 A pesar de su origen religioso, las Fallas valencianas son hoy en día unas fiestas fundamentalmente _____ .

    a) foráneas   b) laicas

    c) clericales   d) profanas

22 El torero sufrió una _____ durante la corrida.

    a) manada   b) puntilla

    c) cogida

23 ¡_____ te vemos! Ya era hora de que vinieses por aquí.

    a) Finalmente   b) En fin

    c) Por fin   d) Al fin

24 Acabo de pasar una gripe que me ha dejado _____ .

    a) hecho un capote   b) a la torera

    c) en la barrera   d) para el arrastre

25 Pertenecen a un grupo folclórico y bailan _____ .

    a) jotas   b) charangas

    c) coletas   d) sardanas

26 Esta ciudad tiene _____ . Es maravillosa.

    a) maleficio   b) embrujo

    c) hechizo   d) conjuro

27 En su vida todo le ha ido bien. Se puede decir que ha nacido _____ .

    a) con embrujo   b) hechizado

    c) con estrella

28 La acusaron de bruja y fue quemada en un _____ .

    a) aquelarre   b) auto de fe

    c) tormento

29 Las brujas celebraban unas fiestas durante _____ se bailaba alrededor de una hoguera.

    a) estas   b) las que

    c) las cuales

30 Dicen que romper un espejo _____ mala suerte.

    a) conjura   b) trae

    c) hace   d) da

31 ■ Para _____ el maleficio, lo mejor es enterrar los trozos de espejo rotos.

   a) neutralizar   b) atraer
   c) romper

32 ■ ¿Qué significa "Como no te duermas, voy a llamar al hombre del saco"?

   a) Si no te duermes, lo llamo
   b) Duérmete o lo llamo
   c) Lo voy a llamar porque no te duermes

33 ■ Es un hombre _____, o sea, que no conviene llevarle la contraria porque en seguida se enfada y se pone muy agresivo.

   a) malicioso   b) voraz
   c) vengativo   d) iracundo

34 ■ Ana es muy _____. Se deprime muy fácilmente.

   a) deprimente   b) deprimida
   c) depresiva

35 ■ – No entiendo cómo ese hombre pudo adivinar tanto sobre mi pasado.

   + Hombre, _____ de antes.

   a) a lo mejor te conociera
   b) igual te conocía
   c) quizá te conociera
   d) puede que te conocía

apéndice
de actividades

ACTIVIDAD 1
GRUPO 1

Salvador Dalí

ACTIVIDAD 2

Alumno A

Tu compañero y tú vais a tener cinco pequeñas conversaciones en cinco situaciones diferentes. Debajo tienes tu papel en cada situación. El símbolo " ➡ " indica que eres tú el que empieza a hablar. Intenta usar la mayor cantidad de expresiones posible de las que has trabajado en esta sección.

a.- ➡ Tenías pensado ir este fin de semana de viaje, pero te han robado la cartera con todo el dinero y los documentos y no te puedes marchar. Cuéntaselo a tu compañero. (Al principio estabas muy enfadado/a, ahora ya te has conformado)

b.- Estás muy triste porque se ha muerto un amigo tuyo.

c.- ➡ Necesitas que tu compañero te ayude a terminar los ejercicios de gramática.

d.- No estás dispuesto a aceptar los planes que te propone tu amigo.

e.- ➡ Te encuentras a tu compañero en la calle. Hace mucho que no lo ves.

ACTIVIDAD 3

GRUPO A

1 ▪ Aquí tienes los argumentos de dos películas españolas, tomados de una página de cine de Internet. Imagina con tus compañeros cómo se los contarías oralmente a un amigo. Una persona del grupo narrará al final –oralmente– el argumento.

Laredo, 22 de agosto de 1496. Una flota parte con destino a Flandes. Su objetivo es conducir a la infanta a la corte de Bruselas, donde contraerá patrimonio con el que más tarde será conocido como Felipe el Hermoso. El encuentro es fulgurante. Apenas mirarse, nace entre ellos un deseo y una atracción incontrolable. Se olvidan de sus obligaciones políticas y se abandonan a los sentimientos. Sin embargo, el destino tiene otros planes para ellos. Las muertes de sus hermanos mayores y de su madre convierten a la infanta en reina de Castilla y heredera de la corona de Aragón. Estos acontecimientos desembocarán en dos batallas: una política, entre la nobleza flamenca y la castellana; la otra, mucho más dolorosa, será la que se libre en el lecho conyugal.

www.zinema.com

En 1947 dos jóvenes son condenados a varios años de cárcel por realizar una pintada antifranquista en la Universidad. Gracias a la ayuda de un francés consiguen escapar y recorrer el país en un coche descapotable acompañados de dos americanas de las que simulan ser guías turísticos.

www.zinema.com

2 ▪ Un compañero del grupo B va a contar el argumento de dos películas. ¿Cuáles de estas cuatro crees que son?

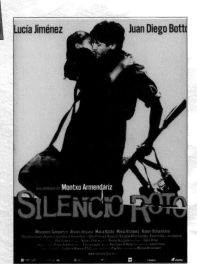

ALUMNO A

1 ■ Busca un negocio que podrías montar con tu compañero. Proponle, uno por uno, los de la lista de debajo, hasta que encuentres uno que le vaya bien. Si ninguna de las cuatro propuestas le parece bien, inventa otras.

– una empresa de venta y reparación de ordenadores

– una peluquería

– una tienda de alimentos biológicos

– un bar

> Algunas palabras que te pueden ayudar:
>
> – Oye, ¿y si montamos...?
>
> – Se me ha ocurrido una cosa: ¿por qué no montamos...?
>
> – Bueno, pues entonces podríamos montar...
>
> – Otra posibilidad sería montar...

2 ■ Ahora tu compañero te va a hacer propuestas. Contéstale diciendo la verdad sobre ti mismo (lo que haces bien y lo que no).

> Algunas palabras que te pueden ayudar:
>
> – Imposible. Se me da/n fatal...
>
> – Eso estaría bien. Yo tengo facilidad para...
>
> – Genial, porque _____ es/son lo mío.
>
> – No saldría bien. Soy un desastre / un-a negado-a ...
>
> – Estaría bien, pero te advierto que _____ no es/son lo mío.

CTIVIDAD 5

GRUPO 2

Pablo Picasso

CTIVIDAD 6

Alumno B

Tu compañero y tú vais a tener cinco pequeñas conversaciones en cinco situaciones diferentes. Debajo tienes tu papel en cada situación. El símbolo "➡" indica que eres tú el que empieza a hablar. Intenta usar la mayor cantidad de expresiones posible de las que has trabajado en esta sección.

a.- Te compadeces de tu pobre compañero

b.- ➡ Llegas a clase y saludas a tu compañero. Pregúntale qué tal está.

c.- No tienes nada que hacer ahora mismo y te gusta mucho la gramática.

d.- ➡ Has tenido una idea estupenda: vender el coche de tu compañero para poder ir juntos de vacaciones con el dinero.

e.- Te encuentras a tu compañero en la calle. Él se acerca a saludarte.

245 ■

ACTIVIDAD 7

GRUPO 3

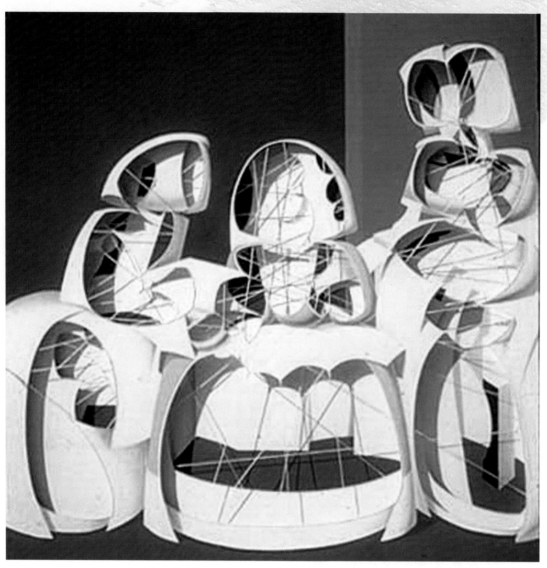

Manuel Frutos Llamazares

ACTIVIDAD 8

Alumno B

1 ▪ Tu compañero te va a hacer propuestas para montar un negocio juntos. Contéstale diciendo la verdad sobre ti mismo (lo que haces bien y lo que no).

> Algunas palabras que te pueden ayudar:
>
> – Imposible. Se me da/n fatal...
>
> – Eso estaría bien. Yo tengo facilidad para...
>
> – No estaría mal. A mí se me da/n muy/bastante bien...
>
> – No saldría bien. Soy un desastre / un-a negado-a ...
>
> – Estaría bien, pero te advierto que _____ no es/son lo mío.

2 ▪ Busca un negocio que podrías montar con tu compañero. Proponle, uno por uno, los de la lista de debajo, hasta que encuentres uno que le vaya bien. Si ninguna de las cuatro propuestas le parece bien, inventa otras.

- una empresa para vender productos típicos españoles por Internet
- una agencia de intérpretes y traductores (de vuestras lenguas al español y viceversa)
- una residencia para perros y gatos
- una empresa de decoración

> Algunas palabras que te pueden ayudar:
>
> – Oye, ¿y si montamos...?
>
> – Se me ha ocurrido una cosa: ¿por qué no montamos...?
>
> – Bueno, pues entonces podríamos montar...
>
> – Otra posibilidad sería montar...

ACTIVIDAD 9
GRUPO 4

Pablo Picasso

ACTIVIDAD 10
GRUPO B

1 ▪ Un compañero del grupo A va a contar el argumento de dos películas. ¿Cuáles de estas cuatro crees que son?

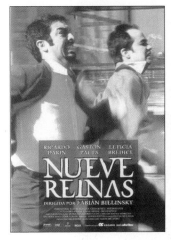

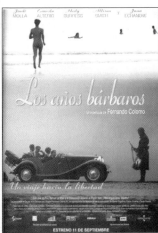

2 ▪ Aquí tienes los argumentos de dos películas españolas, tomados de una página de cine de Internet. Imagina con tus compañeros cómo se los contarías oralmente a un amigo. Una persona del grupo narrará al final –oralmente– el argumento.

Una novelista que ha abandonado su carrera de escritura rastrea una historia real sucedida en los últimos días de la Guerra Civil: un escritor y falangista muy importante fue fusilado junto a otros cincuenta prisioneros, pero logró huir por el bosque y esconderse. Al parecer un soldado de los que peinaban la zona en su busca lo encontró, pero le dejó escapar. La escritora recompone las piezas de esta historia, plagada de contradicciones y personajes enigmáticos.

Basado en un resumen de www.zinema.com

Invierno de 1944. Lucía, de apenas 21 años, llega a un pequeño pueblo de montaña. Allí conoce a Manuel, un joven herrero que colabora con los del monte, los maquis: guerrilleros que, ocultos en la sierra, no se resignan al triunfo del franquismo. Lucía se siente atraída por Manuel, por su sonrisa, y por el valor de esos hombres que continúan peleando por sus ideas, aun a costa de sus vidas. Cuando Manuel huye al monte, Lucía descubre la inhóspita realidad que oculta la montaña y, también, que por las vacías calles del pueblo sólo deambulan el silencio, el horror y el miedo.

www.zinema.com

GRUPO 5

Representación virtual en 3D (tres dimensiones,)
por Hisham Bizri, Christina Vasilakis
y Andrew Johnson

LA HISTORIA DE UN LARGO SILENCIO

En la actualidad el reflujo de capital desde el Sur hacia los países ricos es de 436.000 millones de dólares anuales, lo cual genera pobreza y desequilibrios económicos en cada uno de los países de América Latina.

Y de esta pobreza resultan las mujeres las principales víctimas. Según datos recientes, esta situación tiende a agravarse en un proceso de "feminización de la pobreza". Salarios bajos, paro estacional o permanente, informalización de la economía, falta de servicios sociales y deficientes sistemas sanitarios, afectan en mayor medida a las mujeres; éstas, además de recibir menos paga por su trabajo, deben afrontar a menudo solas la responsabilidad de la alimentación de los hijos, ya que la misma inestabilidad económica empuja a los hombres a la emigración o al abandono de sus responsabilidades familiares.

Así, en América Latina abundan las familias donde la madre es el único sostén del hogar; éstas, precisamente las familias más pobres, constituyen la tercera parte del total de los hogares. Malnutrición, embarazos frecuentes y exceso de trabajo terminan de configurar un cuadro de alto índice de enfermedad, ya que una sexta parte de las mujeres del área presentan anemia por desnutrición, mientras la mortalidad materna afecta a una parturienta de cada noventa.

Evidentemente estas son estadísticas generales que enmascaran la diversidad de las situaciones locales; así por ejemplo la natalidad oscila entre más de seis hijos por mujer en Bolivia, Ecuador, México, Nicaragua y Honduras, hasta menos de tres en Argentina, Chile y Uruguay, y menos de dos en Cuba. Esta diferencia se correlaciona con diferencias semejantes en condiciones sanitarias y expectativas de vida.

Así como la relación económica con el mundo desarrollado produce y amplía la pobreza del Tercer Mundo y la sobreexplotación de sus mujeres, la imposición de las ideologías europeas en los ámbitos religiosos y políticos trasplantó a otras tierras una tradición de desvalorización femenina y produjo un descenso global del estatus de las mujeres en las zonas colonizadas.

Diosas femeninas, mujeres sacerdotisas, filiación matrilineal, residencia matrilocal, participación de las mujeres en la toma de decisiones políticas, acceso a los puestos militares, libertad sexual de las solteras y reconocimiento en los mitos de su importancia y autonomía, son elementos que podrían encontrarse, reunidos o separados, en muchas sociedades precolombinas, y que la cultura europea no apreciaba. Todas esas prácticas y creencias fueron prohibidas o desvalorizadas por los conquistadores, que implantaron normas mucho más misóginas y excluyeron a las mujeres de todos los ámbitos de poder.

Se institucionaliza entonces una situación que ha perdurado hasta nuestros días, y que establece para las descendientes de los primeros pobladores del continente americano una triple discriminación: en tanto que indias, en tanto que mujeres y en tanto que pobres. El "machismo" que caracteriza tantas sociedades mestizas se ha generado entonces en ese contexto y no es una herencia de las culturas indias.

Sobre esta historia común como fondo, en cada uno de los países surgidos de la colonización las mujeres han ido tejiendo sus propias reivindicaciones y en las últimas décadas han tomado parte decisiva en todos los movimientos de liberación. Esta participación política alcanzó reconocimiento al encarnarse en las "Madres de Plaza de Mayo" en Argentina. Pero ellas no son un ejemplo aislado: las pobladoras chilenas, las viudas de Guatemala, las guerrilleras salvadoreñas y grupos similares en otros países, muestran el nivel de radicalidad que han asumido las mujeres de Latinoamérica.

La participación en la política global está acompañada por una conciencia de género desigual, pero que ha dado lugar a concreciones como los "Encuentros Feministas Latinoamericanos y del Caribe". Las tareas que estos grupos tienen por delante son enormes; sólo en casos excepcionales (como es el de Cuba) tienen reconocido el derecho al aborto, y el divorcio por acuerdo y la patria potestad compartida son derechos aún no reconocidos en muchos países del área. La desigualdad de salarios por el mismo trabajo es una práctica generalizada, aun en los casos (como Argentina o Chile) en que la ley garantiza la igualdad.

En general, en todo el continente se observa que las mujeres están avanzando en su nivel de organización, pero que la situación política y económica de la zona influye en sentido opuesto a sus reivindicaciones.

ACTIVIDAD 13

Alumno A

Conversación 1. Imagina que eres César Sirvent, uno de los miembros de la Asociación Juvenil de Parapsicología de Zaragoza. Lee la historia que este grupo vivió en Belchite; después tu compañero te va a hacer una entrevista sobre tu experiencia. Piensa en cómo vas a describir el miedo y las sensaciones que tuviste.

> Esta asociación organizó una excursión a Belchite Viejo. Se alojaron en Belchite Nuevo, y de allí, a última hora de la tarde, partieron en dirección a las ruinas de Belchite Viejo con grabadoras. Una grabadora registró, en lo que había sido la cárcel del pueblo, una frase que parecía provenir del interior de sus escombros: "¡Sacadme de aquí!". La segunda noche, cuando volvían de Belchite Viejo y faltaban pocos metros para entrar en el pueblo nuevo, César Sirvent notó que alguien o algo le tocaba en la espalda, como dándole un pequeño empujón; se volvió y no había nadie.
>
> (Historia tomada del artículo "Los ecos de la Guerra Civil", *Más allá*)

Conversación 2. Eres un locutor de radio; el programa de hoy trata sobre el pueblo de Belchite. Tú eres bastante escéptico con respecto a los sucesos paranormales.

Tu compañero es Jesús Martínez, un investigador de fenómenos paranormales que vivió una experiencia de teleportación después de haber visitado Belchite.

Mientras tu compañero prepara la entrevista, piensa en las preguntas que le vas a hacer.

ACTIVIDAD 14
GRUPO 6

Pablo Picasso

Alumno B

Conversación 1. Eres un locutor de radio; el programa de hoy trata sobre el pueblo de Belchite. Tú eres bastante escéptico con respecto a los sucesos paranormales.

Tu compañero es César Sirvent, miembro de la Asociación Juvenil de Parapsicología de Zaragoza. Participó en una excursión a Belchite en la que se vivieron algunas experiencias extrañas, como la percepción de presencias invisibles y la grabación de voces extrañas.

Mientras tu compañero prepara la entrevista, piensa en las preguntas que le vas a hacer.

Conversación 2. Imagina que eres Jesús Martínez, un investigador de fenómenos paranormales. Lee la historia; después tu compañero te va a hacer una entrevista sobre tu experiencia. Piensa en cómo vas a describir las sensaciones que tuviste.

> Jesús Martínez fue con varios amigos a Belchite. No ocurrió nada extraño durante su estancia allí. Hacia las tres de la madrugada emprendieron la vuelta a Zaragoza, a la que debían haber llegado, normalmente, en media hora. Iban distribuidos en tres coches. En el coche en el que iba Jesús, el primero de los tres, tuvieron que parar porque la pareja que viajaba en los asientos delanteros no se encontraba bien. Les extrañó que los otros dos coches no les adelantaran. Pasado un rato, reemprendieron la marcha. De pronto, se dieron cuenta de que ya estaban en la entrada de Zaragoza. Miraron el reloj y ¡sólo habían transcurrido dos minutos desde que salieran de Belchite! Pararon para esperar a los otros dos coches, que tardaron su media hora en llegar. Jesús Martínez está convencido de que fueron teletransportados desde Belchite hasta Zaragoza.
>
> (Historia tomada del artículo "Los ecos de la Guerra Civil", *Más allá*)